연산부터 문해력까지
풍산자 연산으로
초등 수학을 시작해요.

연구진

이상욱 풍산자수학연구소 책임연구원

김선화 풍산자수학연구소 선임연구원

검토진

고정숙(서울), **고효기**(경북), **김경구**(경북), **김수진**(서울), **김정화**(경북), **박성호**(경북)

방윤희(광주), **심평화**(서울), **유경혜**(경북), **주진아**(경북), **홍선유**(광주)

풍산자 연산

초등 연산의 모든 것

초등 **수학** 5-1

1일 차 학습 주제별 연산 문제를 풍부하게 제공합니다.

주제별 알아야 하는 개념을 살펴봐요.

많은 문제로 연산을 연습해요.

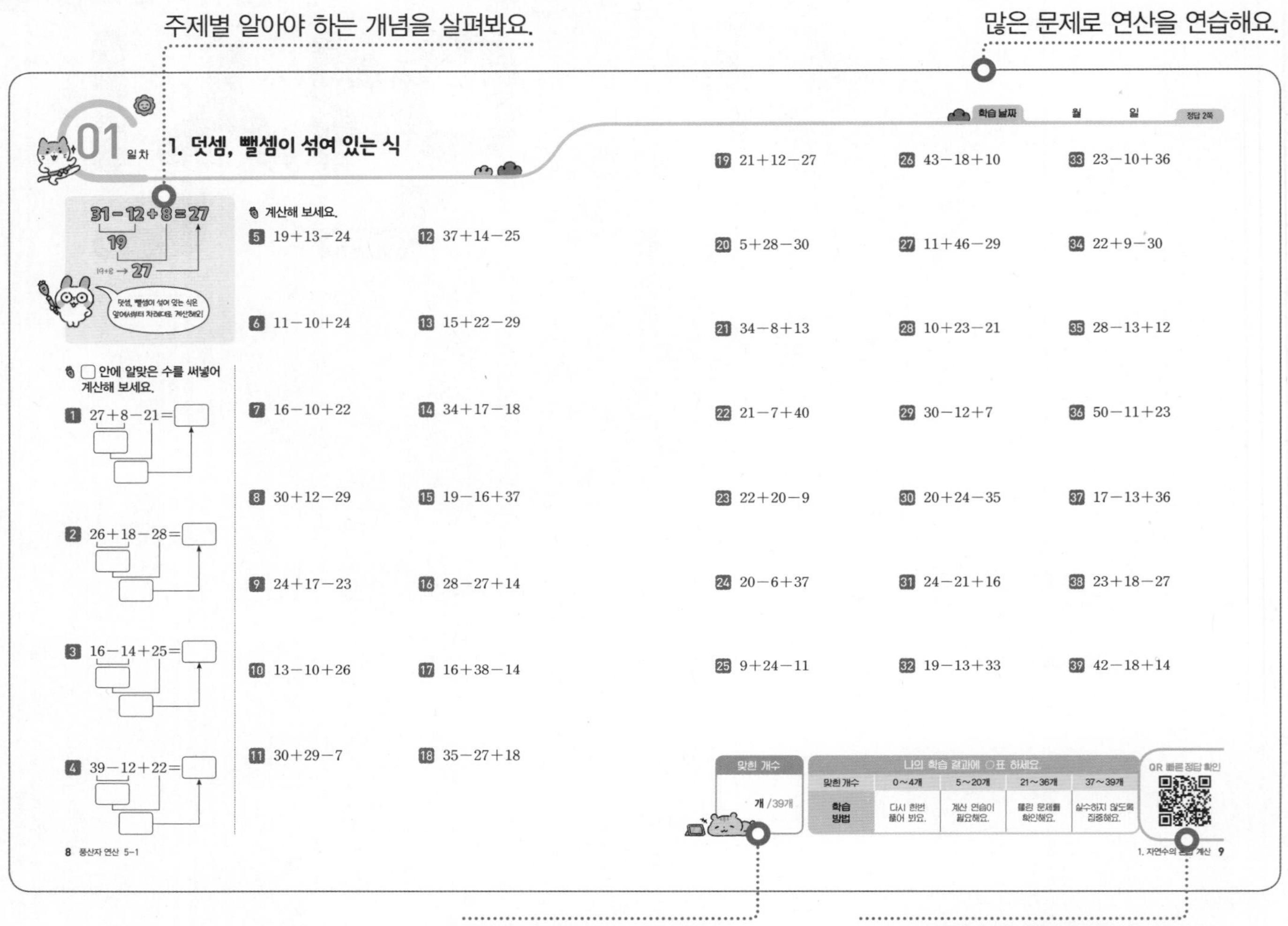

학습 결과를 스스로 확인해요.

QR로 간편하게 정답을 확인해요.

풍산자 연산은

1. 많은 문제로 연산 실력을 향상시킵니다.
2. 주제를 세분화하여 체계적으로 학습합니다.
3. 연산 in 문장제로 문해력을 향상시킵니다.

2일 차 연산을 반복 연습하고, 문장제에 적용하도록 구성했습니다.

반복 연습으로 연산 실력을 키워요.

문장제로 문해력과 연산 실력을 함께 키워요.

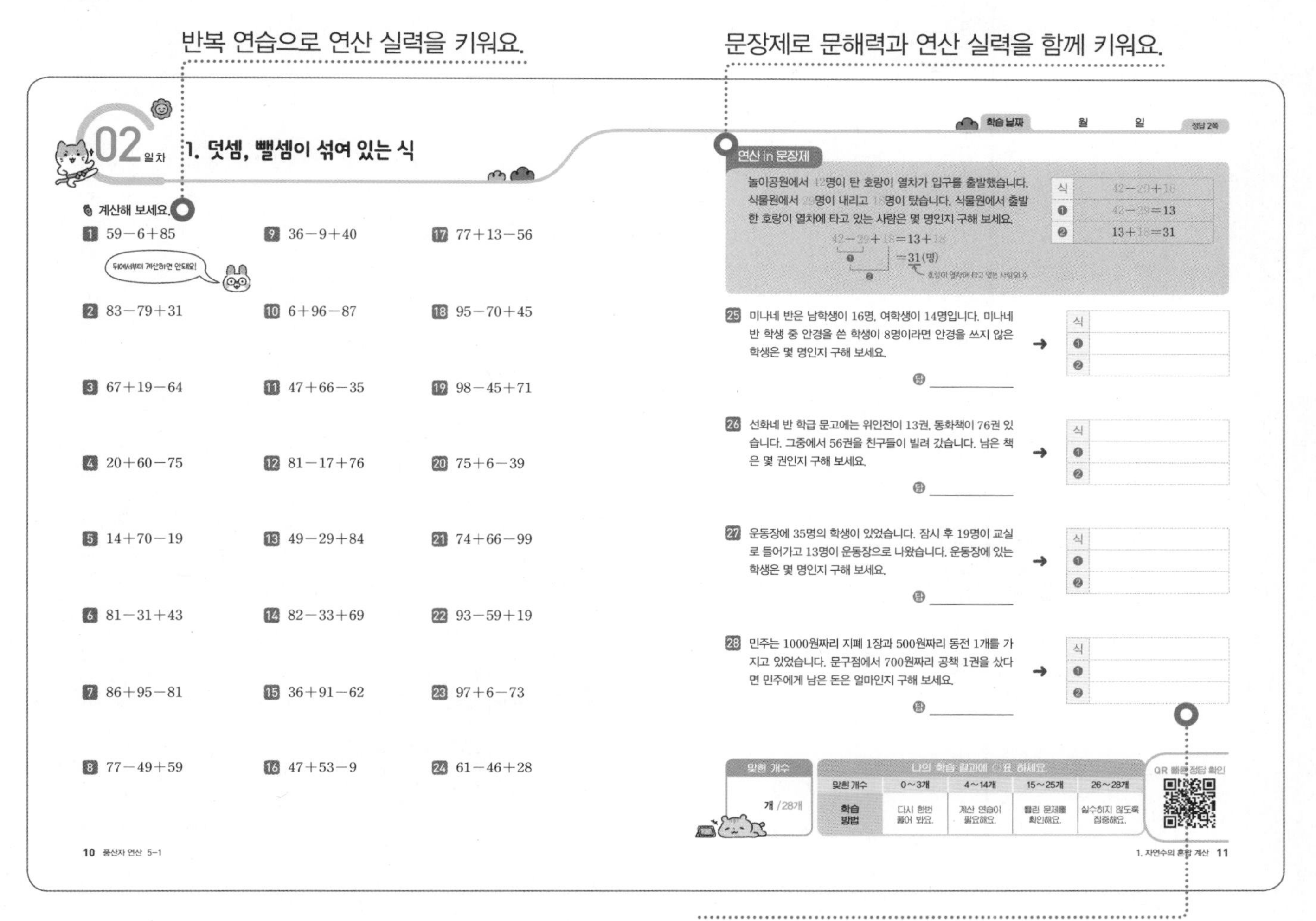

연산 도구로 문장제 속 연산을 정확하게 해결해요.

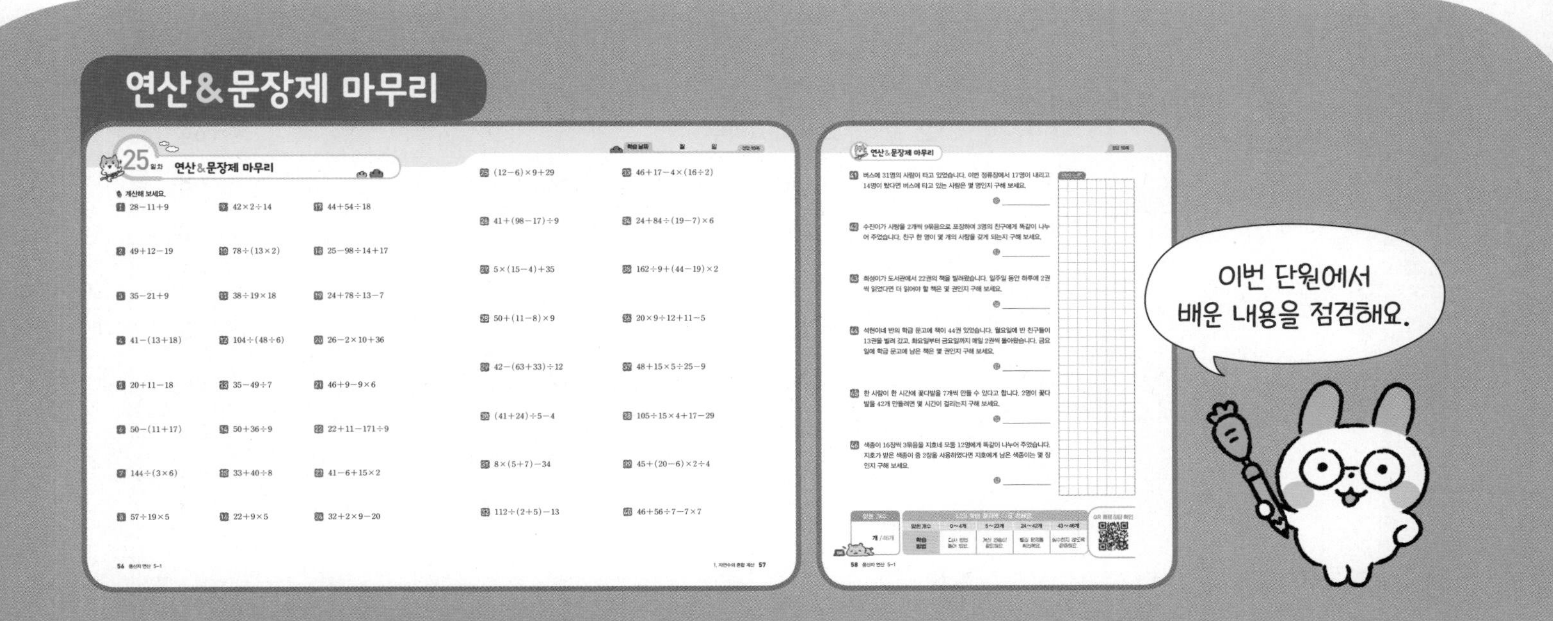

차례

1 자연수의 혼합 계산

2 약수와 배수

함께 공부할 친구들
난 호기심이 많고
활동적인 강아지야.
뭉치
몽이
난 무엇이든 잘하는
원숭이야.
난 모든 일에 끈기 있는
모범생 곰이야.
꼬미
난 공부도 운동도
모두 즐기는 고양이야.
냥냥
난 선생님이 되고
싶은 토끼야.
총총이
난 가르치기 좋아하는
똑똑한 다람쥐야.
란란

1

자연수의 혼합 계산

1. 덧셈, 뺄셈이 섞여 있는 식

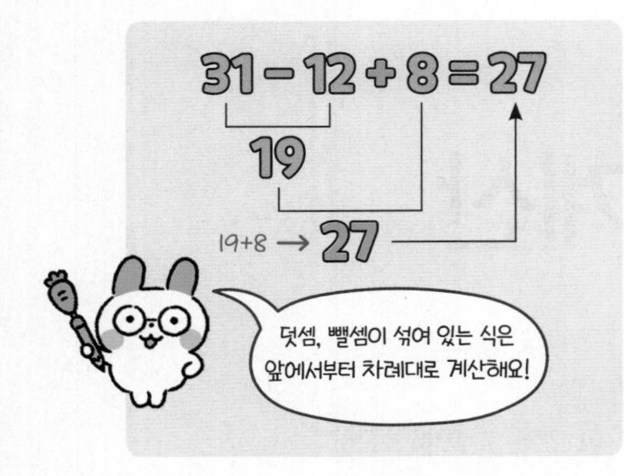

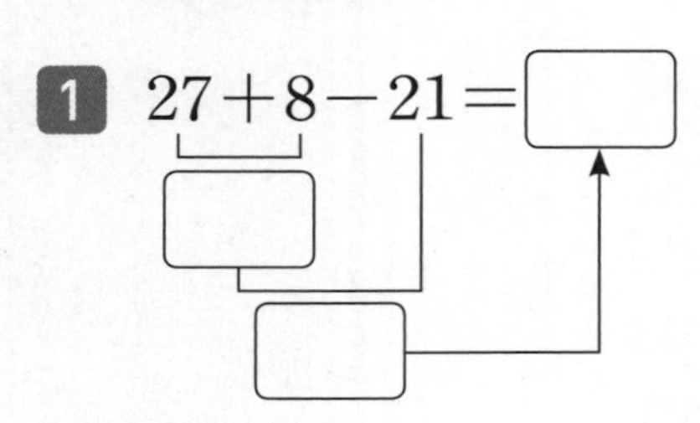

□ 안에 알맞은 수를 써넣어 계산해 보세요.

1 $27+8-21=\square$

2 $26+18-28=\square$

3 $16-14+25=\square$

4 $39-12+22=\square$

계산해 보세요.

5 $19+13-24$

6 $11-10+24$

7 $16-10+22$

8 $30+12-29$

9 $24+17-23$

10 $13-10+26$

11 $30+29-7$

12 $37+14-25$

13 $15+22-29$

14 $34+17-18$

15 $19-16+37$

16 $28-27+14$

17 $16+38-14$

18 $35-27+18$

19 $21+12-27$

20 $5+28-30$

21 $34-8+13$

22 $21-7+40$

23 $22+20-9$

24 $20-6+37$

25 $9+24-11$

26 $43-18+10$

27 $11+46-29$

28 $10+23-21$

29 $30-12+7$

30 $20+24-35$

31 $24-21+16$

32 $19-13+33$

33 $23-10+36$

34 $22+9-30$

35 $28-13+12$

36 $50-11+23$

37 $17-13+36$

38 $23+18-27$

39 $42-18+14$

맞힌 개수

개 /39개

나의 학습 결과에 ○표 하세요.

맞힌 개수	0~4개	5~20개	21~36개	37~39개
학습 방법	다시 한번 풀어 봐요.	계산 연습이 필요해요.	틀린 문제를 확인해요.	실수하지 않도록 집중해요.

QR 빠른 정답 확인

02일차 1. 덧셈, 뺄셈이 섞여 있는 식

계산해 보세요.

1 $59-6+85$

2 $83-79+31$

3 $67+19-64$

4 $20+60-75$

5 $14+70-19$

6 $81-31+43$

7 $86+95-81$

8 $77-49+59$

9 $36-9+40$

10 $6+96-87$

11 $47+66-35$

12 $81-17+76$

13 $49-29+84$

14 $82-33+69$

15 $36+91-62$

16 $47+53-9$

17 $77+13-56$

18 $95-70+45$

19 $98-45+71$

20 $75+6-39$

21 $74+66-99$

22 $93-59+19$

23 $97+6-73$

24 $61-46+28$

연산 in 문장제

놀이공원에서 42명이 탄 호랑이 열차가 입구를 출발했습니다. 식물원에서 29명이 내리고 18명이 탔습니다. 식물원에서 출발한 호랑이 열차에 타고 있는 사람은 몇 명인지 구해 보세요.

$42-29+18=13+18$ (❶: $42-29$, ❷: $13+18$)

$=31$(명) ← 호랑이 열차에 타고 있는 사람의 수

식	$42-29+18$
❶	$42-29=13$
❷	$13+18=31$

25 미나네 반은 남학생이 16명, 여학생이 14명입니다. 미나네 반 학생 중 안경을 쓴 학생이 8명이라면 안경을 쓰지 않은 학생은 몇 명인지 구해 보세요.

답 ______

→

식	
❶	
❷	

26 선화네 반 학급 문고에는 위인전이 13권, 동화책이 76권 있습니다. 그중에서 56권을 친구들이 빌려 갔습니다. 남은 책은 몇 권인지 구해 보세요.

답 ______

→

식	
❶	
❷	

27 운동장에 35명의 학생이 있었습니다. 잠시 후 19명이 교실로 들어가고 13명이 운동장으로 나왔습니다. 운동장에 있는 학생은 몇 명인지 구해 보세요.

답 ______

→

식	
❶	
❷	

28 민주는 1000원짜리 지폐 1장과 500원짜리 동전 1개를 가지고 있었습니다. 문구점에서 700원짜리 공책 1권을 샀다면 민주에게 남은 돈은 얼마인지 구해 보세요.

답 ______

→

식	
❶	
❷	

맞힌 개수

개 /28개

나의 학습 결과에 ○표 하세요.

맞힌 개수	0~3개	4~14개	15~25개	26~28개
학습 방법	다시 한번 풀어 봐요.	계산 연습이 필요해요.	틀린 문제를 확인해요.	실수하지 않도록 집중해요.

QR 빠른 정답 확인

2. 덧셈, 뺄셈, ( )가 섞여 있는 식

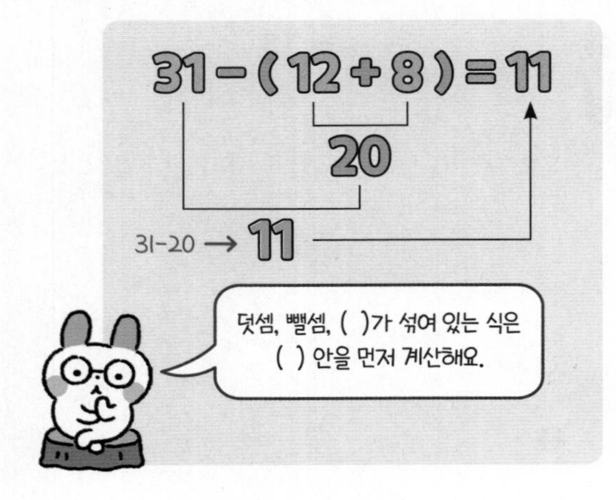

□ 안에 알맞은 수를 써넣어 계산해 보세요.

1 $26-(13+10)=\square$

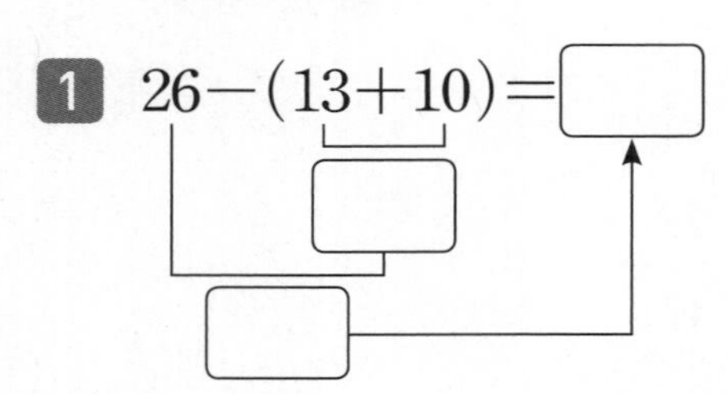

2 $27-(8+12)=\square$

3 $35-(16-8)=\square$

4 $25-(16-4)=\square$

계산해 보세요.

5 $54+(21-14)$

6 $37+(25-17)$

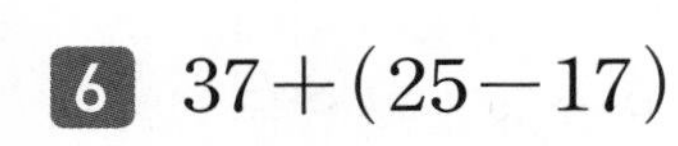

7 $38+(16-15)$

8 $28-(27-14)$

9 $43-(17+18)$

10 $30-(29-7)$

11 $17-(24-23)$

12 $30-(29-12)$

13 $37-(19+16)$

14 $24-(19-13)$

15 $15-(29-22)$

16 $16-(22-10)$

17 $40-(11+10)$

18 $27-(27-18)$

19 $40-(7+21)$

20 $50-(11+23)$

21 $5-(30-28)$

22 $21-(27-12)$

23 $30-(22+4)$

24 $36-(19+16)$

25 $24-(21-16)$

26 $37-(7+20)$

27 $18-(23-21)$

28 $39-(23+10)$

29 $33-(19-13)$

30 $34-(8+13)$

31 $23-(27-18)$

32 $24-(11+9)$

33 $28-(13+12)$

34 $42-(18+14)$

35 $30-(12+7)$

36 $20-(35-24)$

37 $22-(20-9)$

38 $43-(18+10)$

39 $51-(13+29)$

맞힌 개수

개 /39개

나의 학습 결과에 ○표 하세요.

맞힌 개수	0~4개	5~20개	21~36개	37~39개
학습 방법	다시 한번 풀어 봐요.	계산 연습이 필요해요.	틀린 문제를 확인해요.	실수하지 않도록 집중해요.

QR 빠른 정답 확인

04일차

2. 덧셈, 뺄셈, ( )가 섞여 있는 식

계산해 보세요.

1 $44+(14-13)$

( ) 안을 먼저!

2 $78+(63-43)$

3 $85-(66+16)$

4 $55-(65-14)$

5 $48-(88-59)$

6 $81-(31+43)$

7 $79-(1+26)$

8 $40-(86-77)$

9 $83-(39+2)$

10 $72-(12+28)$

11 $82-(7+53)$

12 $88-(9+22)$

13 $71-(83-76)$

14 $36-(54-46)$

15 $54-(84-62)$

16 $115-(47+18)$

17 $99-(109-102)$

18 $70-(95-82)$

19 $63-(12+32)$

20 $117-(4+69)$

21 $61-(99-49)$

22 $81-(114-89)$

23 $47-(94-76)$

24 $52-(110-79)$

연산 in 문장제

현진이는 색종이를 65장 가지고 있었습니다. 그중에서 친구에게 16장을, 동생에게 14장을 주었습니다. 현진이에게 남은 색종이는 몇 장인지 구해 보세요.

$$65-(16+14)=65-30$$
$$=35(장)$$

(❶: $16+14$, ❷: $65-30$, 35: 현진이에게 남은 색종이의 수)

식	$65-(16+14)$
❶	$16+14=30$
❷	$65-30=35$

25 효민이네 반 학생은 27명입니다. 그중에서 남학생 8명과 여학생 12명이 줄넘기를 하고 있습니다. 줄넘기를 하고 있지 않은 학생은 몇 명인지 구해 보세요.

➜

식	
❶	
❷	

답 ______________

26 어느 식당에서 김밥은 2500원, 김치볶음밥은 6000원, 라면은 3000원에 팝니다. 경수는 김치볶음밥 1인분을 먹었고, 종수는 김밥과 라면을 각각 1인분씩 먹었습니다. 경수는 종수보다 음식값으로 얼마를 더 내야 하는지 구해 보세요.

➜

식	
❶	
❷	

답 ______________

27 기찬이의 나이는 12살이고, 어머니의 나이는 42살입니다. 동생은 기찬이보다 4살이 어립니다. 동생과 어머니의 나이는 몇 살 차이인지 구해 보세요.

➜

식	
❶	
❷	

답 ______________

28 차를 75대 주차할 수 있는 주차장이 있습니다. 이 주차장에 어제 주차된 차는 47대였고, 오늘은 어제보다 25대 적게 주차되어 있습니다. 오늘 이 주차장에 차를 몇 대 더 주차할 수 있는지 구해 보세요.

➜

식	
❶	
❷	

답 ______________

맞힌 개수

개 /28개

나의 학습 결과에 ○표 하세요.

맞힌 개수	0~3개	4~14개	15~25개	26~28개
학습 방법	다시 한번 풀어 봐요.	계산 연습이 필요해요.	틀린 문제를 확인해요.	실수하지 않도록 집중해요.

QR 빠른 정답 확인

05일차 3. 곱셈, 나눗셈이 섞여 있는 식

□ 안에 알맞은 수를 써넣어 계산해 보세요.

1 $54 \div 6 \times 3 =$ □

2 $16 \div 4 \times 6 =$ □

3 $14 \times 5 \div 7 =$ □

4 $8 \times 9 \div 6 =$ □

계산해 보세요.

5 $16 \div 8 \times 7$

6 $22 \times 4 \div 8$

7 $15 \times 5 \div 3$

8 $6 \times 9 \div 3$

9 $3 \times 6 \div 2$

10 $8 \times 5 \div 4$

11 $12 \times 5 \div 4$

12 $12 \times 3 \div 4$

13 $18 \times 4 \div 8$

14 $72 \div 4 \times 3$

15 $24 \div 6 \times 7$

16 $44 \div 4 \times 8$

17 $42 \div 3 \times 4$

18 $52 \div 4 \times 3$

19 $54 \div 9 \times 3$

20 $48 \div 8 \times 5$

21 $72 \div 9 \times 3$

22 $56 \div 7 \times 8$

23 $16 \div 4 \times 3$

24 $15 \times 3 \div 5$

25 $18 \times 3 \div 6$

26 $6 \times 3 \div 9$

27 $12 \times 6 \div 4$

28 $6 \times 4 \div 8$

29 $16 \times 7 \div 4$

30 $19 \times 9 \div 3$

31 $126 \div 7 \times 2$

32 $42 \times 3 \div 7$

33 $119 \div 7 \times 3$

34 $17 \times 9 \div 3$

35 $13 \times 6 \div 3$

36 $90 \div 5 \times 3$

37 $91 \div 7 \times 4$

38 $51 \div 3 \times 2$

39 $63 \div 7 \times 5$

맞힌 개수

개 /39개

나의 학습 결과에 ○표 하세요.

맞힌 개수	0~4개	5~20개	21~36개	37~39개
학습 방법	다시 한번 풀어 봐요.	계산 연습이 필요해요.	틀린 문제를 확인해요.	실수하지 않도록 집중해요.

QR 빠른 정답 확인

06일차 3. 곱셈, 나눗셈이 섞여 있는 식

계산해 보세요.

1 $16\times76\div19$

앞에서부터 차례대로.

2 $18\times39\div13$

3 $11\times96\div12$

4 $63\div21\times31$

5 $15\times33\div11$

6 $13\times12\div26$

7 $68\div17\times19$

8 $13\times18\div39$

9 $13\times66\div11$

10 $19\times18\div38$

11 $14\times78\div13$

12 $195\div15\times11$

13 $119\div17\times7$

14 $95\div19\times12$

15 $19\times15\div57$

16 $16\times84\div14$

17 $288\div16\times13$

18 $324\div36\times14$

19 $306\div51\times12$

20 $16\times15\div24$

21 $272\div17\times14$

22 $225\div45\times17$

23 $342\div38\times11$

24 $252\div18\times15$

연산 in 문장제

도자기 빚기 체험장에 28명이 있습니다. 4명씩 한 모둠이 되어 체험하려고 합니다. 한 모둠에 찰흙을 5 kg씩 나누어 주려면 찰흙이 몇 kg 필요한지 구해 보세요.

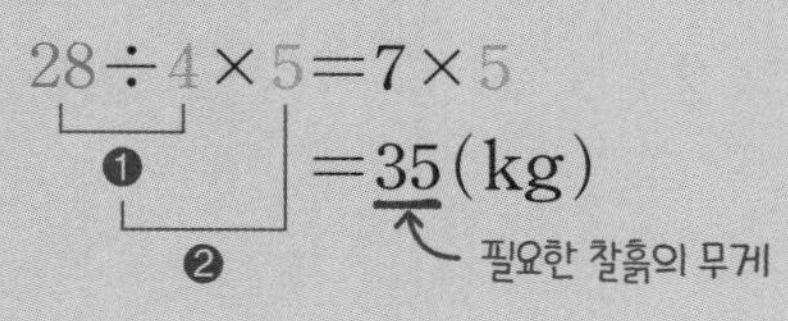

식	$28 \div 4 \times 5$
❶	$28 \div 4 = 7$
❷	$7 \times 5 = 35$

25 효성이는 쿠키를 한 판에 16개씩 2판 구워서 한 상자에 4개씩 남김없이 담았습니다. 효성이가 만든 쿠키를 담은 상자는 모두 몇 상자인지 구해 보세요.

답 ______________

→ 

26 한 바구니에 15개씩 들어 있는 오렌지를 3바구니 사서 한 봉지에 5개씩 남김없이 담았습니다. 오렌지를 담은 봉지는 모두 몇 봉지인지 구해 보세요.

답 ______________

→

식	
❶	
❷	

27 수지네 반 학생 24명이 3명씩 모둠을 만들었습니다. 한 모둠에 색종이를 7장씩 나누어 주려고 합니다. 색종이는 모두 몇 장 필요한지 구해 보세요.

답 ______________

→ 

28 지현이네 반 학생 26명에게 각각 연필을 한 자루씩 나누어 주려고 합니다. 연필이 12자루에 3000원이라면 연필을 사기 위해 얼마가 필요한지 구해 보세요.

답 ______________

→

식	
❶	
❷	

맞힌 개수

개 /28개

나의 학습 결과에 ○표 하세요.

맞힌 개수	0～3개	4～14개	15～25개	26～28개
학습 방법	다시 한번 풀어 봐요.	계산 연습이 필요해요.	틀린 문제를 확인해요.	실수하지 않도록 집중해요.

QR 빠른 정답 확인

4. 곱셈, 나눗셈, ( )가 섞여 있는 식

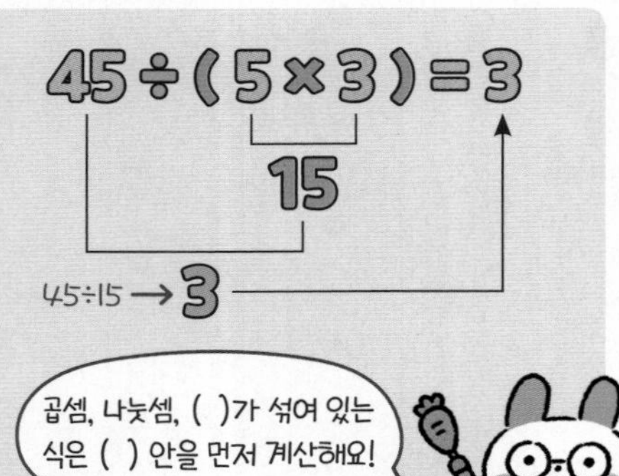

□ 안에 알맞은 수를 써넣어 계산해 보세요.

1 $40\div(5\times2)=\square$

2 $48\div(2\times4)=\square$

3 $84\div(8\div2)=\square$

4 $90\div(18\div2)=\square$

계산해 보세요.

5 $84\div(6\times2)$

6 $24\div(2\times6)$

7 $56\div(16\div2)$

8 $36\div(6\div3)$

9 $60\div(5\times3)$

10 $36\div(2\times3)$

11 $88\div(22\div2)$

12 $28\div(7\times2)$

13 $32\div(8\div2)$

14 $16\div(4\div2)$

15 $48\div(3\times8)$

16 $80\div(8\div2)$

17 $90\div(6\div3)$

18 $18\div(2\times3)$

19 $96 \div (8 \times 3)$

20 $56 \div (2 \times 7)$

21 $60 \div (6 \div 2)$

22 $24 \div (3 \times 4)$

23 $40 \div (4 \times 5)$

24 $54 \div (6 \div 3)$

25 $42 \div (14 \div 2)$

26 $42 \div (6 \div 3)$

27 $66 \div (2 \times 3)$

28 $50 \div (5 \times 2)$

29 $63 \div (9 \div 3)$

30 $104 \div (13 \times 2)$

31 $147 \div (3 \times 7)$

32 $96 \div (48 \div 6)$

33 $180 \div (9 \times 5)$

34 $144 \div (48 \div 8)$

35 $160 \div (32 \div 4)$

36 $105 \div (5 \times 7)$

37 $120 \div (16 \div 2)$

38 $150 \div (5 \times 6)$

39 $198 \div (66 \div 11)$

맞힌 개수

개 /39개

나의 학습 결과에 ○표 하세요.

맞힌 개수	0～4개	5～20개	21～36개	37～39개
학습 방법	다시 한번 풀어 봐요.	계산 연습이 필요해요.	틀린 문제를 확인해요.	실수하지 않도록 집중해요.

QR 빠른 정답 확인

08 일차 4. 곱셈, 나눗셈, ( )가 섞여 있는 식

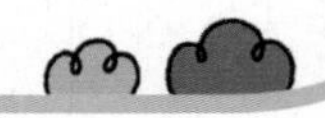

계산해 보세요.

1 $168 \div (4 \times 6)$

( ) 안을 먼저!

2 $110 \div (11 \times 5)$

3 $192 \div (48 \div 8)$

4 $154 \div (2 \times 11)$

5 $170 \div (17 \times 5)$

6 $196 \div (49 \div 7)$

7 $180 \div (18 \div 2)$

8 $144 \div (36 \div 4)$

9 $234 \div (26 \div 13)$

10 $180 \div (3 \times 6)$

11 $160 \div (5 \times 4)$

12 $210 \div (2 \times 7)$

13 $198 \div (99 \div 3)$

14 $252 \div (63 \div 9)$

15 $192 \div (8 \times 6)$

16 $294 \div (98 \div 7)$

17 $280 \div (7 \times 8)$

18 $270 \div (54 \div 9)$

19 $336 \div (6 \times 7)$

20 $240 \div (60 \div 3)$

21 $560 \div (70 \div 5)$

22 $360 \div (8 \times 9)$

23 $726 \div (11 \times 6)$

24 $330 \div (165 \div 5)$

연산 in 문장제

용민이는 쿠키 36개를 구우려고 합니다. 오븐 판 하나에 쿠키를 4개씩 3줄로 놓을 수 있습니다. 쿠키를 모두 구우려면 오븐 판이 몇 판 필요한지 구해 보세요.

$36 \div (4 \times 3) = 36 \div 12$ (❶: 4×3, ❷: $36 \div (4 \times 3)$)

$= 3$(판) ← 필요한 오븐 판의 수

식	$36 \div (4 \times 3)$
❶	$4 \times 3 = 12$
❷	$36 \div 12 = 3$

25 예나가 같은 빠르기로 종이 접기를 하였을 때, 2시간 동안 접을 수 있는 거북은 30개입니다. 예나가 거북을 120개 접으려면 몇 시간이 걸리는지 구해 보세요.

답 ______________

→

식	
❶	
❷	

26 똑같은 프린터 4대로 출력하면 1분에 36장을 출력할 수 있다고 합니다. 그중 1대의 프린터로 144장을 출력하려면 몇 분이 걸리는지 구해 보세요.

답 ______________

→

식	
❶	
❷	

27 은경이네 반 학생은 5명씩 6모둠입니다. 공책 150권을 은경이네 반 학생들에게 똑같이 나누어 주려고 합니다. 학생 한 명에게 공책을 몇 권씩 나누어 줄 수 있는지 구해 보세요.

답 ______________

→

식	
❶	
❷	

28 일회용 마스크를 한 봉지에 5개씩 포장한 후, 다시 4봉지를 한 상자에 담아서 포장하려고 합니다. 일회용 마스크 160장을 포장하면 모두 몇 상자가 되는지 구해 보세요.

답 ______________

식	
❶	
❷	

맞힌 개수

개 /28개

나의 학습 결과에 ○표 하세요.

맞힌 개수	0~3개	4~14개	15~25개	26~28개
학습 방법	다시 한번 풀어 봐요.	계산 연습이 필요해요.	틀린 문제를 확인해요.	실수하지 않도록 집중해요.

QR 빠른 정답 확인

5. 덧셈, 곱셈 또는 뺄셈, 곱셈이 섞여 있는 식

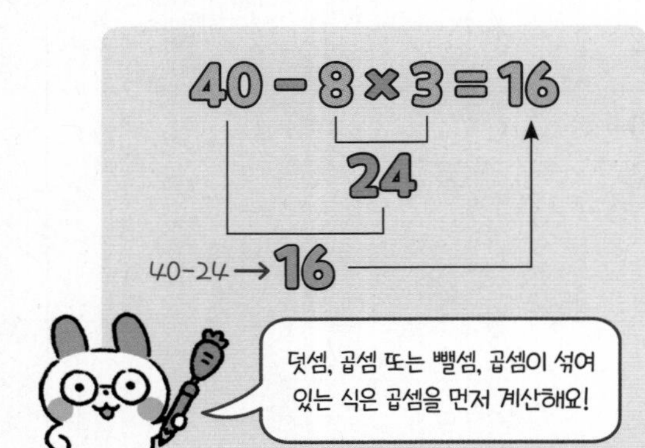

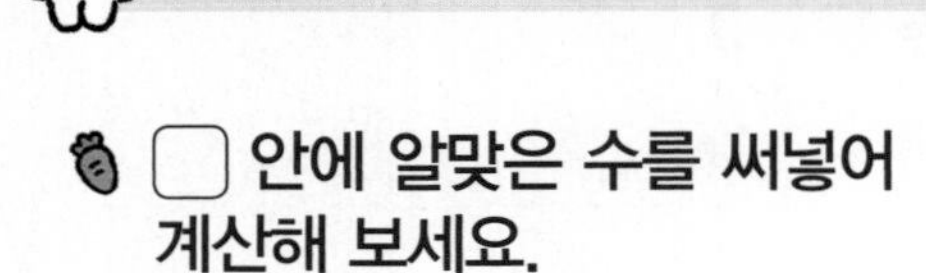

□ 안에 알맞은 수를 써넣어 계산해 보세요.

1 $3\times8+37=\square$

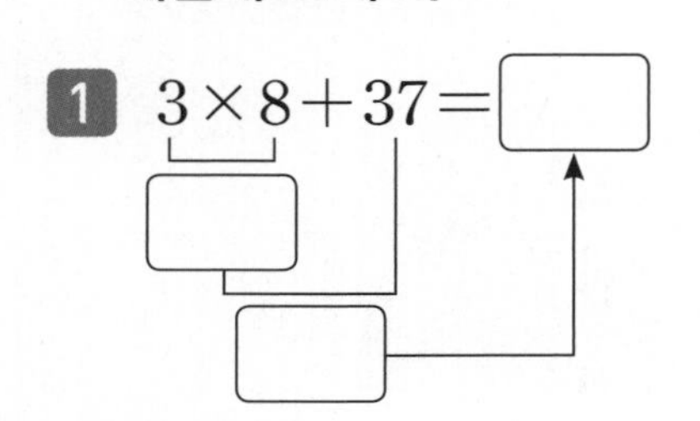

2 $22+2\times3=\square$

3 $7\times9-47=\square$

4 $83-4\times9=\square$

계산해 보세요.

5 $5\times5+20$

6 $8\times5-23$

7 $48-6\times2$

8 $8\times5+31$

9 $21+9\times4$

10 $43-4\times2$

11 $22+7\times2$

12 $9\times4-23$

13 $50-4\times5$

14 $25+3\times2$

15 $50+4\times9$

16 $25+7\times3$

17 $50-5\times2$

18 $38-5\times2$

19 $11\times9+79$

20 $74+14\times7$

21 $12\times5-45$

22 $89-5\times10$

23 $78-12\times3$

24 $48+17\times9$

25 $55-2\times15$

26 $61+7\times16$

27 $74-4\times8$

28 $52-6\times7$

29 $14\times5+63$

30 $52+7\times9$

31 $42+11\times4$

32 $64-16\times3$

33 $58+8\times13$

34 $92+7\times13$

35 $71+8\times12$

36 $86-15\times2$

37 $49-16\times3$

38 $60+7\times14$

39 $71-3\times12$

맞힌 개수

개 /39개

나의 학습 결과에 ○표 하세요.

맞힌 개수	0～4개	5～20개	21～36개	37～39개
학습 방법	다시 한번 풀어 봐요.	계산 연습이 필요해요.	틀린 문제를 확인해요.	실수하지 않도록 집중해요.

QR 빠른 정답 확인

5. 덧셈, 곱셈 또는 뺄셈, 곱셈이 섞여 있는 식

계산해 보세요.

1 $67-4\times6$

곱셈을 제일 먼저!

2 $81-5\times4$

3 $5\times19-75$

4 $14\times12+61$

5 $40+16\times9$

6 $53+18\times3$

7 $65-16\times3$

8 $42-3\times13$

9 $63+13\times9$

10 $45-6\times3$

11 $16\times6+54$

12 $74+7\times11$

13 $13\times7-63$

14 $66-4\times8$

15 $87+10\times13$

16 $79+12\times17$

17 $43+8\times6$

18 $47-3\times11$

19 $62+4\times18$

20 $81+19\times9$

21 $57-8\times5$

22 $60-7\times5$

23 $76+13\times9$

24 $78-6\times4$

연산 in 문장제

아린이는 투호 화살을 30개 받아 와서 아버지, 어머니, 동생에게 각각 7개씩 나누어 주었습니다. 아린이에게 남은 투호 화살은 몇 개인지 구해 보세요.

$30-7\times3=30-21$

❶ ❷ $=9$(개) ← 남은 투호 화살의 개수

식	$30-7\times3$
❶	$7\times3=21$
❷	$30-21=9$

25 빵집에서 빵 67개를 사 와서 11명에게 3개씩 나누어 주었습니다. 남은 빵은 몇 개인지 구해 보세요.

답 ______________

→

식	
❶	
❷	

26 어느 문구점에서 지우개 한 개를 600원, 연필 한 자루를 300원에 팝니다. 민주가 이 문구점에서 지우개 한 개와 연필 6자루를 산다면 얼마를 내야 하는지 구해 보세요.

답 ______________

→

식	
❶	
❷	

27 민규네 반 학생은 모두 24명입니다. 이 중에서 5명씩 4팀으로 나누어 농구를 하였습니다. 농구를 하지 않는 학생은 몇 명인지 구해 보세요.

답 ______________

→

식	
❶	
❷	

28 민지네 반 학생들이 체육 시간에 한 팀에 9명씩 두 팀으로 나누어 야구를 했습니다. 야구를 하지 않은 학생이 6명이라면 민지네 반 학생은 모두 몇 명인지 구해 보세요.

답 ______________

→

식	
❶	
❷	

맞힌 개수

개 /28개

나의 학습 결과에 ○표 하세요.

맞힌 개수	0~3개	4~14개	15~25개	26~28개
학습 방법	다시 한번 풀어 봐요.	계산 연습이 필요해요.	틀린 문제를 확인해요.	실수하지 않도록 집중해요.

QR 빠른 정답 확인

6. 덧셈, 나눗셈 또는 뺄셈, 나눗셈이 섞여 있는 식

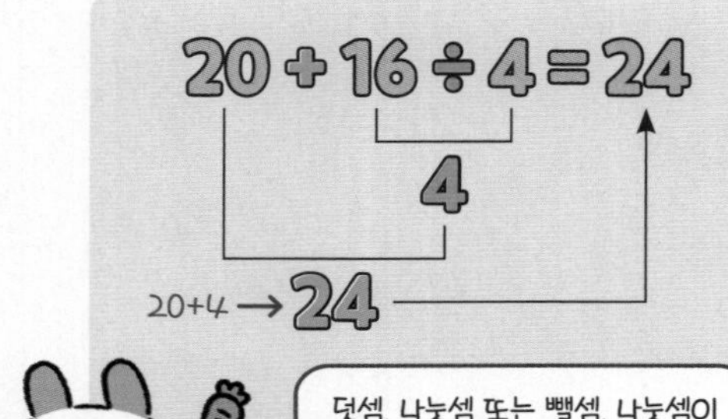

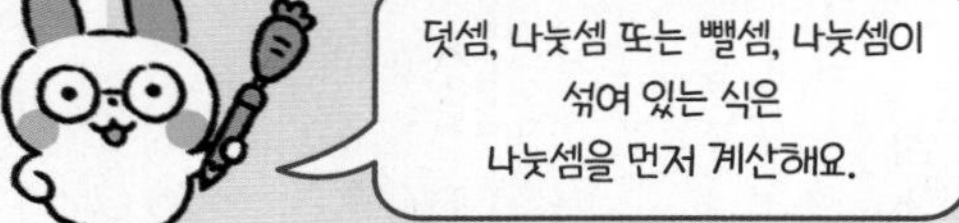

□ 안에 알맞은 수를 써넣어 계산해 보세요.

1 $21 \div 7 + 30 =$ □

2 $45 \div 3 - 9 =$ □

3 $68 - 21 \div 3 =$ □

4 $24 + 36 \div 9 =$ □

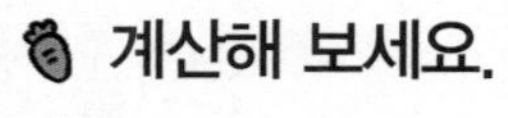

계산해 보세요.

5 $9 \div 3 + 59$

6 $70 \div 2 - 10$

7 $68 - 12 \div 3$

8 $38 + 40 \div 8$

9 $25 + 18 \div 2$

10 $77 - 45 \div 5$

11 $74 + 54 \div 6$

12 $10 \div 2 + 90$

13 $65 - 45 \div 5$

14 $56 - 35 \div 7$

15 $48 + 18 \div 2$

16 $87 \div 3 - 21$

17 $44 + 45 \div 9$

18 $8 \div 2 + 27$

19 $84 \div 4 - 8$

26 $46 - 30 \div 6$

33 $53 + 30 \div 5$

20 $24 \div 8 + 80$

27 $39 - 24 \div 4$

34 $55 + 45 \div 5$

21 $74 + 20 \div 4$

28 $37 + 28 \div 7$

35 $63 - 24 \div 8$

22 $50 + 30 \div 5$

29 $85 - 20 \div 5$

36 $70 - 12 \div 6$

23 $45 - 24 \div 3$

30 $58 + 8 \div 2$

37 $71 + 12 \div 3$

24 $58 + 24 \div 6$

31 $42 + 20 \div 4$

38 $68 - 36 \div 4$

25 $63 - 40 \div 8$

32 $67 - 10 \div 2$

39 $75 - 18 \div 3$

맞힌 개수

개 /39개

나의 학습 결과에 ○표 하세요.

맞힌 개수	0～4개	5～20개	21～36개	37～39개
학습 방법	다시 한번 풀어 봐요.	계산 연습이 필요해요.	틀린 문제를 확인해요.	실수하지 않도록 집중해요.

QR 빠른 정답 확인

6. 덧셈, 나눗셈 또는 뺄셈, 나눗셈이 섞여 있는 식

계산해 보세요.

1. $100+64\div16$

나눗셈 먼저!

2. $143\div11-9$
3. $85+78\div13$
4. $105-98\div7$
5. $272\div16+86$
6. $87+209\div19$
7. $126\div9-8$
8. $112-170\div17$
9. $111-119\div7$
10. $122-182\div14$
11. $52+165\div11$
12. $70-48\div4$
13. $56+209\div11$
14. $107-306\div17$
15. $129-66\div6$
16. $64+324\div18$
17. $96-88\div11$
18. $216\div18+97$
19. $238\div14+91$
20. $83+135\div15$
21. $97+272\div17$
22. $115-30\div15$
23. $101+38\div19$
24. $114-120\div10$

연산 in 문장제

어느 가게에서 초콜릿 1개를 500원에 팔고, 사탕 6개를 1800원에 팔고 있습니다. 초콜릿 1개가 사탕 1개보다 얼마나 더 비싼지 구해 보세요.

$500-1800\div6=500-300$ ($1800\div6$: ❶, 전체: ❷)

$=200$(원)

식	$500-1800\div6$
❶	$1800\div6=300$
❷	$500-300=200$

25 사과 1개의 무게는 180 g이고, 똑같은 귤 5개의 무게는 300 g입니다. 사과 1개와 귤 1개의 무게의 합은 몇 g인지 구해 보세요.

답 ______

→

식	
❶	
❷	

26 티셔츠를 1시간에 73장 만들 수 있는 기계와 3시간에 168장 만들 수 있는 기계가 있습니다. 두 기계가 각각 같은 빠르기로 티셔츠를 만든다면 1시간에 모두 몇 장 만들 수 있는지 구해 보세요.

답 ______

→

식	
❶	
❷	

27 세라는 12살이고 어머니의 나이는 동생 나이의 5배입니다. 어머니가 45살이라면 세라와 동생의 나이 차는 몇 살인지 구해 보세요.

답 ______

→

식	
❶	
❷	

28 지민이는 간식으로 빵 1개와 우유를 먹었습니다. 빵은 110 g이고, 우유는 900 g을 5개의 컵에 똑같이 나누어 담아 1컵만 마셨습니다. 지민이가 먹은 빵과 우유의 무게의 합은 몇 g인지 구해 보세요.

답 ______

→

식	
❶	
❷	

맞힌 개수

개 /28개

나의 학습 결과에 ○표 하세요.

맞힌 개수	0~3개	4~14개	15~25개	26~28개
학습 방법	다시 한번 풀어 봐요.	계산 연습이 필요해요.	틀린 문제를 확인해요.	실수하지 않도록 집중해요.

QR 빠른 정답 확인

7. 덧셈, 뺄셈, 곱셈이 섞여 있는 식

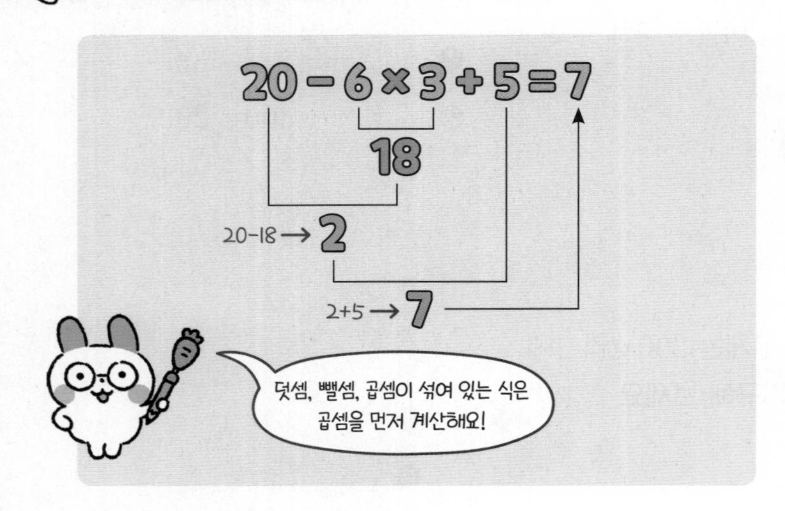

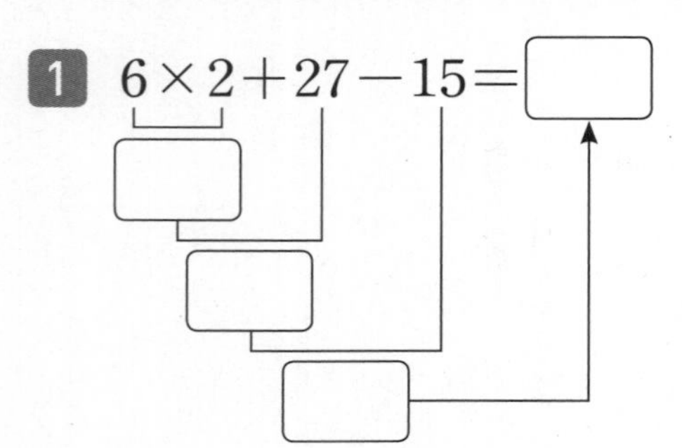

□ 안에 알맞은 수를 써넣어 계산해 보세요.

1 $6\times2+27-15=\square$

2 $31-6\times4+8=\square$

3 $23-17+8\times2=\square$

계산해 보세요.

4 $29-2\times7+5$

5 $46-14+4\times5$

6 $5\times9+13-23$

7 $49-9+6\times6$

8 $30+4\times5-7$

9 $35-5+6\times3$

10 $44+11-4\times7$

11 $20+8-3\times6$

12 $26+7-5\times4$

13 $29-19+4\times5$

14 $27-3\times2+15$

15 $29-7\times3+3$

16 $22+3\times5-19$

17 $7\times8-26+9$

18 $21+2\times3-4$

19 $46-16+9\times2$

20 $30+4\times9-10$

21 $39-3\times9+15$

22 $24-2\times7+16$

23 $3\times8+5-21$

24 $50+3\times8-3$

25 $33-6\times2+13$

26 $43-8\times5+10$

27 $9\times6+3-22$

28 $30-5+3\times5$

29 $9\times7+13-50$

30 $49-18+5\times2$

31 $47-8+5\times2$

맞힌 개수

개 /31개

나의 학습 결과에 ○표 하세요.

맞힌 개수	0~3개	4~16개	17~29개	30~31개
학습 방법	다시 한번 풀어 봐요.	계산 연습이 필요해요.	틀린 문제를 확인해요.	실수하지 않도록 집중해요.

QR 빠른 정답 확인

7. 덧셈, 뺄셈, 곱셈이 섞여 있는 식

계산해 보세요.

1. $7\times3+17-27$

곱셈 먼저!

2. $33-18+4\times7$
3. $49+16-6\times2$
4. $9+7\times6-41$
5. $15+9\times3-22$
6. $39+3\times6-10$
7. $8+4\times9-37$
8. $12+9\times6-31$
9. $50-6+4\times2$
10. $6\times9-41+3$
11. $38-8+5\times4$
12. $24-4\times5+6$
13. $21+3\times5-3$
14. $40+10-4\times5$
15. $30-11+5\times3$
16. $41-14+3\times5$
17. $43-7+4\times6$
18. $19+9\times2-32$
19. $50+19-4\times7$
20. $9+5\times9-35$
21. $7\times7+11-22$
22. $37-5\times7+11$
23. $25-17+9\times8$
24. $21-9+7\times5$

연산 in 문장제

냉장고에 귤이 낱개로 5개와 10개씩 4묶음이 있었습니다. 선영이와 동생이 20개를 먹었습니다. 냉장고에 남은 귤은 몇 개인지 구해 보세요.

$5+10\times4-20=5+40-20$
$=45-20$
$=25$(개) ← 냉장고에 남은 귤의 개수

식	$5+10\times4-20$
❶	$10\times4=40$
❷	$5+40=45$
❸	$45-20=25$

25 자두가 6개씩 들어 있는 상자 4상자와 낱개 5개가 있었습니다. 영서의 생일에 친구들과 자두 26개를 먹었습니다. 남은 자두는 몇 개인지 구해 보세요.

답 ______

식	
❶	
❷	
❸	

26 어느 떡집에서 떡을 48개 만들었습니다. 한 상자에 5개씩 담아서 6상자를 팔았습니다. 떡을 15개 더 만들었다면 남은 떡은 몇 개인지 구해 보세요.

답 ______

식	
❶	
❷	
❸	

27 민지네 집의 냉장고에 500 mL짜리 우유가 7개 있었습니다. 민지네 가족이 아침마다 우유를 마셔서 3200 mL를 마셨습니다. 민지가 200 mL짜리 우유를 하나 사서 냉장고에 넣었다면 냉장고에 있는 우유는 몇 mL인지 구해 보세요.

답 ______

식	
❶	
❷	
❸	

28 민재네 반 선생님은 매달 칭찬 붙임 딱지 한 판을 모두 채운 학생에게 공책 5권을 주십니다. 지난 달에 주고 남은 공책이 22권이고 이번 달에 15권을 샀습니다. 이번 달에 5명이 공책을 받았다면 남은 공책은 몇 권인지 구해 보세요.

답 ______

식	
❶	
❷	
❸	

맞힌 개수

개 /28개

나의 학습 결과에 ○표 하세요.

맞힌 개수	0~3개	4~14개	15~25개	26~28개
학습 방법	다시 한번 풀어 봐요.	계산 연습이 필요해요.	틀린 문제를 확인해요.	실수하지 않도록 집중해요.

QR 빠른 정답 확인

8. 덧셈, 뺄셈, 나눗셈이 섞여 있는 식

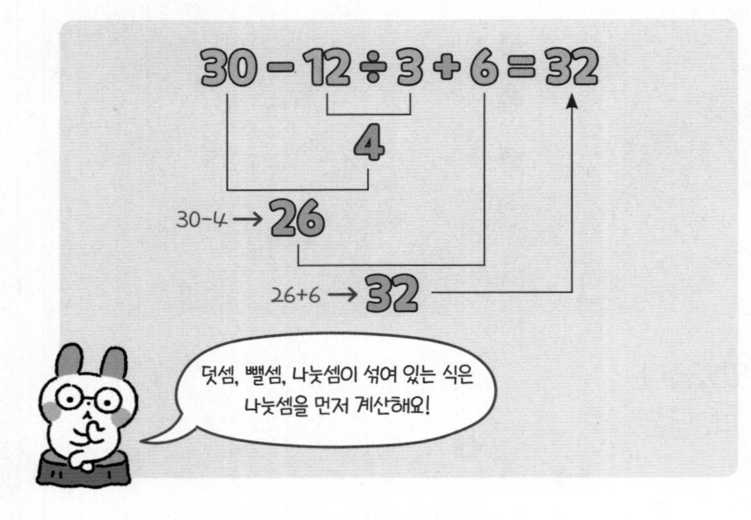

□ 안에 알맞은 수를 써넣어 계산해 보세요.

1 $27 \div 3 - 6 + 20 = \square$

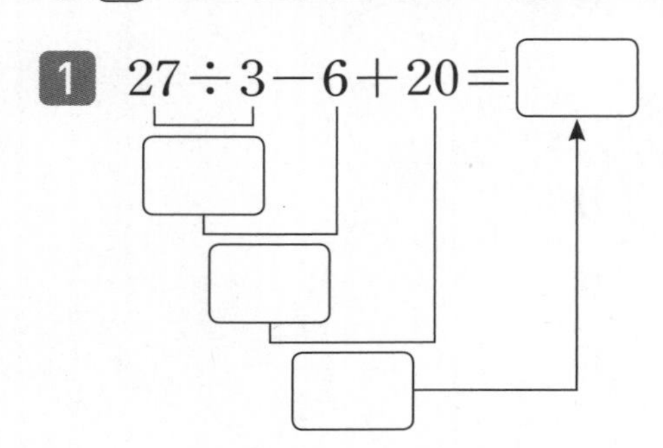

2 $33 - 7 + 28 \div 7 = \square$

3 $47 + 56 \div 8 - 4 = \square$

계산해 보세요.

4 $41 + 15 - 6 \div 2$

5 $20 + 6 - 27 \div 3$

6 $28 \div 2 - 9 + 23$

7 $47 + 33 \div 3 - 9$

8 $22 + 72 \div 4 - 14$

9 $26 + 8 \div 2 - 17$

10 $49 - 19 + 36 \div 6$

11 $28-10+36\div4$

12 $18\div9+41-10$

13 $44-63\div7+18$

14 $43+7-21\div3$

15 $38+30\div5-14$

16 $33+36\div9-10$

17 $28+13-18\div6$

18 $49+30\div5-15$

19 $48+7-15\div3$

20 $21-9\div3+7$

21 $21-7+81\div9$

22 $48\div8+49-5$

23 $43-8+15\div3$

24 $46+42\div6-17$

25 $24+18\div2-11$

26 $33-3+16\div4$

27 $6\div2+46-16$

28 $33-10+27\div3$

29 $45-4+32\div8$

30 $50+48\div6-9$

31 $26+55\div11-4$

맞힌 개수

개 /31개

나의 학습 결과에 ○표 하세요.

맞힌 개수	0～3개	4～16개	17～29개	30～31개
학습 방법	다시 한번 풀어 봐요.	계산 연습이 필요해요.	틀린 문제를 확인해요.	실수하지 않도록 집중해요.

QR 빠른 정답 확인

16일차 8. 덧셈, 뺄셈, 나눗셈이 섞여 있는 식

계산해 보세요.

1 $47-19+64\div8$

나눗셈 먼저!

2 $43-3+25\div5$

3 $43+16\div4-9$

4 $24\div4-5+36$

5 $48\div6-7+25$

6 $30-13+35\div7$

7 $22-12\div6+11$

8 $40+25\div5-10$

9 $26-10+54\div6$

10 $26+8\div2-19$

11 $27-30\div5+17$

12 $38-2+40\div5$

13 $25-30\div6+8$

14 $34-27\div3+8$

15 $36+54\div9-12$

16 $40-16+20\div5$

17 $29+27\div9-10$

18 $44+10-6\div2$

19 $26-2+36\div6$

20 $14\div2-6+47$

21 $32-19+56\div8$

22 $36-15\div5+15$

23 $20-19+63\div7$

24 $45+48\div8-16$

연산 in 문장제

유림이는 사탕을 20개 가지고 있었습니다. 선생님이 사탕 12개를 유림이네 모둠 4명에게 똑같이 나누어 주셨고, 유림이는 집에 와서 동생에게 사탕 7개를 주었습니다. 유림이에게 남은 사탕은 몇 개인지 구해 보세요.

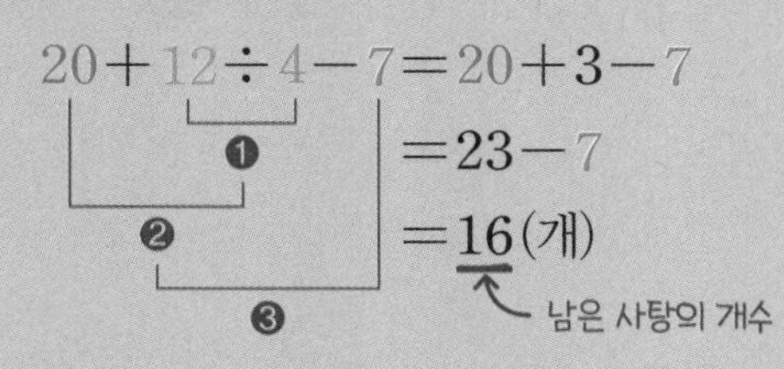

식	$20+12\div4-7$
❶	$12\div4=3$
❷	$20+3=23$
❸	$23-7=16$

25 지석이는 색종이를 38장 가지고 있었습니다. 선생님이 색종이 16장을 지석이네 모둠 8명에게 똑같이 나누어 주셨고, 만들기 할 때 11장을 사용하였습니다. 지석이에게 남은 색종이는 몇 장인지 구해 보세요.

답 ______________

→

식	
❶	
❷	
❸	

26 어느 과일 가게에서 오전에 귤 56개를 한 상자에 7개씩 똑같이 나누어 담아 포장하였습니다. 오후에 같은 방법으로 귤 50상자를 더 만들었고, 15상자를 팔았습니다. 남은 귤은 몇 상자인지 구해 보세요.

답 ______________

→

식	
❶	
❷	
❸	

27 지호는 공책 18권을 동생과 똑같이 나눈 후, 5권을 친구에게 선물하였습니다. 그리고 엄마가 35권을 더 사 주셨다면 지호가 가진 공책은 몇 권인지 구해 보세요.

답 ______________

→

식	
❶	
❷	
❸	

28 나은이 어머니는 한 마리에 5000원인 고등어 한 마리와 5마리에 12000원인 오징어 한 마리를 사고 10000원을 냈습니다. 받아야 하는 거스름돈은 얼마인지 구해 보세요.

답 ______________

→

식	
❶	
❷	
❸	

맞힌 개수

개 /28개

나의 학습 결과에 ○표 하세요.

맞힌 개수	0~3개	4~14개	15~25개	26~28개
학습 방법	다시 한번 풀어 봐요.	계산 연습이 필요해요.	틀린 문제를 확인해요.	실수하지 않도록 집중해요.

QR 빠른 정답 확인

9. 덧셈, 뺄셈, 곱셈, ( )가 섞여 있는 식

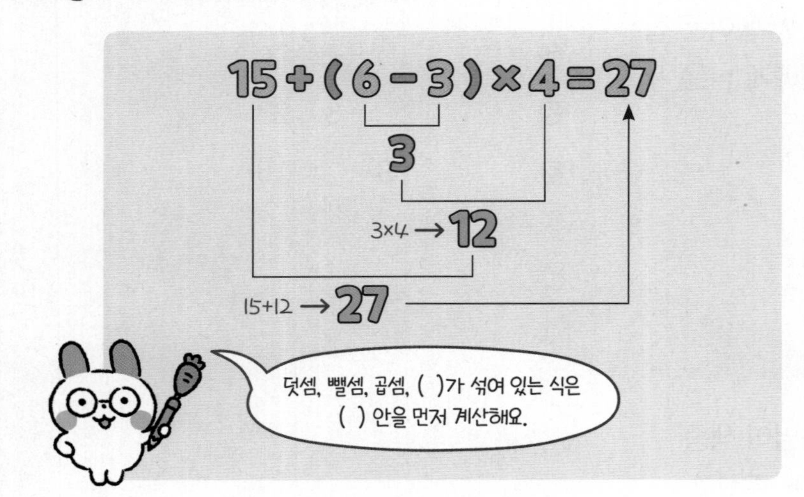

□ 안에 알맞은 수를 써넣어 계산해 보세요.

1 $(2+3)\times9-32=$ □

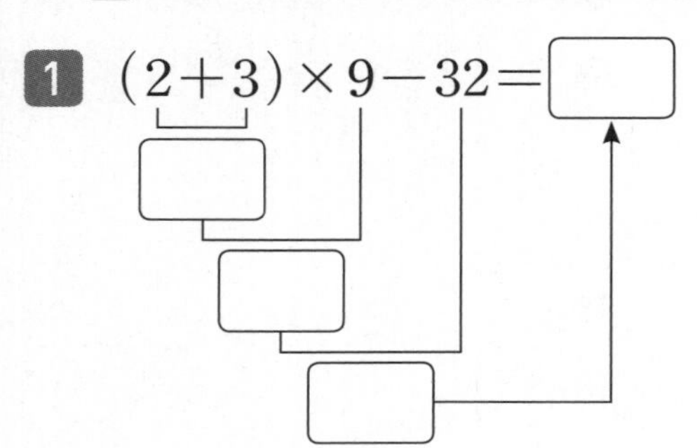

2 $41+18\times(9-6)=$ □

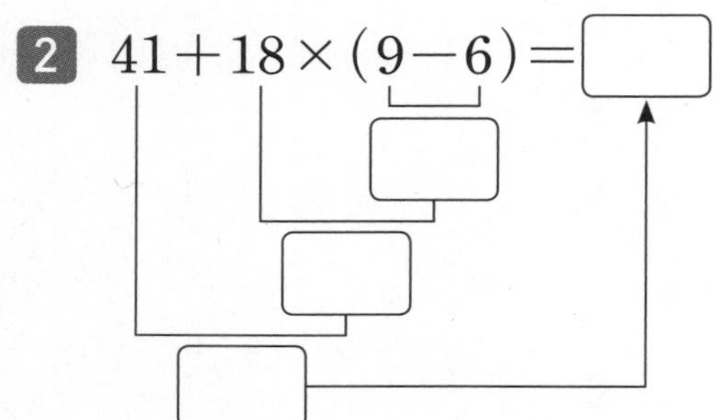

3 $7\times9-(44+4)=$ □

계산해 보세요.

4 $(5-3)\times4+49$

5 $5\times(2+9)-41$

6 $(18-6)\times5+30$

7 $17\times(6-4)+40$

8 $40-8\times(2+2)$

9 $41-(3+8)\times3$

10 $24+10\times(9-4)$

11 $11\times(3+3)-33$

12 $45-(3+4)\times5$

13 $(2+7)\times10-21$

14 $12\times(7-3)+23$

15 $42-5\times(6+1)$

16 $(14-9)\times16+35$

17 $25+(8-4)\times8$

18 $4\times16-(45+3)$

19 $(2+2)\times10-20$

20 $(38-15)\times3+6$

21 $38+(10-7)\times5$

22 $36+(7-5)\times7$

23 $2\times(17-7)+48$

24 $8\times(3+5)-49$

25 $10\times7-(27+3)$

26 $44+(8-7)\times18$

27 $9\times(4+4)-42$

28 $40+(12-8)\times8$

29 $43-6\times(2+5)$

30 $42+15\times(5-4)$

31 $29+17\times(7-3)$

맞힌 개수

개 /31개

나의 학습 결과에 ○표 하세요.

맞힌 개수	0~3개	4~16개	17~29개	30~31개
학습 방법	다시 한번 풀어 봐요.	계산 연습이 필요해요.	틀린 문제를 확인해요.	실수하지 않도록 집중해요.

QR 빠른 정답 확인

9. 덧셈, 뺄셈, 곱셈, ( )가 섞여 있는 식

계산해 보세요.

1. $42-4\times(5+4)$

( ) 안을 먼저

2. $(8+4)\times6-40$
3. $(7-2)\times6+43$
4. $15\times(5-4)+42$
5. $4\times(17-4)+33$
6. $36+(7-4)\times3$
7. $48-(13+6)\times2$
8. $9\times(6-4)+48$
9. $(10-4)\times7+29$
10. $8\times(3+6)-46$
11. $9\times(6+4)-48$
12. $(4+7)\times10-29$
13. $13\times9-(40+2)$
14. $(16+7)\times3-43$
15. $(9-7)\times5+40$
16. $(14-3)\times2+25$
17. $36-5\times(4+3)$
18. $35\times3-(16+4)$
19. $12\times5-(35+8)$
20. $(7-2)\times10+38$
21. $(9-7)\times17+37$
22. $34+14\times(8-6)$
23. $34-(2+5)\times2$
24. $(10+6)\times5-28$

연산 in 문장제

연수는 한 권에 700원인 공책과 한 권에 900원인 연습장을 각각 3권씩 사고 5000원을 냈습니다. 거스름돈은 얼마인지 구해 보세요.

$$5000-(700+900)\times3=5000-1600\times3$$
$$=5000-4800$$
$$=\underline{200}\text{(원)}$$

❶ $700+900$, ❷ 1600×3, ❸ $5000-4800$ ← 거스름돈

식	$5000-(700+900)\times3$
❶	$700+900=1600$
❷	$1600\times3=4800$
❸	$5000-4800=200$

25 아버지의 나이는 수빈이의 나이와 동생의 나이의 차를 5배 한 것보다 28살 많습니다. 수빈이는 12살, 동생은 9살일 때, 아버지의 나이는 몇 살인지 구해 보세요.

답 ______________

→

식	
❶	
❷	
❸	

26 한 상자에 15개씩 들어 있는 초콜릿 6상자가 있습니다. 각각의 상자에서 초콜릿을 3개씩 먹고 초콜릿 32개를 더 샀습니다. 남은 초콜릿은 모두 몇 개인지 구해 보세요.

답 ______________

→

식	
❶	
❷	
❸	

27 건우는 지난주에 책을 35권 읽었습니다. 이번 주에는 2일을 쉬고 남은 날에 책을 매일 5권씩 읽었습니다. 건우가 2주 동안 읽은 책은 모두 몇 권인지 구해 보세요.

답 ______________

→

식	
❶	
❷	
❸	

28 딸기가 45개 있었습니다. 이 딸기를 남학생 5명과 여학생 3명이 각각 4개씩 먹었습니다. 남은 딸기는 몇 개인지 구해 보세요.

답 ______________

→

식	
❶	
❷	
❸	

맞힌 개수

개 /28개

나의 학습 결과에 ○표 하세요.

맞힌 개수	0～3개	4～14개	15～25개	26～28개
학습 방법	다시 한번 풀어 봐요.	계산 연습이 필요해요.	틀린 문제를 확인해요.	실수하지 않도록 집중해요.

QR 빠른 정답 확인

19일차 10. 덧셈, 뺄셈, 나눗셈, ( )가 섞여 있는 식

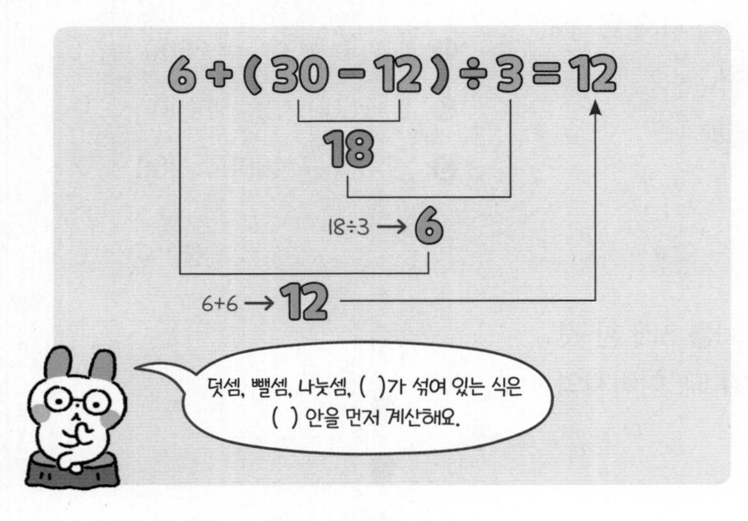

□ 안에 알맞은 수를 써넣어 계산해 보세요.

1 $22+56\div(15-7)=\square$

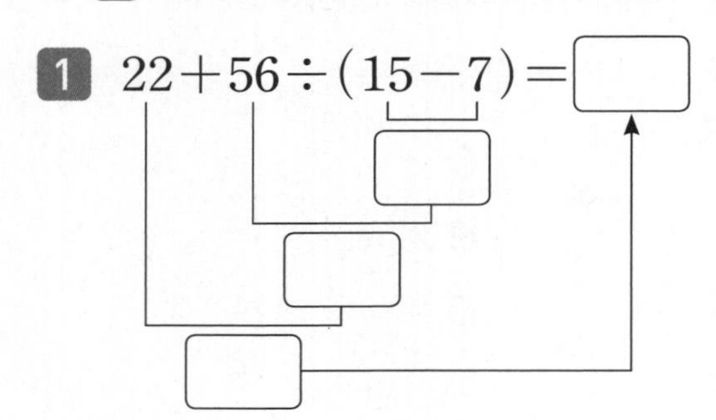

2 $(43-3)\div8+6=\square$

3 $54\div(20-11)+18=\square$

계산해 보세요.

4 $(36+9)\div5-8$

5 $48\div(7-3)+6$

6 $45\div(2+3)-7$

7 $33\div3-(3+3)$

8 $37-10\div(2+3)$

9 $(63-7)\div8+9$

10 $72\div4-(9+8)$

11 $25+(42-7)\div5$

12 $48\div(8+4)-2$

13 $38\div2-(6+5)$

14 $3+(35-15)\div4$

15 $56\div(2+5)-4$

16 $18\div(11-2)+10$

17 $40\div5-(2+5)$

18 $(21+13)\div2-14$

19 $12+(27-11)\div8$

20 $44\div(9-5)+8$

21 $52\div4-(3+7)$

22 $6+40\div(14-4)$

23 $(28-7)\div7+5$

24 $18+40\div(9-4)$

25 $72\div8-(3+5)$

26 $(39+17)\div7-7$

27 $(44+7)\div3-8$

28 $48\div6-(3+4)$

29 $50-(27+9)\div3$

30 $9+26\div(16-3)$

31 $(56+7)\div3-10$

맞힌 개수
개 /31개

나의 학습 결과에 ○표 하세요.

맞힌 개수	0～3개	4～16개	17～29개	30～31개
학습 방법	다시 한번 풀어 봐요.	계산 연습이 필요해요.	틀린 문제를 확인해요.	실수하지 않도록 집중해요.

QR 빠른 정답 확인

10. 덧셈, 뺄셈, 나눗셈, ( )가 섞여 있는 식

계산해 보세요.

1 $48\div3-(4+9)$

( ) 안을 먼저!

2 $(33+3)\div6-3$

3 $72\div(3+5)-8$

4 $(38-3)\div7+4$

5 $25+48\div(16-8)$

6 $(40+8)\div4-9$

7 $24-(42+9)\div3$

8 $24\div(9-3)+19$

9 $42\div3-(7+6)$

10 $(41-9)\div4+2$

11 $30-(19+9)\div2$

12 $47-(12+6)\div3$

13 $45\div(2+3)-8$

14 $22-16\div(4+4)$

15 $8+(49-7)\div7$

16 $54\div6-(3+4)$

17 $50\div5-(4+5)$

18 $(49+3)\div4-6$

19 $42\div(16-10)+5$

20 $44\div(18-7)+9$

21 $6+24\div(9-6)$

22 $27-16\div(4+4)$

23 $48\div(18-6)+19$

24 $48\div(24-8)+6$

연산 in 문장제

희주는 400쪽인 책 한 권을 매일 똑같은 쪽수만큼 읽어서 5일 동안 다 읽으려고 합니다. 오늘 오전에 25쪽, 오후에 30쪽을 읽었다면 오늘 하루 동안 몇 쪽을 더 읽어야 하는지 구해 보세요.

$400 \div 5 - (25 + 30) = 400 \div 5 - 55$
$= 80 - 55$
$= 25$(쪽) ← 더 읽어야 하는 쪽수

(❷: $400 \div 5$, ❶: $25+30$, ❸: ❷ − ❶)

식	$400 \div 5 - (25 + 30)$
❶	$25 + 30 = 55$
❷	$400 \div 5 = 80$
❸	$80 - 55 = 25$

25 바구니에 방울토마토가 12개 있었습니다. 지민이가 텃밭에서 방울토마토를 39개 따왔습니다. 지민이는 방울토마토를 언니, 동생과 함께 똑같이 나누고 그중 7개를 먹었습니다. 지민이에게 남은 방울토마토는 몇 개인지 구해 보세요.

답 ____________

→

식	
❶	
❷	
❸	

26 지현이와 친구 3명이 모둠 활동에 필요한 학용품을 샀습니다. 그리기 도구는 28000원, 도화지는 4000원이고, 돈은 지현이와 친구 3명이 똑같이 나누어 냈습니다. 지현이가 가지고 있던 돈이 12000원이었다면, 학용품을 사고 남은 돈은 얼마인지 구해 보세요.

답 ____________

→

식	
❶	
❷	
❸	

27 빨간색 색종이 28장과 파란색 색종이 8장을 합하여 수정이네 모둠 4명에게 각각 똑같이 나누어 주었습니다. 수정이가 받은 색종이 중 3장을 사용하였다면 수정이에게 남은 색종이는 몇 장인지 구해 보세요.

답 ____________

→

식	
❶	
❷	
❸	

28 밀가루 240 g에 설탕 30 g을 넣어 섞은 후, 무게가 150 g인 그릇 6개에 똑같이 나누어 담았습니다. 밀가루와 설탕이 담겨 있는 그릇 중 하나의 무게를 재면 몇 g인지 구해 보세요.

답 ____________

→

식	
❶	
❷	
❸	

맞힌 개수

개 /28개

나의 학습 결과에 ○표 하세요.

맞힌 개수	0~3개	4~14개	15~25개	26~28개
학습 방법	다시 한번 풀어 봐요.	계산 연습이 필요해요.	틀린 문제를 확인해요.	실수하지 않도록 집중해요.

QR 빠른 정답 확인

11. 덧셈, 뺄셈, 곱셈, 나눗셈이 섞여 있는 식 (1)

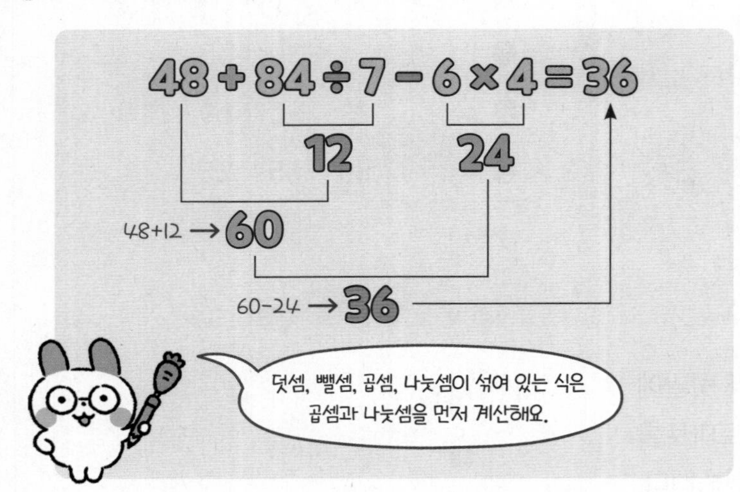

□ 안에 알맞은 수를 써넣어 계산해 보세요.

1 $72 \div 6 + 17 - 9 \times 2 = \square$

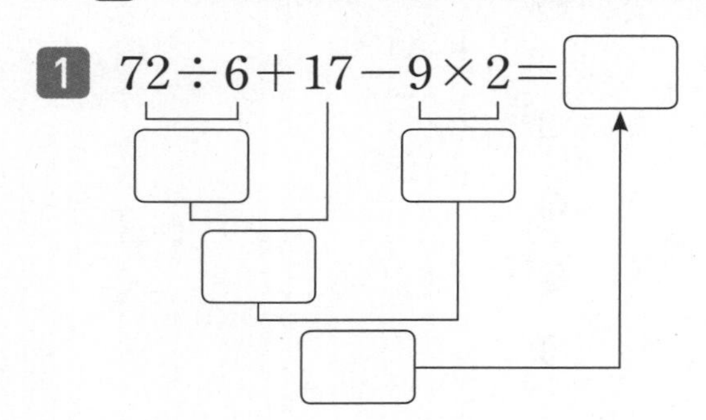

2 $6 + 12 \times 7 \div 4 - 12 = \square$

3 $19 \times 5 - 8 \div 2 + 6 = \square$

계산해 보세요.

4 $8 + 12 \times 8 \div 6 - 9$

5 $43 + 7 - 3 \times 6 \div 2$

6 $34 \div 2 \times 5 + 9 - 24$

7 $46 + 4 \times 4 - 68 \div 4$

8 $77 \div 7 + 17 \times 4 - 48$

9 $96 \div 8 + 58 - 13 \times 5$

10 $108 \div 6 + 28 - 15 \times 3$

11 $9\times6\div18+22-19$

12 $44+19-3\times10\div5$

13 $20+16\times4-40\div4$

14 $48\div16+39-6\times5$

15 $8\times7\div4+43-16$

16 $36+5\times9\div15-16$

17 $91\div7+3\times7-27$

18 $12\times4\div3+14-25$

19 $38+12\times8\div4-16$

20 $28+14-16\times2\div4$

21 $54\div6+24-4\times8$

22 $23+28-12\times4\div6$

23 $84\div6+25-2\times9$

24 $114\div6+4\times6-42$

맞힌 개수

개 /24개

나의 학습 결과에 ○표 하세요.

맞힌 개수	0~3개	4~12개	13~21개	22~24개
학습 방법	다시 한번 풀어 봐요.	계산 연습이 필요해요.	틀린 문제를 확인해요.	실수하지 않도록 집중해요.

QR 빠른 정답 확인

11. 덧셈, 뺄셈, 곱셈, 나눗셈이 섞여 있는 식 (1)

계산해 보세요.

1 $16\times5\div8+2-5$

2 $33+12\times5\div6-4$

3 $23+16\times2\div8-18$

4 $102\div6+27-13\times3$

5 $36\div4+16-7\times3$

6 $144\div9+6\times5-19$

7 $14\times3\div7+44-9$

8 $30+15-12\times3\div9$

9 $33\div11+7\times5-7$

10 $26+4\times9\div6-10$

11 $47+11\times2-12\div3$

12 $3\times7\div3+26-11$

13 $8+15\times7\div3-35$

14 $33\times3\div9+2-4$

15 $48\div6+14\times4-29$

16 $50+14\times9\div7-14$

연산 in 문장제

재진이는 한 봉지에 42개씩 들어 있는 사탕 5봉지를 친구 6명과 함께 똑같이 나누어 가졌습니다. 이 중에서 4개를 동생에게 주고, 7개를 형에게서 받았습니다. 재진이에게 남은 사탕은 몇 개인지 구해 보세요.

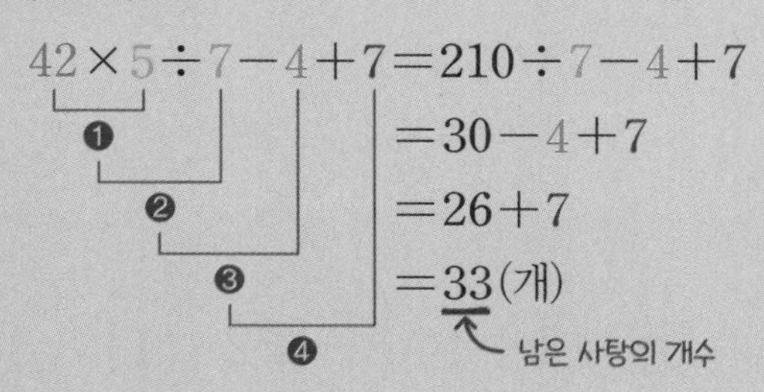

식	$42\times5\div7-4+7$
❶	$42\times5=210$
❷	$210\div7=30$
❸	$30-4=26$
❹	$26+7=33$

17 어느 과일 가게에서 포도 1송이를 6000원, 복숭아 6개를 18000원에 팝니다. 이 과일 가게에서 포도 3송이와 복숭아 1개를 사는 데 1000원을 할인해 주었습니다. 과일값은 모두 얼마인지 구해 보세요.

답 ____________

→

식	
❶	
❷	
❸	
❹	

18 81 cm인 색 테이프를 똑같이 3도막으로 나눈 것 중의 한 도막과 25 cm인 색 테이프 5도막을 겹치는 부분없이 이어 붙였습니다. 이어 붙인 색 테이프에서 50 cm를 사용하였다면 남은 색 테이프는 몇 cm인지 구해 보세요.

답 ____________

→

식	
❶	
❷	
❸	
❹	

19 진우는 하루에 책을 70쪽씩 읽고, 민준이는 매일 같은 쪽수를 읽어서 3일 동안 240쪽을 읽었습니다. 지현이가 하루에 읽는 쪽수가 진우가 하루에 읽는 쪽수의 2배일 때, 진우와 민준이가 하루에 읽는 쪽수의 합은 지현이가 하루에 읽는 쪽수보다 몇 쪽 더 많은지 구해 보세요.

답 ____________

식	
❶	
❷	
❸	
❹	

맞힌 개수

개 /19개

나의 학습 결과에 ○표 하세요.

맞힌 개수	0～2개	3～10개	11～17개	18～19개
학습 방법	다시 한번 풀어 봐요.	계산 연습이 필요해요.	틀린 문제를 확인해요.	실수하지 않도록 집중해요.

QR 빠른 정답 확인

12. 덧셈, 뺄셈, 곱셈, 나눗셈이 섞여 있는 식 (2)

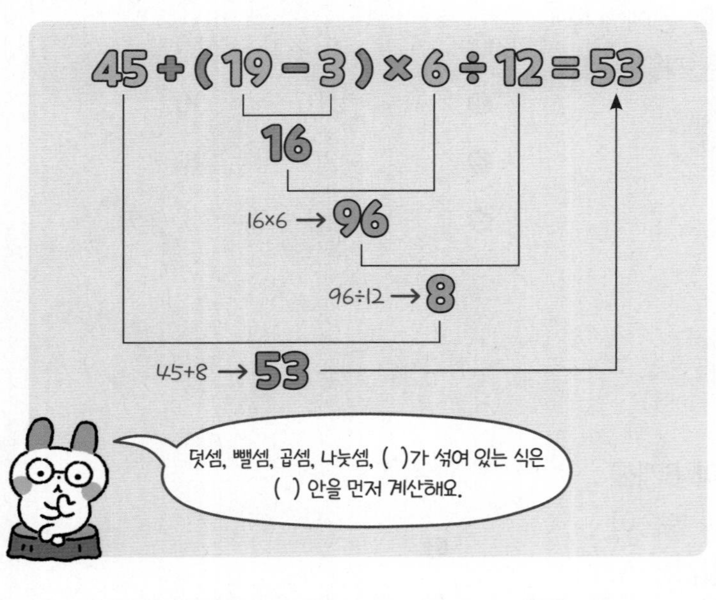

□ 안에 알맞은 수를 써넣어 계산해 보세요.

1 $37+14-11\times(24\div8)=\square$

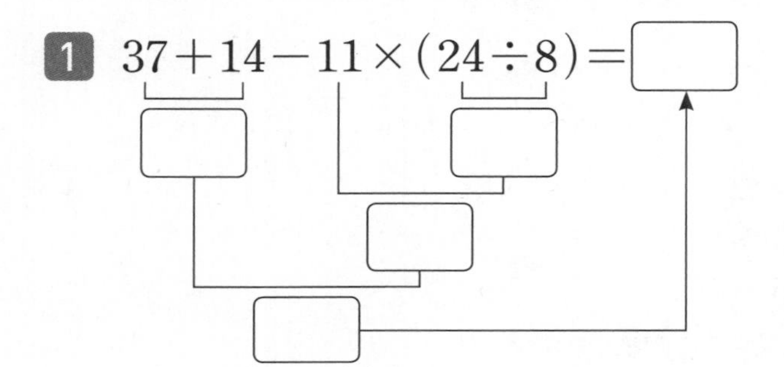

2 $76\div4+(13-7)\times4=\square$

3 $11\times2-96\div(14+10)=\square$

계산해 보세요.

4 $45+16\times5\div(20-4)$

5 $14+144\div(22-4)\times4$

6 $56\div4+2\times(14-9)$

7 $24\div(7+5)\times16-17$

8 $13\times6\div(2+4)-5$

9 $153\div(4+5)-7\times2$

10 $(34+54)\div8-2\times5$

11 $70\div(11-4)+2\times8$

12 $12\times9\div(6+3)-2$

13 $8+49\times2\div(9-2)$

14 $49\div7+(13-5)\times2$

15 $9\times3+(65-8)\div3$

16 $64\div8+9\times(16-14)$

17 $15+3\times9\div(7-4)$

18 $16\times3\div(9-3)+7$

19 $28+3-7\times(44\div11)$

20 $9\times(25\div5)+18-34$

21 $36-7+2\times(32\div8)$

22 $13\times6\div(9+4)-4$

23 $81\div(4+5)-2\times3$

24 $25+(15-9)\times9\div2$

맞힌 개수

개 /24개

나의 학습 결과에 ○표 하세요.

맞힌 개수	0~3개	4~12개	13~21개	22~24개
학습 방법	다시 한번 풀어 봐요.	계산 연습이 필요해요.	틀린 문제를 확인해요.	실수하지 않도록 집중해요.

QR 빠른 정답 확인

12. 덧셈, 뺄셈, 곱셈, 나눗셈이 섞여 있는 식 (2)

계산해 보세요.

1 $19\times6\div(17+2)-3$

2 $2\times(112\div14)+8-5$

3 $126\div(3\times6)+37-15$

4 $24\times2-32\div(3+5)$

5 $9\times(91\div13)+7-50$

6 $112\div16+(20-8)\times6$

7 $3+28\div(44-30)\times13$

8 $21\times9\div(3+4)-18$

9 $5\times(40\div8)-4+50$

10 $46\div2+6\times(7-4)$

11 $64\div16+(14-11)\times8$

12 $50-15\times6\div(3+6)$

13 $135\div(7+2)\times3-27$

14 $119\div(19-2)\times2+19$

15 $24+(29-4)\times7\div5$

16 $46+17-6\times(90\div18)$

연산 in 문장제

초콜릿이 5개씩 들어 있는 상자가 9상자 있습니다. 남자가 2명, 여자가 3명인 윤아네 모둠의 학생들에게 초콜릿을 똑같이 나누어 주었습니다. 윤아가 받은 초콜릿 중에서 3개를 먹었다면, 남은 초콜릿은 몇 개인지 구해 보세요.

$$5\times9\div(2+3)-3=5\times9\div5-3$$
$$=45\div5-3$$
$$=9-3$$
$$=6(\text{개})$$

(❷ 5×9, ❶ $2+3$, ❸ 나눗셈, ❹ 뺄셈) ← 남은 초콜릿의 개수

식	$5\times9\div(2+3)-3$
❶	$2+3=5$
❷	$5\times9=45$
❸	$45\div5=9$
❹	$9-3=6$

17 자두가 한 상자에 15개씩 6상자와 낱개 10개가 있었습니다. 소영이는 이 자두를 똑같이 5묶음으로 나눈 것 중 한 묶음을 받았습니다. 소영이가 받은 자두 중 12개를 먹었다면 남은 자두는 몇 개인지 구해 보세요.

답 ____________

→

식	
❶	
❷	
❸	
❹	

18 도화지가 색깔별로 32장씩 있습니다. 남학생과 여학생 각각 8명에게 한 가지 색의 도화지를 똑같이 나누어 주었고, 같은 방법으로 모두 7가지 색의 도화지를 나누어 주었습니다. 그리고 모든 학생에게 색종이를 27장씩 나누어 주었습니다. 학생 한 명이 받은 색종이 수는 도화지 수보다 몇 장 더 많은지 구해 보세요.

답 ____________

→

식	
❶	
❷	
❸	
❹	

19 누나는 18살, 정훈이는 12살입니다. 90을 누나의 나이로 나눈 수와 누나와 정훈이의 나이 차에 5배 한 수의 합을 구해 보세요.

답 ____________

→

식	
❶	
❷	
❸	
❹	

맞힌 개수
개 /19개

나의 학습 결과에 ○표 하세요.

맞힌 개수	0~2개	3~10개	11~17개	18~19개
학습 방법	다시 한번 풀어 봐요.	계산 연습이 필요해요.	틀린 문제를 확인해요.	실수하지 않도록 집중해요.

QR 빠른 정답 확인

25일차 연산&문장제 마무리

계산해 보세요.

1 $28-11+9$

2 $49+12-19$

3 $35-21+9$

4 $41-(13+18)$

5 $20+11-18$

6 $50-(11+17)$

7 $144\div(3\times6)$

8 $57\div19\times5$

9 $42\times2\div14$

10 $78\div(13\times2)$

11 $38\div19\times18$

12 $104\div(48\div6)$

13 $35-49\div7$

14 $50+36\div9$

15 $33+40\div8$

16 $22+9\times5$

17 $44+54\div18$

18 $25-98\div14+17$

19 $24+78\div13-7$

20 $26-2\times10+36$

21 $46+9-9\times6$

22 $22+11-171\div9$

23 $41-6+15\times2$

24 $32+2\times9-20$

25 $(12-6)\times 9+29$

26 $41+(98-17)\div 9$

27 $5\times(15-4)+35$

28 $50+(11-8)\times 9$

29 $42-(63+33)\div 12$

30 $(41+24)\div 5-4$

31 $8\times(5+7)-34$

32 $112\div(2+5)-13$

33 $46+17-4\times(16\div 2)$

34 $24+84\div(19-7)\times 6$

35 $162\div 9+(44-19)\times 2$

36 $20\times 9\div 12+11-5$

37 $48+15\times 5\div 25-9$

38 $105\div 15\times 4+17-29$

39 $45+(20-6)\times 2\div 4$

40 $46+56\div 7-7\times 7$

41 버스에 31명의 사람이 타고 있었습니다. 이번 정류장에서 17명이 내리고 14명이 탔다면 버스에 타고 있는 사람은 몇 명인지 구해 보세요.

답 ____________

42 수진이가 사탕을 2개씩 9묶음으로 포장하여 3명의 친구에게 똑같이 나누어 주었습니다. 친구 한 명이 몇 개의 사탕을 갖게 되는지 구해 보세요.

답 ____________

43 희성이가 도서관에서 22권의 책을 빌려왔습니다. 일주일 동안 하루에 2권씩 읽었다면 더 읽어야 할 책은 몇 권인지 구해 보세요.

답 ____________

44 석현이네 반의 학급 문고에 책이 44권 있었습니다. 월요일에 반 친구들이 13권을 빌려 갔고, 화요일부터 금요일까지 매일 2권씩 돌아왔습니다. 금요일에 학급 문고에 남은 책은 몇 권인지 구해 보세요.

답 ____________

45 한 사람이 한 시간에 꽃다발을 7개씩 만들 수 있다고 합니다. 2명이 꽃다발을 42개 만들려면 몇 시간이 걸리는지 구해 보세요.

답 ____________

46 색종이 16장씩 3묶음을 지호네 모둠 12명에게 똑같이 나누어 주었습니다. 지호가 받은 색종이 중 2장을 사용하였다면 지호에게 남은 색종이는 몇 장인지 구해 보세요.

답 ____________

연산 노트

맞힌 개수

개 / 46개

나의 학습 결과에 ○표 하세요.

맞힌 개수	0~4개	5~23개	24~42개	43~46개
학습 방법	다시 한번 풀어 봐요.	계산 연습이 필요해요.	틀린 문제를 확인해요.	실수하지 않도록 집중해요.

QR 빠른 정답 확인

2

약수와 배수

학습 주제	학습 일차	맞힌 개수
1. 약수 구하기	01일차	/21
	02일차	/18
2. 공약수와 최대공약수	03일차	/11
	04일차	/10
3. 곱셈식을 이용하여 최대공약수 구하기	05일차	/15
	06일차	/12
4. 공약수로 나누어 최대공약수 구하기	07일차	/23
	08일차	/16
5. 배수 구하기	09일차	/21
	10일차	/18
6. 공배수와 최소공배수	11일차	/11
	12일차	/10
7. 곱셈식을 이용하여 최소공배수 구하기	13일차	/15
	14일차	/11
8. 공약수로 나누어 최소공배수 구하기	15일차	/23
	16일차	/16
연산 & 문장제 마무리	17일차	/43

01 일차 1. 약수 구하기

6÷1=6
6÷2=3
6÷3=2
6÷4=1 ⋯ 2
6÷5=1 ⋯ 1
6÷6=1

6의 약수는 1, 2, 3, 6이에요.

약수는 어떤 수를
나누어떨어지게 하는 수예요.

□ 안에 알맞은 수를 써넣고, 약수를 모두 구해 보세요.

1 $4\div\square=4$, $4\div\square=2$,
$4\div\square=1$

4의 약수 ➡ ______

2 $7\div\square=7$, $7\div\square=1$

7의 약수 ➡ ______

3 $8\div\square=8$, $8\div\square=4$,
$8\div\square=2$, $8\div\square=1$

8의 약수 ➡ ______

약수를 모두 구해 보세요.

4 14의 약수

➡ ______

5 15의 약수

➡ ______

6 22의 약수

➡ ______

7 45의 약수

➡ ______

8 36의 약수

➡ ______

9 50의 약수

➡ ______

10 10의 약수

➡ ______

11 17의 약수

➡ ______

12 18의 약수

➡ ______

13 20의 약수

➡ ______

14 27의 약수

➡ ______

15 25의 약수

➡ ______

16 34의 약수

➡ ______

17 32의 약수

➡ ______

18 40의 약수

➡ ______

19 42의 약수

➡ ______

20 43의 약수

➡ ______

21 46의 약수

➡ ______

맞힌 개수

개 /21개

나의 학습 결과에 ○표 하세요.

맞힌 개수	0~2개	3~11개	12~19개	20~21개
학습 방법	다시 한번 풀어 봐요.	계산 연습이 필요해요.	틀린 문제를 확인해요.	실수하지 않도록 집중해요.

QR 빠른 정답 확인

1. 약수 구하기

약수를 모두 구해 보세요.

1 12의 약수

➡ ______

2 16의 약수

➡ ______

3 19의 약수

➡ ______

4 21의 약수

➡ ______

5 24의 약수

➡ ______

6 26의 약수

➡ ______

7 28의 약수

➡ ______

1은 모든 수의 약수예요.

8 29의 약수

➡ ______

9 33의 약수

➡ ______

10 35의 약수

➡ ______

11 38의 약수

➡ ______

12 37의 약수

➡ ______

13 44의 약수

➡ ______

14 48의 약수

➡ ______

연산 in 문장제

수 카드 38장을 학생들에게 똑같이 나누어 주려고 합니다. 수 카드를 학생들에게 나누어 줄 수 있는 방법은 모두 몇 가지인지 구해 보세요.
(단, 한 명보다 많은 학생들에게 나누어 줍니다.)

38의 약수 ⇨ 1, 2, 19, 38

따라서 수 카드를 학생들에게 나누어 줄 수 있는 방법은 3가지입니다.

↖ 한 명보다 많은 학생들에게 나누어 주므로 1은 빼요.

38	÷	1	=	38
38	÷	2	=	19
38	÷	19	=	2
38	÷	38	=	1

15 사탕 25개를 친구들에게 남김없이 똑같이 나누어 주려고 합니다. 사탕을 친구들에게 나누어 줄 수 있는 방법은 모두 몇 가지인지 구해 보세요. (단, 한 명보다 많은 친구들에게 나누어 줍니다.)

➜

	÷		=	
	÷		=	
	÷		=	

답 ____________

16 지우개 34개를 친구들에게 남김없이 똑같이 나누어 주려고 합니다. 지우개를 친구들에게 나누어 줄 수 있는 방법은 모두 몇 가지인지 구해 보세요. (단, 한 명보다 많은 친구들에게 나누어 줍니다.)

➜

	÷		=	
	÷		=	
	÷		=	
	÷		=	

답 ____________

17 엽서 14장을 여러 개의 상자에 남김없이 똑같이 나누어 담으려고 합니다. 엽서를 상자에 나누어 담는 방법은 모두 몇 가지인지 구해 보세요. (단, 상자는 한 개보다 많이 사용합니다.)

➜

	÷		=	
	÷		=	
	÷		=	
	÷		=	

답 ____________

18 자두 49개를 여러 개의 그릇에 남김없이 똑같이 나누어 담으려고 합니다. 자두를 그릇에 나누어 담는 방법은 모두 몇 가지인지 구해 보세요. (단, 그릇은 한 개보다 많이 사용합니다.)

➜

	÷		=	
	÷		=	
	÷		=	

답 ____________

맞힌 개수

개 /18개

나의 학습 결과에 ○표 하세요.

맞힌 개수	0~2개	3~9개	10~16개	17~18개
학습 방법	다시 한번 풀어 봐요.	계산 연습이 필요해요.	틀린 문제를 확인해요.	실수하지 않도록 집중해요.

QR 빠른 정답 확인

2. 공약수와 최대공약수

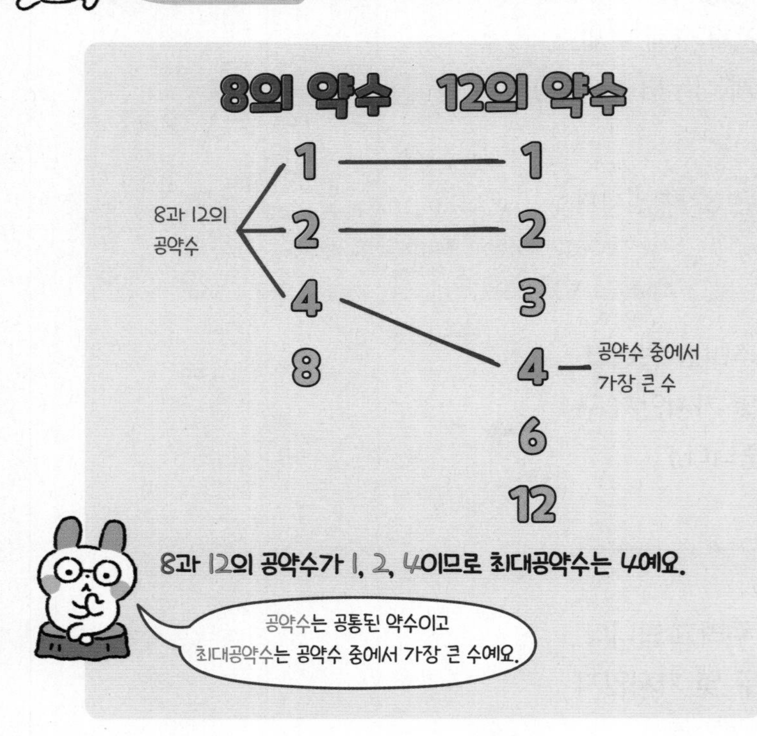

두 수의 공약수를 모두 찾고, 최대공약수를 구해 보세요.

1 3 6

3의 약수: 1, 3
6의 약수: 1, 2, 3, 6

➡ 공약수: ______________

최대공약수: ______________

2 14 28

14의 약수: 1, 2, 7, 14
28의 약수: 1, 2, 4, 7, 14, 28

➡ 공약수: ______________

최대공약수: ______________

두 수의 약수, 공약수, 최대공약수를 각각 구해 보세요.

3 10 5

10의 약수: ______________

5의 약수: ______________

➡ 공약수: ______________

최대공약수: ______________

4 9 15

9의 약수: ______________

15의 약수: ______________

➡ 공약수: ______________

최대공약수: ______________

5 16 24

16의 약수: ______________

24의 약수: ______________

➡ 공약수: ______________

최대공약수: ______________

6 | 18 20 |
18의 약수: ______________
20의 약수: ______________
⇨ 공약수: ______________
최대공약수: ______________

7 | 6 21 |
6의 약수: ______________
21의 약수: ______________
⇨ 공약수: ______________
최대공약수: ______________

8 | 11 22 |
11의 약수: ______________
22의 약수: ______________
⇨ 공약수: ______________
최대공약수: ______________

9 | 26 13 |
26의 약수: ______________
13의 약수: ______________
⇨ 공약수: ______________
최대공약수: ______________

10 | 24 36 |
24의 약수: ______________
36의 약수: ______________
⇨ 공약수: ______________
최대공약수: ______________

11 | 25 35 |
25의 약수: ______________
35의 약수: ______________
⇨ 공약수: ______________
최대공약수: ______________

맞힌 개수

개 /11개

나의 학습 결과에 ○표 하세요.

맞힌 개수	0~2개	3~6개	7~9개	10~11개
학습 방법	다시 한번 풀어 봐요.	계산 연습이 필요해요.	틀린 문제를 확인해요.	실수하지 않도록 집중해요.

QR 빠른 정답 확인

2. 공약수와 최대공약수

두 수의 약수, 공약수, 최대공약수를 각각 구해 보세요.

1 27 39

27의 약수: ______

39의 약수: ______

⇨ 공약수: ______

최대공약수: ______

2 28 44

28의 약수: ______

44의 약수: ______

⇨ 공약수: ______

최대공약수: ______

3 30 45

30의 약수: ______

45의 약수: ______

⇨ 공약수: ______

최대공약수: ______

4 17 34

17의 약수: ______

34의 약수: ______

⇨ 공약수: ______

최대공약수: ______

5 32 42

32의 약수: ______

42의 약수: ______

⇨ 공약수: ______

최대공약수: ______

6 38 57

38의 약수: ______

57의 약수: ______

⇨ 공약수: ______

최대공약수: ______

연산 in 문장제

볼펜 12자루와 지우개 10개를 최대한 많은 학생에게 남김없이 똑같이 나누어 주려고 합니다. 최대 몇 명의 학생들에게 똑같이 나누어 줄 수 있는지 구해 보세요.

수	약수
12	1, 2, 3, 4, 6, 12
10	1, 2, 5, 10

12와 10의 공약수 ⇨ 1, 2

12와 10의 최대공약수 ⇨ 2

따라서 최대 2명에게 똑같이 나누어 줄 수 있습니다.

7 배 18개와 사과 15개를 최대한 많은 바구니에 남김없이 똑같이 나누어 담으려고 합니다. 최대 몇 개의 바구니에 나누어 담을 수 있는지 구해 보세요. →

수	약수

답 ________

8 가로가 20 cm, 세로가 16 cm인 직사각형 모양의 종이를 크기가 같은 정사각형 모양으로 남는 부분 없이 자르려고 합니다. 가장 큰 정사각형 모양으로 자르려면 정사각형의 한 변의 길이를 몇 cm로 해야 하는지 구해 보세요. →

수	약수

답 ________

9 쿠키 18개와 젤리 12개를 최대한 많은 봉지에 남김없이 똑같이 나누어 담으려고 합니다. 최대 몇 봉지에 나누어 담을 수 있는지 구해 보세요. →

수	약수

답 ________

10 길이가 각각 28 cm, 21 cm인 두 색 테이프를 똑같은 길이로 남김없이 자르려고 합니다. 한 도막의 길이를 가장 길게 자르려면 색 테이프 한 도막의 길이를 몇 cm로 해야 하는지 구해 보세요. →

수	약수

답 ________

맞힌 개수

개 /10개

나의 학습 결과에 ○표 하세요.

맞힌 개수	0~2개	3~5개	6~8개	9~10개
학습 방법	다시 한번 풀어 봐요.	계산 연습이 필요해요.	틀린 문제를 확인해요.	실수하지 않도록 집중해요.

QR 빠른 정답 확인

05 일차 3. 곱셈식을 이용하여 최대공약수 구하기

여러 수의 곱으로 나타낸 곱셈식에서 공통으로 들어 있는 곱셈식을 계산하면 두 수의 최대공약수와 같아요.

$12 = 2 \times 2 \times 3$

$16 = 2 \times 2 \times 2 \times 2$

➡ $2 \times 2 = 4$

12와 16의 최대공약수는 4예요.

두 수를 각각 여러 수의 곱으로 나타내어 최대공약수를 구하려고 합니다. □ 안에 알맞은 수를 써넣으세요.

1 4 8

$4 = \square \times 2$

$8 = \square \times 2 \times 2$

➡ 최대공약수: □

2 6 18

$6 = \square \times 3$

$18 = 2 \times \square \times 3$

➡ 최대공약수: □

3 28 20

$28 = 2 \times \square \times 7$

$20 = \square \times 2 \times 5$

➡ 최대공약수: □

두 수를 각각 여러 수의 곱으로 나타내고 최대공약수를 구해 보세요.

4 18 32

18= ______

32= ______

➡ 최대공약수: ______

5 14 42

14= ______

42= ______

➡ 최대공약수: ______

6 30 40

30= ______

40= ______

➡ 최대공약수: ______

7 44 48

44= ______

48= ______

➡ 최대공약수: ______

8 10 50

10= ______

50= ______

➡ 최대공약수: ______

12 21 63

21= ______

63= ______

➡ 최대공약수: ______

9 27 45

27= ______

45= ______

➡ 최대공약수: ______

13 56 70

56= ______

70= ______

➡ 최대공약수: ______

10 32 52

32= ______

52= ______

➡ 최대공약수: ______

14 64 72

64= ______

72= ______

➡ 최대공약수: ______

11 54 60

54= ______

60= ______

➡ 최대공약수: ______

15 68 76

68= ______

76= ______

➡ 최대공약수: ______

맞힌 개수

개 /15개

나의 학습 결과에 ○표 하세요.

맞힌 개수	0~2개	3~8개	9~13개	14~15개
학습 방법	다시 한번 풀어 봐요.	계산 연습이 필요해요.	틀린 문제를 확인해요.	실수하지 않도록 집중해요.

QR 빠른 정답 확인

3. 곱셈식을 이용하여 최대공약수 구하기

두 수를 각각 여러 수의 곱으로 나타내고 최대공약수를 구해 보세요.

1 75 90

75＝

90＝

⇨ 최대공약수:

2 78 96

78＝

96＝

⇨ 최대공약수:

3 80 92

80＝

92＝

⇨ 최대공약수:

4 84 105

84＝

105＝

⇨ 최대공약수:

5 66 102

66＝

102＝

⇨ 최대공약수:

6 81 108

81＝

108＝

⇨ 최대공약수:

7 88 104

88＝

104＝

⇨ 최대공약수:

8 98 112

98＝

112＝

⇨ 최대공약수:

연산 in 문장제

위인전 10권과 동화책 14권을 최대한 많은 상자에 남김없이 똑같이 나누어 담으려고 합니다. 최대 몇 개의 상자에 나누어 담을 수 있는지 구해 보세요.

수	곱셈식
10	2×5
14	2×7

10과 14의 최대공약수 ⇨ 2

따라서 최대 2개의 상자에 나누어 담을 수 있습니다.

9 과자 18봉지와 사탕 45개로 최대한 많은 상자에 남김없이 똑같이 나누어 담아서 선물 상자를 만들려고 합니다. 최대 몇 상자를 만들 수 있는지 구해 보세요.

수	곱셈식

답 ______________

10 파란색 색종이 20장과 빨간색 색종이 28장을 최대한 많은 학생에게 남김없이 똑같이 나누어 주려고 합니다. 최대 몇 명에게 나누어 줄 수 있는지 구해 보세요.

➜

수	곱셈식

답 ______________

11 만두 24개와 찐빵 20개를 최대한 많은 접시에 남김없이 똑같이 나누어 담으려고 합니다. 최대 몇 개의 접시에 나누어 담을 수 있는지 구해 보세요.

➜

수	곱셈식

답 ______________

12 귤 16개와 체리 30개를 최대한 많은 통에 남김없이 똑같이 나누어 담으려고 합니다. 최대 몇 개의 통에 나누어 담을 수 있는지 구해 보세요.

수	곱셈식

답 ______________

맞힌 개수

개 /12개

나의 학습 결과에 ○표 하세요.

맞힌 개수	0~2개	3~6개	7~10개	11~12개
학습 방법	다시 한번 풀어 봐요.	계산 연습이 필요해요.	틀린 문제를 확인해요.	실수하지 않도록 집중해요.

QR 빠른 정답 확인

4. 공약수로 나누어 최대공약수 구하기

24와 30의 공약수 → 2) 24 30

12와 15의 공약수 → 3) 12 15

4 5 ← 공약수가 없어요.

⇨ $2 \times 3 = 6$

24와 30의 최대공약수는 6이에요.

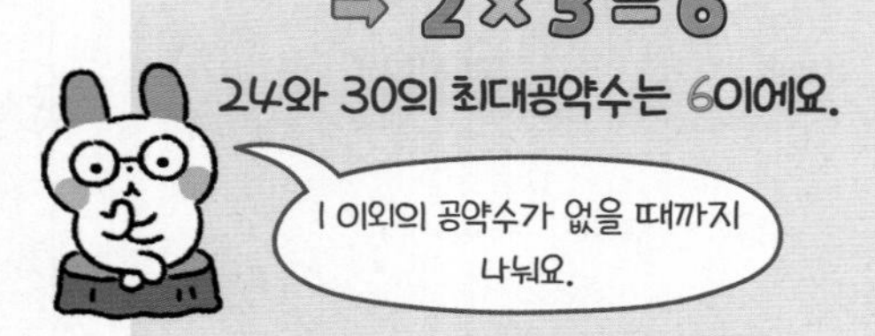

두 수의 최대공약수를 구하려고 합니다. ☐ 안에 알맞은 수를 써넣으세요.

1

☐) 4 2

2 1

⇨ 최대공약수: ☐

2

☐) 9 18

3) 3 6

☐ 2

⇨ 최대공약수: ☐

3

2) 16 40

☐) 8 20

☐) 4 10

2 5

⇨ 최대공약수: ☐

두 수의 최대공약수를 구해 보세요.

4) 15 20

⇨ 최대공약수: ____

5) 6 10

⇨ 최대공약수: ____

6) 14 7

⇨ 최대공약수: ____

7) 9 21

⇨ 최대공약수: ____

8) 13 39

⇨ 최대공약수: ____

9) 11 33

⇨ 최대공약수: ____

10) 27 18

⇨ 최대공약수: ____

11) 28 32

⇨ 최대공약수: ____

12 $\overline{)36 \quad 42}$

➡ 최대공약수: ______

16 $\overline{)48 \quad 66}$

➡ 최대공약수: ______

20 $\overline{)70 \quad 90}$

➡ 최대공약수: ______

13 $\overline{)25 \quad 50}$

➡ 최대공약수: ______

17 $\overline{)56 \quad 60}$

➡ 최대공약수: ______

21 $\overline{)72 \quad 126}$

➡ 최대공약수: ______

14 $\overline{)54 \quad 45}$

➡ 최대공약수: ______

18 $\overline{)63 \quad 81}$

➡ 최대공약수: ______

22 $\overline{)80 \quad 100}$

➡ 최대공약수: ______

15 $\overline{)44 \quad 52}$

➡ 최대공약수: ______

19 $\overline{)64 \quad 76}$

➡ 최대공약수: ______

23 $\overline{)84 \quad 108}$

➡ 최대공약수: ______

맞힌 개수

개 /23개

나의 학습 결과에 ○표 하세요.

맞힌 개수	0～2개	3～12개	13～21개	22～23개
학습 방법	다시 한번 풀어 봐요.	계산 연습이 필요해요.	틀린 문제를 확인해요.	실수하지 않도록 집중해요.

QR 빠른 정답 확인

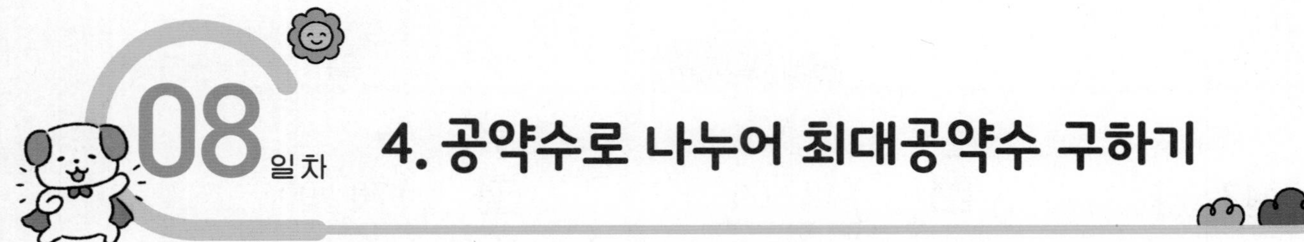

4. 공약수로 나누어 최대공약수 구하기

두 수의 최대공약수를 구해 보세요.

1 $\overline{)51 \quad 68}$

➡ 최대공약수: ______

5 $\overline{)75 \quad 105}$

➡ 최대공약수: ______

9 $\overline{)99 \quad 117}$

➡ 최대공약수: ______

2 $\overline{)39 \quad 52}$

➡ 최대공약수: ______

6 $\overline{)78 \quad 84}$

➡ 최대공약수: ______

10 $\overline{)112 \quad 196}$

➡ 최대공약수: ______

3 $\overline{)33 \quad 55}$

➡ 최대공약수: ______

7 $\overline{)92 \quad 104}$

➡ 최대공약수: ______

11 $\overline{)120 \quad 128}$

➡ 최대공약수: ______

4 $\overline{)68 \quad 88}$

➡ 최대공약수: ______

8 $\overline{)98 \quad 140}$

➡ 최대공약수: ______

12 $\overline{)132 \quad 176}$

➡ 최대공약수: ______

연산 in 문장제

초콜릿 12개와 사탕 16개를 최대한 많은 사람에게 남김없이 똑같이 나누어 주려고 합니다. 최대 몇 명에게 나누어 줄 수 있는지 구해 보세요.

2)	12	16
2)	6	8
	3	4

12와 16의 최대공약수 ⇨ $2\times2=4$

따라서 최대 4명에게 나누어 줄 수 있습니다.

13 장미 20송이와 튤립 35송이를 남김없이 똑같이 나누어 최대한 많은 꽃다발을 만들려고 합니다. 최대 몇 다발을 만들 수 있는지 구해 보세요.

➜ 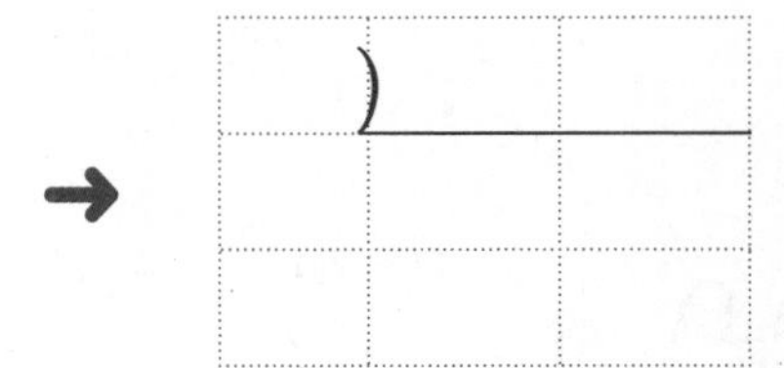

답 ______________

14 색연필 21자루와 연필 49자루를 최대한 많은 모둠에게 남김없이 똑같이 나누어 주려고 합니다. 최대 몇 모둠에게 나누어 줄 수 있는지 구해 보세요.

➜ 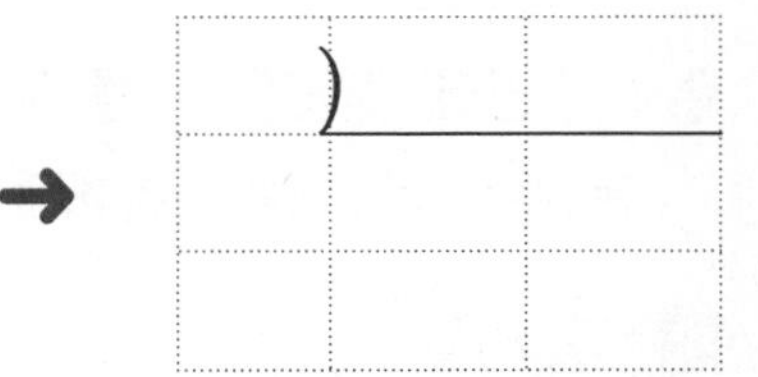

답 ______________

15 가로가 42 cm, 세로가 14 cm인 직사각형 모양의 종이를 크기가 같은 정사각형 모양으로 남는 부분 없이 자르려고 합니다. 가장 큰 정사각형 모양으로 자르려면 한 변의 길이를 몇 cm로 해야 하는지 구해 보세요.

➜ 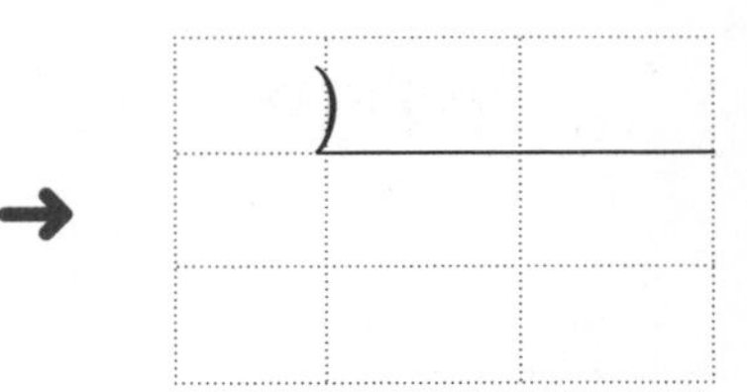

답 ______________

16 길이가 각각 54 cm, 45 cm인 두 색 테이프를 똑같은 길이로 남김없이 자르려고 합니다. 한 도막의 길이를 가장 길게 자르려면 색 테이프 한 도막의 길이를 몇 cm로 해야 하는지 구해 보세요.

➜ 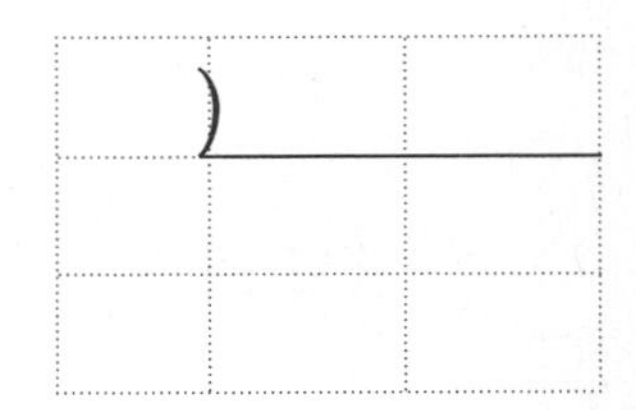

답 ______________

맞힌 개수

개 /16개

나의 학습 결과에 ○표 하세요.

맞힌 개수	0~2개	3~8개	9~14개	15~16개
학습 방법	다시 한번 풀어 봐요.	계산 연습이 필요해요.	틀린 문제를 확인해요.	실수하지 않도록 집중해요.

QR 빠른 정답 확인

09 일차 5. 배수 구하기

$6 \times 1 = 6$ ← 6을 1배 한 수
$6 \times 2 = 12$ ← 6을 2배 한 수
$6 \times 3 = 18$ ← 6을 3배 한 수
$6 \times 4 = 24$ ← 6을 4배 한 수
⋮

6의 배수는 6, 12, 18, 24, ...이에요.

□ 안에 알맞은 수를 써넣고, 배수를 가장 작은 수부터 차례대로 4개 써 보세요.

1 $2 \times 1 =$ □, $2 \times 2 =$ □,
$2 \times 3 =$ □, $2 \times 4 =$ □, ...

2의 배수 ➡ ____________

2 $3 \times 1 =$ □, $3 \times 2 =$ □,
$3 \times 3 =$ □, $3 \times 4 =$ □, ...

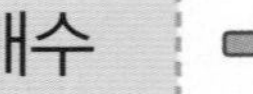

3의 배수 ➡ ____________

3 $8 \times 1 =$ □, $8 \times 2 =$ □,
$8 \times 3 =$ □, $8 \times 4 =$ □, ...

8의 배수 ➡ ____________

배수를 가장 작은 수부터 차례대로 4개 써 보세요.

4 5의 배수

➡ ____________

5 9의 배수

➡ ____________

6 11의 배수

➡ ____________

7 14의 배수

➡ ____________

8 15의 배수

➡ ____________

9 19의 배수

➡ ____________

10 12의 배수

➡ ______________________

11 13의 배수

➡ ______________________

12 16의 배수

➡ ______________________

13 17의 배수

➡ ______________________

14 18의 배수

➡ ______________________

15 20의 배수

➡ ______________________

16 21의 배수

➡ ______________________

17 22의 배수

➡ ______________________

18 23의 배수

➡ ______________________

19 24의 배수

➡ ______________________

20 26의 배수

➡ ______________________

21 27의 배수

➡ ______________________

맞힌 개수

개 /21개

나의 학습 결과에 ○표 하세요.

맞힌 개수	0～2개	3～11개	12～19개	20～21개
학습 방법	다시 한번 풀어 봐요.	계산 연습이 필요해요.	틀린 문제를 확인해요.	실수하지 않도록 집중해요.

QR 빠른 정답 확인

5. 배수 구하기

배수를 가장 작은 수부터 차례대로 4개 써 보세요.

■의 배수 중 가장 작은 수는 ■예요.

1 28의 배수

➡ ____________________

2 31의 배수

➡ ____________________

3 32의 배수

➡ ____________________

4 35의 배수

➡ ____________________

5 36의 배수

➡ ____________________

6 37의 배수

➡ ____________________

7 38의 배수

➡ ____________________

8 39의 배수

➡ ____________________

9 41의 배수

➡ ____________________

10 42의 배수

➡ ____________________

11 44의 배수

➡ ____________________

12 48의 배수

➡ ____________________

13 49의 배수

➡ ____________________

14 52의 배수

➡ ____________________

연산 in 문장제

어느 공장에서 하루에 인형을 1500개씩 만듭니다. 이 공장에서 3일 동안 만들 수 있는 인형은 모두 몇 개인지 구해 보세요.

1500의 배수 ⇨ 1500, 3000, 4500, ...

따라서 3일 동안 만들 수 있는 인형은 모두 4500개입니다.

1500	×	1	=	1500
1500	×	2	=	3000
1500	×	3	=	4500

15 민규는 수학 연산 문제집을 하루에 5쪽씩 풀기로 하였습니다. 민규가 월요일부터 수요일까지 푼 수학 연산 문제집은 모두 몇 쪽인지 구해 보세요.

	×		=	
	×		=	
	×		=	

답 ______________

16 지영이는 매일 공원 주위를 돌며 걷기 운동을 합니다. 지영이가 공원을 한 바퀴 도는 데 11분이 걸린다면, 3바퀴 도는 데 몇 분이 걸리는지 구해 보세요.

➜

	×		=	
	×		=	
	×		=	

답 ______________

17 학교에서 수영장으로 가는 버스가 13분마다 출발합니다. 오후 3시에 처음으로 버스가 출발했다면 네 번째로 버스가 출발하는 시각은 언제인지 구해 보세요.

➜

	×		=	
	×		=	
	×		=	

답 ______________

18 놀이공원에서 동물원으로 가는 버스가 오전 8시부터 7분마다 출발합니다. 오전 8시부터 오전 8시 30분까지 버스는 모두 몇 번 출발하는지 구해 보세요.

➜

	×		=	
	×		=	
	×		=	
	×		=	

맞힌 개수

개 /18개

나의 학습 결과에 ○표 하세요.

맞힌 개수	0~2개	3~9개	10~16개	17~18개
학습 방법	다시 한번 풀어 봐요.	계산 연습이 필요해요.	틀린 문제를 확인해요.	실수하지 않도록 집중해요.

QR 빠른 정답 확인

11일차 6. 공배수와 최소공배수

두 수의 공배수와 최소공배수를 각각 구해 보세요.
(공배수는 가장 작은 수부터 2개만 써 보세요.)

1 4　6

4의 배수: 4, 8, 12, 16, 20, 24, …
6의 배수: 6, 12, 18, 24, 30, 36, …

⇨ 공배수: ____________

최소공배수: ____________

2 5　10

5의 배수: 5, 10, 15, 20, 25, …
10의 배수: 10, 20, 30, 40, …

⇨ 공배수: ____________

최소공배수: ____________

두 수의 배수, 공배수, 최소공배수를 각각 구해 보세요. (배수는 가장 작은 수부터 5개, 공배수는 가장 작은 수부터 2개만 써 보세요.)

3 8　24

8의 배수: ____________

24의 배수: ____________

⇨ 공배수: ____________

최소공배수: ____________

4 9　15

9의 배수: ____________

15의 배수: ____________

⇨ 공배수: ____________

최소공배수: ____________

5 14　21

14의 배수: ____________

21의 배수: ____________

⇨ 공배수: ____________

최소공배수: ____________

6 18 27

18의 배수: ______________________

27의 배수: ______________________

⇨ 공배수: ______________________

최소공배수: ______________________

7 20 25

20의 배수: ______________________

25의 배수: ______________________

⇨ 공배수: ______________________

최소공배수: ______________________

8 22 33

22의 배수: ______________________

33의 배수: ______________________

⇨ 공배수: ______________________

최소공배수: ______________________

9 30 40

30의 배수: ______________________

40의 배수: ______________________

⇨ 공배수: ______________________

최소공배수: ______________________

10 34 51

34의 배수: ______________________

51의 배수: ______________________

⇨ 공배수: ______________________

최소공배수: ______________________

11 35 70

35의 배수: ______________________

70의 배수: ______________________

⇨ 공배수: ______________________

최소공배수: ______________________

맞힌 개수

개 /11개

나의 학습 결과에 ○표 하세요.

맞힌 개수	0~2개	3~6개	7~9개	10~11개
학습 방법	다시 한번 풀어 봐요.	계산 연습이 필요해요.	틀린 문제를 확인해요.	실수하지 않도록 집중해요.

QR 빠른 정답 확인

6. 공배수와 최소공배수

두 수의 배수, 공배수, 최소공배수를 각각 구해 보세요. (배수는 가장 작은 수부터 5개, 공배수는 가장 작은 수부터 2개만 써 보세요.)

1 16 48

16의 배수: ______

48의 배수: ______

⇨ 공배수: ______

최소공배수: ______

4 28 42

28의 배수: ______

42의 배수: ______

⇨ 공배수: ______

최소공배수: ______

2 24 32

24의 배수: ______

32의 배수: ______

⇨ 공배수: ______

최소공배수: ______

5 36 48

36의 배수: ______

48의 배수: ______

⇨ 공배수: ______

최소공배수: ______

3 26 39

26의 배수: ______

39의 배수: ______

⇨ 공배수: ______

최소공배수: ______

6 38 57

38의 배수: ______

57의 배수: ______

⇨ 공배수: ______

최소공배수: ______

연산 in 문장제

민수의 어머니는 고기를 6일마다, 생선을 9일마다 삽니다. 오늘 고기와 생선을 함께 샀다면 다음번에 처음으로 고기와 생선을 함께 사는 날은 며칠 후인지 구해 보세요.

수	배수
6	6, 12, 18, 24, ...
9	9, 18, 27, ...

6과 9의 공배수 ⇨ 18, 36, 54, ...

6과 9의 최소공배수 ⇨ 18

따라서 18일 후에 처음으로 다시 고기와 생선을 함께 삽니다.

7 어느 공장에서 ㉮ 기계는 10일마다, ㉯ 기계는 12일마다 점검을 받습니다. 오늘 두 기계가 동시에 점검을 받았다면 다음번에 처음으로 두 기계가 동시에 점검을 받는 날은 며칠 후인지 구해 보세요.

➜

수	배수

답 ________

8 가로가 16 cm, 세로가 20 cm인 직사각형 모양의 종이를 겹치지 않게 빈틈없이 늘어놓아 정사각형을 만들려고 합니다. 가장 작은 정사각형을 만들려면 정사각형 한 변의 길이를 몇 cm로 해야 하는지 구해 보세요.

➜

수	배수

답 ________

9 경하와 민주가 공원에서 일정한 빠르기로 자전거를 타고 있습니다. 경하는 14분마다, 민주는 12분마다 공원을 한 바퀴 돕니다. 두 사람이 공원 입구에서 같은 방향으로 동시에 출발했다면 다음번에 처음으로 두 사람이 공원 입구에서 만나는 시각은 몇 분 후인지 구해 보세요.

➜

수	배수

답 ________

10 버스 정류장에서 놀이공원으로 가는 버스는 15분마다, 동물원으로 가는 버스는 10분마다 출발합니다. 두 버스가 오전 8시에 동시에 출발했다면 다음번에 처음으로 두 버스가 동시에 출발하는 것은 몇 분 후인지 구해 보세요.

➜

수	배수

답 ________

맞힌 개수

개 /10개

나의 학습 결과에 ○표 하세요.

맞힌 개수	0~2개	3~5개	6~8개	9~10개
학습 방법	다시 한번 풀어 봐요.	계산 연습이 필요해요.	틀린 문제를 확인해요.	실수하지 않도록 집중해요.

QR 빠른 정답 확인

13일차 7. 곱셈식을 이용하여 최소공배수 구하기

곱셈식에 공통으로 들어 있는 곱셈식을 찾은 후,
그 곱셈식에 나머지 수를 모두 곱하면 최소공배수예요.

$8=2\times2\times2$

$12=2\times2\times3$

⇨ $2\times2\times2\times3=24$

8과 12의 최소공배수는 24예요.

두 수를 각각 여러 수의 곱으로 나타내어 최소공배수를 구하려고 합니다. □ 안에 알맞은 수를 써넣으세요.

1 4 12

$4=\square\times2$

$12=2\times2\times\square$

⇨ 최소공배수: □

2 9 21

$9=3\times\square$

$21=3\times\square$

⇨ 최소공배수: □

3 16 10

$16=\square\times2\times2\times2$

$10=2\times\square$

⇨ 최소공배수: □

두 수를 각각 여러 수의 곱으로 나타내고 최소공배수를 구해 보세요.

4 14 35

14= ____________

35= ____________

⇨ 최소공배수: ____________

5 15 20

15= ____________

20= ____________

⇨ 최소공배수: ____________

6 18 24

18= ____________

24= ____________

⇨ 최소공배수: ____________

7 27 36

27= ____________

36= ____________

⇨ 최소공배수: ____________

8 22 55

22=

55=

➡ 최소공배수:

9 24 60

24=

60=

➡ 최소공배수:

10 28 49

28=

49=

➡ 최소공배수:

11 30 45

30=

45=

➡ 최소공배수:

12 36 54

36=

54=

➡ 최소공배수:

13 39 52

39=

52=

➡ 최소공배수:

14 40 60

40=

60=

➡ 최소공배수:

15 44 66

44=

66=

➡ 최소공배수:

맞힌 개수

개 /15개

나의 학습 결과에 ○표 하세요.

맞힌 개수	0～2개	3～8개	9～13개	14～15개
학습 방법	다시 한번 풀어 봐요.	계산 연습이 필요해요.	틀린 문제를 확인해요.	실수하지 않도록 집중해요.

QR 빠른 정답 확인

14일차 7. 곱셈식을 이용하여 최소공배수 구하기

두 수를 각각 여러 수의 곱으로 나타내고 최소공배수를 구해 보세요.

1 35 40

35= ____________________

40= ____________________

⇨ 최소공배수: ____________

2 48 72

48= ____________________

72= ____________________

⇨ 최소공배수: ____________

3 52 78

52= ____________________

78= ____________________

⇨ 최소공배수: ____________

4 84 56

84= ____________________

56= ____________________

⇨ 최소공배수: ____________

5 64 96

64= ____________________

96= ____________________

⇨ 최소공배수: ____________

6 70 105

70= ____________________

105= ____________________

⇨ 최소공배수: ____________

7 55 110

55= ____________________

110= ____________________

⇨ 최소공배수: ____________

8 75 125

75= ____________________

125= ____________________

⇨ 최소공배수: ____________

연산 in 문장제

텃밭에서 키우는 딸기는 6일마다, 오이는 8일마다 물을 주어야 합니다. 오늘 딸기와 오이에 모두 물을 주었다면 다음번에 처음으로 딸기와 오이에 동시에 물을 주는 날은 며칠 후인지 구해 보세요.

수	곱셈식
6	2×3
8	$2\times2\times2$

6과 8의 최소공배수 ⇨ $2\times3\times2\times2=24$

따라서 24일 후에 처음으로 딸기와 오이에 동시에 물을 줍니다.

9 서희네 집에는 우유가 4일마다, 과일이 6일마다 배달됩니다. 6월 1일에 우유와 과일이 같이 배달되었다면 다음번에 처음으로 우유와 과일이 같이 배달되는 날은 언제인지 구해 보세요.

수	곱셈식

답 ____________

10 상희는 9일마다, 준영이는 6일마다 도서관에 갑니다. 상희와 준영이가 8월 10일에 도서관에서 만났다면 다음번에 처음으로 두 사람이 만나는 날을 구해 보세요.

수	곱셈식

답 ____________

11 어느 기차역에서 부산행 기차는 15분마다, 전주행 기차는 18분마다 출발합니다. 두 기차가 오전 7시에 동시에 출발했다면 다음번에 처음으로 두 기차가 동시에 출발하는 시각을 구해 보세요.

수	곱셈식

답 ____________

맞힌 개수

개 /11개

나의 학습 결과에 ○표 하세요.

맞힌 개수	0~2개	3~6개	7~9개	10~11개
학습 방법	다시 한번 풀어 봐요.	계산 연습이 필요해요.	틀린 문제를 확인해요.	실수하지 않도록 집중해요.

QR 빠른정답 확인

8. 공약수로 나누어 최소공배수 구하기

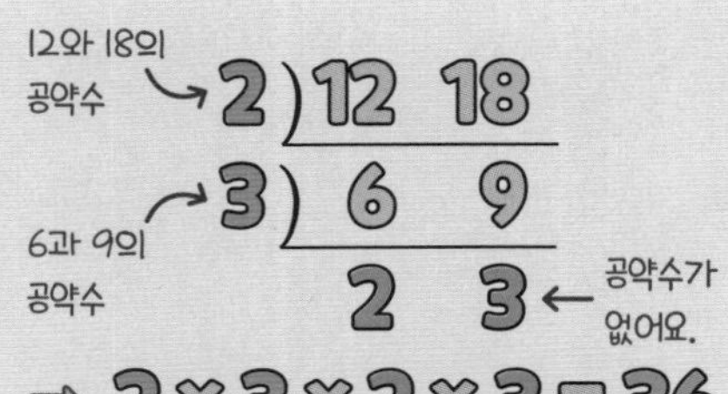

12와 18의 최소공배수는 36이에요.

두 수의 최소공배수를 구하려고 합니다. □ 안에 알맞은 수를 써넣으세요.

1

□) 4　10
　　2　5

⇨ 최소공배수: □

2

2) 14　28
□) 7　14
　　1　□

⇨ 최소공배수: □

3

2) 8　16
□) 4　8
2) □　4
　　1　□

⇨ 최소공배수: □

두 수의 최소공배수를 구해 보세요.

4) 13　39

⇨ 최소공배수: ______

5) 21　27

⇨ 최소공배수: ______

6) 33　44

⇨ 최소공배수: ______

7) 25　35

⇨ 최소공배수: ______

8) 57　76

⇨ 최소공배수: ______

9) 23　69

⇨ 최소공배수: ______

10) 20　24

⇨ 최소공배수: ______

11) 15　45

⇨ 최소공배수: ______

12 $\overline{)30 \quad 50}$

➡ 최소공배수: ____

16 $\overline{)63 \quad 72}$

➡ 최소공배수: ____

20 $\overline{)90 \quad 80}$

➡ 최소공배수: ____

13 $\overline{)36 \quad 42}$

➡ 최소공배수: ____

17 $\overline{)75 \quad 100}$

➡ 최소공배수: ____

21 $\overline{)54 \quad 81}$

➡ 최소공배수: ____

14 $\overline{)26 \quad 52}$

➡ 최소공배수: ____

18 $\overline{)76 \quad 114}$

➡ 최소공배수: ____

22 $\overline{)56 \quad 72}$

➡ 최소공배수: ____

15 $\overline{)42 \quad 63}$

➡ 최소공배수: ____

19 $\overline{)117 \quad 78}$

➡ 최소공배수: ____

23 $\overline{)132 \quad 88}$

➡ 최소공배수: ____

맞힌 개수
개 /23개

나의 학습 결과에 ○표 하세요.

맞힌 개수	0~2개	3~12개	13~21개	22~23개
학습 방법	다시 한번 풀어 봐요.	계산 연습이 필요해요.	틀린 문제를 확인해요.	실수하지 않도록 집중해요.

QR 빠른 정답 확인

16 일차

8. 공약수로 나누어 최소공배수 구하기

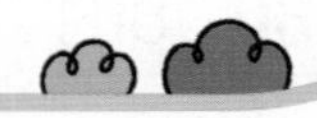

두 수의 최소공배수를 구해 보세요.

1 $\overline{)51\quad 68}$

➡ 최소공배수: ____

2 $\overline{)77\quad 55}$

➡ 최소공배수: ____

3 $\overline{)34\quad 85}$

➡ 최소공배수: ____

4 $\overline{)32\quad 60}$

➡ 최소공배수: ____

5 $\overline{)50\quad 70}$

➡ 최소공배수: ____

6 $\overline{)64\quad 92}$

➡ 최소공배수: ____

7 $\overline{)96\quad 102}$

➡ 최소공배수: ____

8 $\overline{)98\quad 147}$

➡ 최소공배수: ____

9 $\overline{)99\quad 126}$

➡ 최소공배수: ____

10 $\overline{)104\quad 156}$

➡ 최소공배수: ____

11 $\overline{)108\quad 135}$

➡ 최소공배수: ____

12 $\overline{)112\quad 196}$

➡ 최소공배수: ____

연산 in 문장제

지우는 12일에 한 번씩 봉사 활동을 하고, 선빈이는 16일에 한 번씩 봉사 활동을 합니다. 오늘 두 사람이 함께 봉사 활동을 했다면 다음번에 처음으로 두 사람이 함께 봉사 활동을 하는 날은 며칠 후인지 구해 보세요.

2)	12	16
2)	6	8
	3	4

12와 16의 최소공배수 ⇨ $2\times2\times3\times4=48$

따라서 48일 후에 처음으로 두 사람이 함께 봉사 활동을 합니다.

13 지우와 나연이가 운동장을 일정한 빠르기로 걷고 있습니다. 지우는 4분마다, 민주는 6분마다 운동장을 한 바퀴 돕니다. 두 사람이 출발점에서 같은 방향으로 동시에 출발했다면 다음번에 두 사람이 출발점에서 만나는 것은 몇 분 후인지 구해 보세요.

➜ 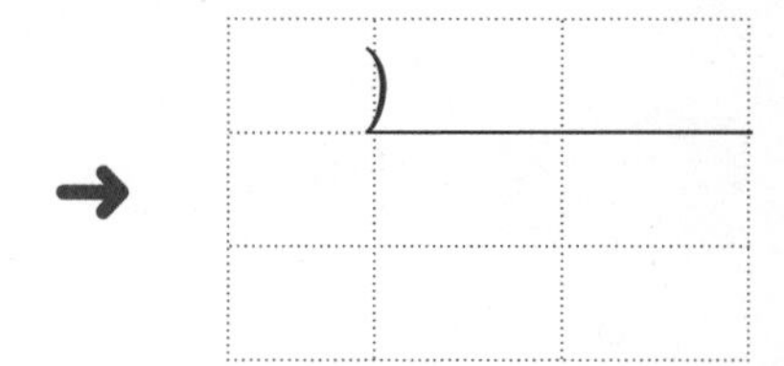

답 ____________

14 수연이의 집 앞 버스 정류장에 학교에서 오는 버스는 8분마다, 도서관에서 오는 버스는 12분마다 도착합니다. 두 버스가 오후 3시 4분에 동시에 도착했다면 다음번에 두 버스가 동시에 도착하는 것은 몇 분 후인지 구해 보세요.

➜

답 

15 가로가 21 cm, 세로가 27 cm인 직사각형 모양의 종이를 겹치지 않게 빈틈없이 늘어놓아 정사각형을 만들려고 합니다. 가장 작은 정사각형을 만들려면 정사각형 한 변의 길이를 몇 cm로 해야 하는지 구해 보세요.

➜

답 ____________

16 나은이네 집에 쌀이 28일마다, 잡곡이 42일마다 배달됩니다. 오늘 쌀과 잡곡이 같이 배달되었다면 다음번에 처음으로 쌀과 잡곡이 같이 배달되는 것은 며칠 후인지 구해 보세요.

➜ 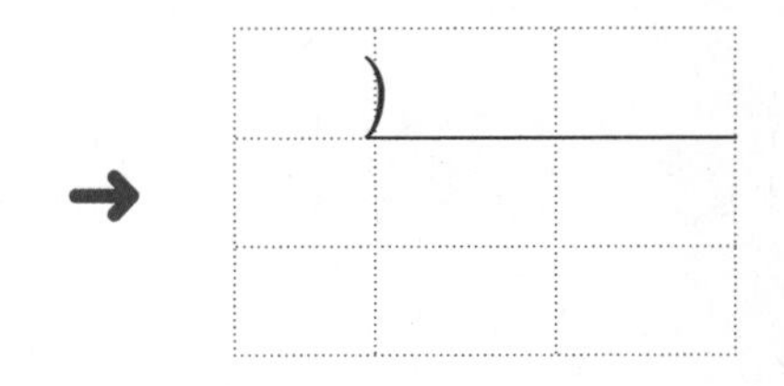

답 ____________

맞힌 개수

개 /16개

나의 학습 결과에 ○표 하세요.

맞힌 개수	0～2개	3～8개	9～14개	15～16개
학습 방법	다시 한번 풀어 봐요.	계산 연습이 필요해요.	틀린 문제를 확인해요.	실수하지 않도록 집중해요.

QR 빠른 정답 확인

연산&문장제 마무리

약수를 구해 보세요.

1 9의 약수

➡ ______

2 11의 약수

➡ ______

3 39의 약수

➡ ______

4 49의 약수

➡ ______

5 51의 약수

➡ ______

6 54의 약수

➡ ______

7 63의 약수

➡ ______

두 수의 공약수와 최대공약수를 구해 보세요.

8 10 15

➡ 공약수: ______

최대공약수: ______

9 14 21

➡ 공약수: ______

최대공약수: ______

10 24 18

➡ 공약수: ______

최대공약수: ______

11 26 39

➡ 공약수: ______

최대공약수: ______

12 27 36

➡ 공약수: ______

최대공약수: ______

13 34 51

➡ 공약수: ______

최대공약수: ______

배수를 가장 작은 수부터 차례대로 4개 써 보세요.

14 4의 배수

➡ ______

15 7의 배수

➡ ______

16 25의 배수

➡ ______

17 29의 배수

➡ ______

18 33의 배수

➡ ______

19 43의 배수

➡ ______

20 60의 배수

➡ ______

두 수의 공배수를 가장 작은 수부터 차례대로 3개 쓰고, 최소공배수를 구해 보세요.

21 2 6

➡ 공배수: ______

최소공배수: ______

22 5 15

➡ 공배수: ______

최소공배수: ______

23 9 12

➡ 공배수: ______

최소공배수: ______

24 10 15

➡ 공배수: ______

최소공배수: ______

25 11 22

➡ 공배수: ______

최소공배수: ______

26 16 24

➡ 공배수: ______

최소공배수: ______

두 수의 최대공약수와 최소공배수를 구해 보세요.

27 8 20

➡ 최대공약수: ______

➡ 최소공배수: ______

28 15 21

➡ 최대공약수: ______

➡ 최소공배수: ______

29 18 30

➡ 최대공약수: ______

➡ 최소공배수: ______

30 36 81

➡ 최대공약수: ______

➡ 최소공배수: ______

31 42 35

➡ 최대공약수: ______

➡ 최소공배수: ______

32 56 63

➡ 최대공약수: ______

➡ 최소공배수: ______

33 12 27

➡ 최대공약수: ______

➡ 최소공배수: ______

34 32 40

➡ 최대공약수: ______

➡ 최소공배수: ______

35 35 28

➡ 최대공약수: ______

➡ 최소공배수: ______

36 40 45

➡ 최대공약수: ______

➡ 최소공배수: ______

37 48 64

➡ 최대공약수: ______

➡ 최소공배수: ______

38 50 60

➡ 최대공약수: ______

➡ 최소공배수: ______

39 사탕 18개를 친구들에게 남김없이 똑같이 나누어 주려고 합니다. 사탕을 친구들에게 나누어 주는 방법은 모두 몇 가지인지 구해 보세요.

(단, 한 명보다 많은 친구에게 나누어 줍니다.)

답 ____________

40 가로가 24 cm, 세로가 16 cm인 직사각형 모양의 종이를 크기가 같은 정사각형 모양으로 남는 부분 없이 자르려고 합니다. 가장 큰 정사각형 모양으로 자르려면 정사각형의 한 변의 길이를 몇 cm로 해야 하는지 구해 보세요.

답 ____________

41 석현이가 타야 하는 지하철이 오후 2시부터 9분마다 출발합니다. 오후 2시부터 오후 3시까지 이 지하철은 몇 번 출발하는지 구해 보세요.

답 ____________

42 가로가 12 cm, 세로가 8 cm인 직사각형 모양의 종이를 겹치지 않게 빈틈없이 늘어놓아 정사각형을 만들려고 합니다. 가장 작은 정사각형을 만들려면 정사각형 한 변의 길이를 몇 cm로 해야 하는지 구해 보세요.

답 

43 소민이는 9일마다, 희정이는 15일마다 도서관에 갑니다. 소민이와 희정이가 오늘 도서관에서 만났다면 다음번에 처음으로 두 사람이 만나는 날은 며칠 후인지 구해 보세요.

답 ____________

연산 노트

맞힌 개수

개 / 43개

나의 학습 결과에 ○표 하세요.

맞힌 개수	0～4개	5～22개	23～39개	40～43개
학습 방법	다시 한번 풀어 봐요.	계산 연습이 필요해요.	틀린 문제를 확인해요.	실수하지 않도록 집중해요.

QR 빠른 정답 확인

3

약분과 통분

학습 주제	학습 일차	맞힌 개수
1. 곱하여 크기가 같은 분수 만들기	01일차	/26
	02일차	/19
2. 나누어 크기가 같은 분수 만들기	03일차	/27
	04일차	/19
3. 약분	05일차	/24
	06일차	/28
4. 기약분수	07일차	/38
	08일차	/25
5. 분모의 곱을 이용한 통분	09일차	/24
	10일차	/19
6. 분모의 최소공배수를 이용한 통분	11일차	/24
	12일차	/17
7. 두 분수의 크기 비교	13일차	/31
	14일차	/27
8. 세 분수의 크기 비교	15일차	/12
	16일차	/15
9. 분수와 소수의 크기 비교	17일차	/33
	18일차	/28
연산 & 문장제 마무리	19일차	/51

1. 곱하여 크기가 같은 분수 만들기

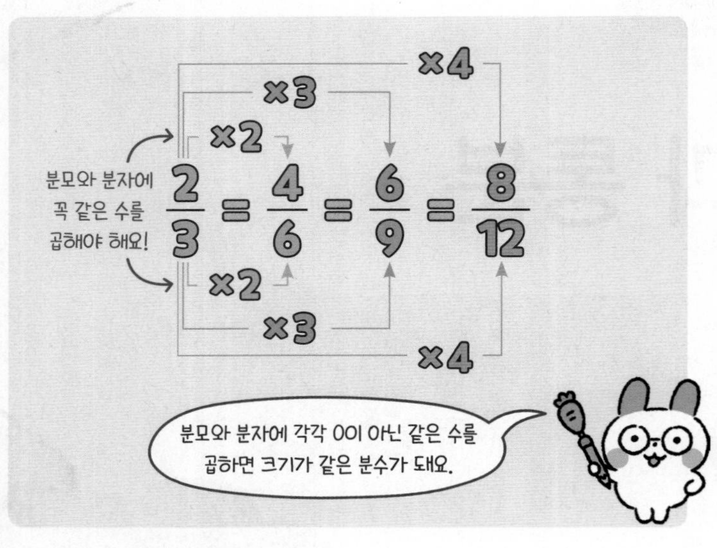

크기가 같은 분수로 나타내려고 합니다. ▢ 안에 알맞은 수를 써넣으세요.

1 $\frac{3}{4}=\frac{6}{\square}=\frac{\square}{12}=\frac{\square}{16}$

2 $\frac{2}{5}=\frac{\square}{10}=\frac{6}{\square}=\frac{\square}{20}$

3 $\frac{1}{6}=\frac{2}{\square}=\frac{\square}{18}=\frac{4}{\square}$

4 $3\frac{1}{2}=3\frac{\square}{4}=\square\frac{3}{\square}=3\frac{\square}{8}$

5 $4\frac{7}{9}=4\frac{\square}{18}=4\frac{21}{\square}=\square\frac{\square}{36}$

분모와 분자에 각각 0이 아닌 같은 수를 곱하여 만든 크기가 같은 분수를 분모가 작은 수부터 차례대로 3개 써 보세요.

6 $\frac{2}{7}$ ➡ (　　　　　　　　)

7 $\frac{1}{8}$ ➡ (　　　　　　　　)

8 $\frac{5}{9}$ ➡ (　　　　　　　　)

9 $\frac{1}{10}$ ➡ (　　　　　　　　)

10 $\frac{1}{11}$ ➡ (　　　　　　　　)

11 $\frac{1}{12}$ ➡ (　　　　　　　　)

12 $\frac{3}{13}$ ➡ (　　　　　　　　)

13 $\frac{1}{14}$ ➡ (　　　　)

14 $\frac{4}{15}$ ➡ (　　　　)

15 $\frac{7}{17}$ ➡ (　　　　)

16 $\frac{4}{19}$ ➡ (　　　　)

17 $\frac{8}{21}$ ➡ (　　　　)

18 $\frac{1}{22}$ ➡ (　　　　)

19 $\frac{1}{23}$ ➡ (　　　　)

20 $\frac{1}{25}$ ➡ (　　　　)

21 $\frac{5}{26}$ ➡ (　　　　)

22 $3\frac{4}{5}$ ➡ (　　　　)

23 $5\frac{3}{8}$ ➡ (　　　　)

24 $3\frac{8}{9}$ ➡ (　　　　)

25 $4\frac{4}{11}$ ➡ (　　　　)

26 $3\frac{7}{12}$ ➡ (　　　　)

맞힌 개수

개 /26개

나의 학습 결과에 ○표 하세요.

맞힌 개수	0～3개	4～13개	14～23개	24～26개
학습 방법	다시 한번 풀어 봐요.	계산 연습이 필요해요.	틀린 문제를 확인해요.	실수하지 않도록 집중해요.

QR 빠른 정답 확인

1. 곱하여 크기가 같은 분수 만들기

분모와 분자에 각각 0이 아닌 같은 수를 곱하여 만든 크기가 같은 분수를 분모가 작은 수부터 차례대로 3개 써 보세요.

1. $\frac{4}{27}$ ➡ (　　　　)
2. $\frac{7}{29}$ ➡ (　　　　)
3. $\frac{2}{31}$ ➡ (　　　　)
4. $\frac{7}{32}$ ➡ (　　　　)
5. $\frac{8}{33}$ ➡ (　　　　)
6. $\frac{5}{34}$ ➡ (　　　　)
7. $\frac{11}{35}$ ➡ (　　　　)
8. $\frac{11}{36}$ ➡ (　　　　)
9. $\frac{10}{37}$ ➡ (　　　　)
10. $\frac{5}{39}$ ➡ (　　　　)
11. $\frac{5}{41}$ ➡ (　　　　)
12. $\frac{4}{43}$ ➡ (　　　　)
13. $5\frac{13}{14}$ ➡ (　　　　)

대분수의 자연수에는 곱하지 않아요!

14. $2\frac{7}{15}$ ➡ (　　　　)
15. $3\frac{5}{16}$ ➡ (　　　　)
16. $1\frac{8}{17}$ ➡ (　　　　)

연산 in 문장제

진성, 창원, 준영이가 각각 모양과 크기가 같은 컵에 다음과 같이 우유를 담았습니다. 담은 우유의 양이 같은 사람을 찾아 써 보세요.

진성: $\frac{3}{4}$, 창원: $\frac{2}{3}$, 준영: $\frac{4}{6}$

$\frac{3}{4}=\frac{6}{8}=\frac{9}{12}=\frac{12}{16}$, $\frac{2}{3}=\frac{4}{6}=\frac{6}{9}=\frac{8}{12}$

진성이의 우유의 양 ($\frac{3}{4}$), 창원이의 우유의 양 ($\frac{2}{3}$), 준영이의 우유의 양 ($\frac{4}{6}$)

$\frac{2}{3}$와 $\frac{4}{6}$의 크기가 같으므로 창원이와 준영이의 우유의 양이 같습니다.

17 민수네 모둠 학생들이 미술 시간에 사용한 색 테이프의 길이가 다음과 같습니다. 사용한 색 테이프의 길이가 다른 사람을 찾아 써 보세요.

민수: $\frac{5}{10}$ m, 연주: $\frac{4}{6}$ m, 지훈: $\frac{4}{8}$ m

답 ____________

18 진명, 혜민, 경희가 다음과 같이 주스를 마셨습니다. 마신 주스의 양이 같은 사람을 찾아 써 보세요.

진명: $\frac{3}{5}$ L, 혜민: $\frac{4}{10}$ L, 경희: $\frac{9}{15}$ L

답 ____________

19 주희, 영호, 수미의 접시에 각각 쿠키가 같은 양만큼 담겨 있습니다. 주희는 한 접시의 $\frac{2}{7}$, 영호는 한 접시의 $\frac{15}{28}$, 수미는 한 접시의 $\frac{6}{21}$을 먹었습니다. 다른 양의 쿠키를 먹은 사람을 찾아 써 보세요.

답 ____________

맞힌 개수: 개 /19개

나의 학습 결과에 ○표 하세요.

맞힌 개수	0~2개	3~9개	10~17개	18~19개
학습 방법	다시 한번 풀어 봐요.	계산 연습이 필요해요.	틀린 문제를 확인해요.	실수하지 않도록 집중해요.

QR 빠른정답 확인

03일차 2. 나누어 크기가 같은 분수 만들기

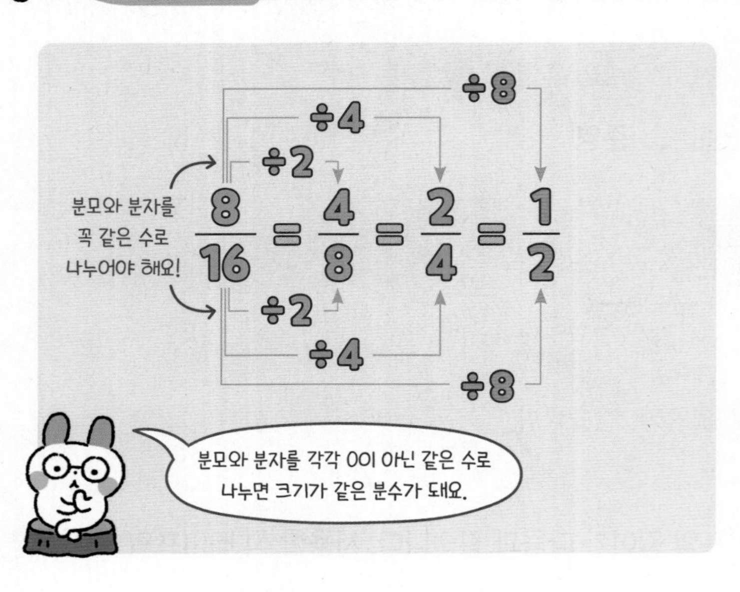

크기가 같은 분수로 나타내려고 합니다. □ 안에 알맞은 수를 써넣으세요.

1. $\frac{6}{12}=\frac{3}{\square}=\frac{\square}{4}=\frac{1}{\square}$

2. $\frac{10}{20}=\frac{\square}{10}=\frac{\square}{4}=\frac{1}{\square}$

3. $\frac{18}{24}=\frac{9}{\square}=\frac{\square}{8}=\frac{\square}{4}$

4. $5\frac{8}{24}=5\frac{\square}{12}=\square\frac{\square}{6}=5\frac{1}{\square}$

5. $6\frac{28}{40}=6\frac{\square}{20}=6\frac{\square}{10}$

분모와 분자를 각각 0이 아닌 같은 수로 나누어 만든 크기가 같은 분수를 3개 써 보세요.

6. $\frac{12}{18}$ ➡ (　　　　　　)

7. $\frac{14}{28}$ ➡ (　　　　　　)

8. $\frac{12}{30}$ ➡ (　　　　　　)

9. $\frac{24}{32}$ ➡ (　　　　　　)

10. $\frac{30}{36}$ ➡ (　　　　　　)

11. $\frac{32}{40}$ ➡ (　　　　　　)

12. $\frac{28}{42}$ ➡ (　　　　　　)

13. $\frac{36}{48}$ ➡ (　　　　　　)

14 $\frac{10}{50}$ ➡ ( )

15 $\frac{36}{54}$ ➡ ( )

16 $\frac{32}{56}$ ➡ ( )

17 $\frac{36}{60}$ ➡ ( )

18 $\frac{24}{64}$ ➡ ( )

19 $\frac{18}{66}$ ➡ ( )

20 $\frac{34}{68}$ ➡ ( )

21 $\frac{30}{70}$ ➡ ( )

22 $\frac{12}{72}$ ➡ ( )

23 $5\frac{30}{45}$ ➡ ( )

24 $4\frac{18}{54}$ ➡ ( )

25 $1\frac{24}{60}$ ➡ ( )

26 $3\frac{28}{70}$ ➡ ( )

27 $3\frac{16}{72}$ ➡ ( )

맞힌 개수

개 /27개

나의 학습 결과에 ○표 하세요.

맞힌 개수	0~3개	4~13개	14~24개	25~27개
학습 방법	다시 한번 풀어 봐요.	계산 연습이 필요해요.	틀린 문제를 확인해요.	실수하지 않도록 집중해요.

QR 빠른 정답 확인

2. 나누어 크기가 같은 분수 만들기

분모와 분자를 각각 0이 아닌 같은 수로 나누어 만든 크기가 같은 분수를 3개 써 보세요.

1 $\frac{42}{63}$ ➡ (　　　　　　　　)

2 $\frac{60}{75}$ ➡ (　　　　　　　　)

3 $\frac{26}{78}$ ➡ (　　　　　　　　)

4 $\frac{50}{80}$ ➡ (　　　　　　　　)

5 $\frac{54}{81}$ ➡ (　　　　　　　　)

6 $\frac{42}{84}$ ➡ (　　　　　　　　)

7 $\frac{66}{88}$ ➡ (　　　　　　　　)

8 $\frac{70}{90}$ ➡ (　　　　　　　　)

9 $\frac{60}{96}$ ➡ (　　　　　　　　)

10 $\frac{42}{98}$ ➡ (　　　　　　　　)

11 $\frac{90}{100}$ ➡ (　　　　　　　　)

12 $\frac{54}{108}$ ➡ (　　　　　　　　)

13 $7\frac{30}{48}$ ➡ (　　　　　　　　)

대분수의 자연수는 나누지 않아요!

14 $2\frac{30}{54}$ ➡ (　　　　　　　　)

15 $3\frac{21}{63}$ ➡ (　　　　　　　　)

16 $6\frac{75}{90}$ ➡ (　　　　　　　　)

연산 in 문장제

승준, 윤희, 진우는 모양과 쪽수가 같은 공책을 사용하고 있습니다. 세 사람이 각각 다음과 같이 공책을 사용하였습니다. 사용한 공책의 양이 같은 사람을 찾아 써 보세요.

승준: $\frac{2}{3}$, 윤희: $\frac{7}{9}$, 진우: $\frac{12}{18}$

$$\frac{12}{18}=\frac{6}{9}=\frac{4}{6}=\frac{2}{3}, \frac{7}{9}$$

진우가 사용한 공책의 양 / 승준이가 사용한 공책의 양 / 윤희가 사용한 공책의 양

$\frac{2}{3}$와 $\frac{12}{18}$의 크기가 같으므로 승준이와 진우가 사용한 공책의 양이 같습니다.

17 진수네 집에서 미술관까지의 거리는 $\frac{20}{24}$ km, 도서관까지의 거리는 $\frac{28}{30}$ km, 학교까지의 거리는 $\frac{35}{42}$ km입니다. 진수네 집에서 같은 거리에 있는 곳을 써 보세요.

답 ______________

18 현정이네 모둠 학생들이 미술 시간에 사용한 철사의 길이는 다음과 같습니다. 사용한 철사의 길이가 다른 사람을 찾아 써 보세요.

현정: $\frac{6}{16}$ m, 진형: $\frac{8}{14}$ m, 연주: $\frac{16}{28}$ m

답 ______________

19 모양과 크기가 같은 병에 딸기우유는 병의 $\frac{9}{15}$, 초코우유는 병의 $\frac{8}{20}$, 바나나우유는 병의 $\frac{12}{30}$가 들어 있습니다. 병에 들어 있는 우유의 양이 다른 것을 써 보세요.

답 ______________

맞힌 개수
개 /19개

나의 학습 결과에 ○표 하세요.

맞힌 개수	0～2개	3～9개	10～17개	18～19개
학습 방법	다시 한번 풀어 봐요.	계산 연습이 필요해요.	틀린 문제를 확인해요.	실수하지 않도록 집중해요.

QR 빠른 정답 확인

05일차 3. 약분

약분: 분모와 분자를 공약수로 나누어 간단한 분수로 만드는 것

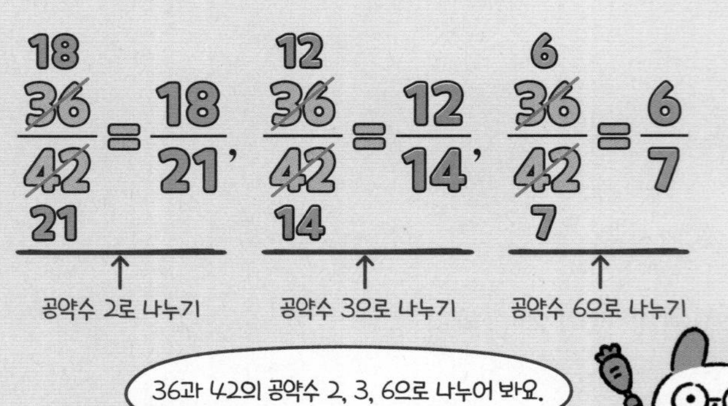

🥕 분수를 약분하여 나타내려고 합니다. ☐ 안에 알맞은 수를 써넣으세요.

1 $\frac{4}{6}$ ➡ 4와 6의 공약수: 1, 2

2로 약분하기: $\frac{2}{\square}$

2 $\frac{4}{8}$ ➡ 4와 8의 공약수: 1, 2, 4

2로 약분하기: $\frac{\square}{4}$

4로 약분하기: $\frac{1}{\square}$

3 $\frac{8}{12}$ ➡ 8과 12의 공약수: 1, 2, 4

2로 약분하기: $\frac{4}{\square}$

4로 약분하기: $\frac{\square}{3}$

🥕 약분한 분수를 모두 써 보세요.

4 $\frac{2}{4}$ ➡ (   )

5 $\frac{3}{9}$ ➡ (   )

6 $\frac{4}{10}$ ➡ (   )

7 $\frac{4}{14}$ ➡ (   )

8 $\frac{9}{15}$ ➡ (   )

9 $\frac{12}{16}$ ➡ (   )

10 $\frac{16}{24}$ ➡ (   )

11 $\frac{6}{20}$ ➡ (　　　　)

12 $\frac{9}{21}$ ➡ (　　　　)

13 $\frac{18}{27}$ ➡ (　　　　)

14 $\frac{20}{28}$ ➡ (　　　　)

15 $\frac{18}{30}$ ➡ (　　　　)

16 $\frac{28}{32}$ ➡ (　　　　)

17 $\frac{20}{36}$ ➡ (　　　　)

18 $\frac{10}{40}$ ➡ (　　　　)

19 $\frac{22}{44}$ ➡ (　　　　)

20 $\frac{27}{45}$ ➡ (　　　　)

21 $\frac{20}{48}$ ➡ (　　　　)

22 $\frac{20}{50}$ ➡ (　　　　)

23 $\frac{26}{52}$ ➡ (　　　　)

24 $\frac{27}{54}$ ➡ (　　　　)

맞힌 개수

개 /24개

나의 학습 결과에 ○표 하세요.

맞힌 개수	0~3개	4~12개	13~21개	22~24개
학습 방법	다시 한번 풀어 봐요.	계산 연습이 필요해요.	틀린 문제를 확인해요.	실수하지 않도록 집중해요.

QR 빠른 정답 확인

3. 약분

약분한 분수를 모두 써 보세요.

1 $\frac{28}{49}$ ➡ (　　　　　　)

2 $\frac{21}{51}$ ➡ (　　　　　　)

3 $\frac{25}{55}$ ➡ (　　　　　　)

4 $\frac{52}{56}$ ➡ (　　　　　　)

약분한 분수는 여러 개가 있을 수 있어요!

5 $\frac{38}{57}$ ➡ (　　　　　　)

6 $\frac{35}{60}$ ➡ (　　　　　　)

7 $\frac{18}{63}$ ➡ (　　　　　　)

8 $\frac{40}{64}$ ➡ (　　　　　　)

9 $\frac{55}{66}$ ➡ (　　　　　　)

10 $\frac{51}{68}$ ➡ (　　　　　　)

11 $\frac{42}{70}$ ➡ (　　　　　　)

12 $\frac{45}{72}$ ➡ (　　　　　　)

13 $\frac{50}{75}$ ➡ (　　　　　　)

14 $\frac{16}{76}$ ➡ (　　　　　　)

15 $\frac{49}{77}$ ⇨ (　　　)

16 $\frac{36}{78}$ ⇨ (　　　)

17 $\frac{64}{80}$ ⇨ (　　　)

18 $\frac{63}{81}$ ⇨ (　　　)

19 $\frac{36}{84}$ ⇨ (　　　)

20 $\frac{40}{88}$ ⇨ (　　　)

21 $\frac{81}{90}$ ⇨ (　　　)

22 $\frac{46}{92}$ ⇨ (　　　)

23 $\frac{30}{96}$ ⇨ (　　　)

24 $\frac{28}{98}$ ⇨ (　　　)

25 $\frac{66}{99}$ ⇨ (　　　)

26 $\frac{64}{100}$ ⇨ (　　　)

27 $\frac{54}{102}$ ⇨ (　　　)

28 $\frac{78}{104}$ ⇨ (　　　)

맞힌 개수

개 /28개

나의 학습 결과에 ○표 하세요.

맞힌 개수	0~3개	4~14개	15~25개	26~28개
학습 방법	다시 한번 풀어 봐요.	계산 연습이 필요해요.	틀린 문제를 확인해요.	실수하지 않도록 집중해요.

QR 빠른 정답 확인

07 일차 4. 기약분수

기약분수: 분모와 분자의 공약수가 1뿐인 분수

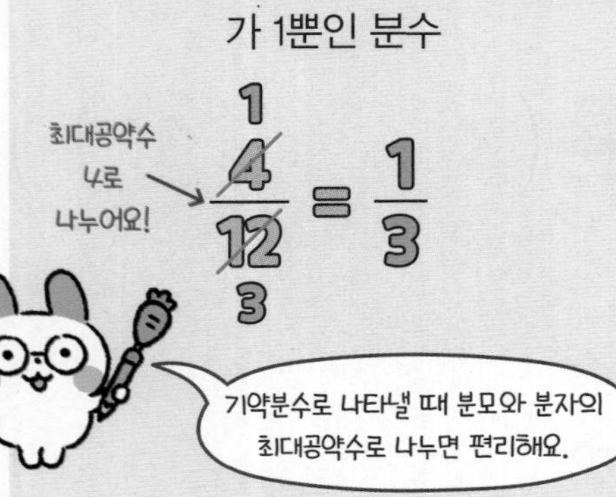

분수를 기약분수로 나타내려고 합니다. ▢ 안에 알맞은 수를 써넣으세요.

1. $\frac{2}{6}$

   ➡ 최대공약수: 2

   기약분수: $\frac{1}{\square}$

2. $\frac{6}{9}$

   ➡ 최대공약수: 3

   기약분수: $\frac{\square}{3}$

3. $\frac{12}{20}$

   ➡ 최대공약수: 4

   기약분수: $\frac{3}{\square}$

기약분수로 나타내어 보세요.

4. $\frac{8}{10}$ ➡ (　　　)
11. $\frac{15}{24}$ ➡ (　　　)
5. $\frac{7}{14}$ ➡ (　　　)
12. $\frac{10}{25}$ ➡ (　　　)
6. $\frac{10}{15}$ ➡ (　　　)
13. $\frac{2}{26}$ ➡ (　　　)
7. $\frac{14}{16}$ ➡ (　　　)
14. $\frac{24}{27}$ ➡ (　　　)
8. $\frac{10}{18}$ ➡ (　　　)
15. $\frac{24}{28}$ ➡ (　　　)
9. $\frac{15}{20}$ ➡ (　　　)
16. $\frac{25}{30}$ ➡ (　　　)
10. $\frac{14}{21}$ ➡ (　　　)
17. $\frac{20}{32}$ ➡ (　　　)

18 $\frac{16}{36}$ ➡ (　　)

19 $\frac{18}{38}$ ➡ (　　)

20 $\frac{13}{39}$ ➡ (　　)

21 $\frac{16}{40}$ ➡ (　　)

22 $\frac{12}{42}$ ➡ (　　)

23 $\frac{33}{44}$ ➡ (　　)

24 $\frac{36}{45}$ ➡ (　　)

25 $\frac{24}{46}$ ➡ (　　)

26 $\frac{32}{48}$ ➡ (　　)

27 $\frac{14}{49}$ ➡ (　　)

28 $\frac{35}{50}$ ➡ (　　)

29 $\frac{18}{51}$ ➡ (　　)

30 $\frac{12}{52}$ ➡ (　　)

31 $\frac{12}{54}$ ➡ (　　)

32 $\frac{30}{55}$ ➡ (　　)

33 $\frac{24}{56}$ ➡ (　　)

34 $\frac{24}{57}$ ➡ (　　)

35 $\frac{24}{58}$ ➡ (　　)

36 $\frac{54}{60}$ ➡ (　　)

37 $\frac{32}{62}$ ➡ (　　)

38 $\frac{35}{63}$ ➡ (　　)

맞힌 개수

개 /38개

나의 학습 결과에 ○표 하세요.

맞힌 개수	0~4개	5~19개	20~34개	35~38개
학습 방법	다시 한번 풀어 봐요.	계산 연습이 필요해요.	틀린 문제를 확인해요.	실수하지 않도록 집중해요.

QR 빠른 정답 확인

08 일차 4. 기약분수

기약분수로 나타내어 보세요.

1 $\frac{56}{64}$ ➡ (　　)

2 $\frac{30}{65}$ ➡ (　　)

3 $\frac{32}{66}$ ➡ (　　)

4 $\frac{32}{68}$ ➡ (　　)

5 $\frac{14}{70}$ ➡ (　　)

6 $\frac{24}{72}$ ➡ (　　)

7 $\frac{37}{74}$ ➡ (　　)

8 $\frac{40}{75}$ ➡ (　　)

9 $\frac{48}{76}$ ➡ (　　)

10 $\frac{56}{77}$ ➡ (　　)

11 $\frac{24}{78}$ ➡ (　　)

12 $\frac{32}{80}$ ➡ (　　)

13 $\frac{36}{81}$ ➡ (　　)

14 $\frac{54}{82}$ ➡ (　　)

15 $\frac{21}{84}$ ➡ (　　)

16 $\frac{45}{85}$ ➡ (　　)

17 $\frac{33}{88}$ ➡ (　　)

18 $\frac{60}{90}$ ➡ (　　)

19 $\frac{60}{92}$ ➡ (　　)

20 $\frac{80}{96}$ ➡ (　　)

21 $\frac{68}{102}$ ➡ (　　)

더 이상 약분되지 않을 때까지 약분하는 방법도 있어요!

연산 in 문장제

윤진이네 반 학생 20명 중 10명이 안경을 썼습니다. 안경을 쓴 학생 수는 전체 학생 수의 몇 분의 몇인지 기약분수로 나타내어 보세요.

분자	10
분모	20
최대공약수	10

안경을 쓴 학생 수

$\frac{10}{20}$을 기약분수로 나타내면 $\frac{1}{2}$입니다.

윤진이네 반 학생 수

분자와 분모의 최대공약수 10으로 약분하면 편리합니다.

22 솔민이가 가지고 있던 색종이 32장 중에서 20장을 사용하였습니다. 사용한 색종이 수는 가지고 있던 색종이 수의 몇 분의 몇인지 기약분수로 나타내어 보세요.

답 ______

→

분자	
분모	
최대공약수	

23 정희네 반 학급 문고에 있는 책 36권 중에서 만화책은 4권이고, 동화책은 32권입니다. 동화책 수는 전체 책 수의 몇 분의 몇인지 기약분수로 나타내어 보세요.

답 ______

→

분자	
분모	
최대공약수	

24 수업 시간 40분은 몇 시간인지 기약분수로 나타내어 보세요.

답 ______

→

분자	
분모	
최대공약수	

25 바구니에 사과가 27개, 배가 18개 들어 있습니다. 바구니에 들어 있는 전체 과일 중에서 사과는 몇 분의 몇인지 기약분수로 나타내어 보세요.

답 ______

→

분자	
분모	
최대공약수	

맞힌 개수

개 /25개

나의 학습 결과에 ○표 하세요.

맞힌 개수	0~3개	4~13개	14~22개	23~25개
학습 방법	다시 한번 풀어 봐요.	계산 연습이 필요해요.	틀린 문제를 확인해요.	실수하지 않도록 집중해요.

QR 빠른 정답 확인

09 일차 5. 분모의 곱을 이용한 통분

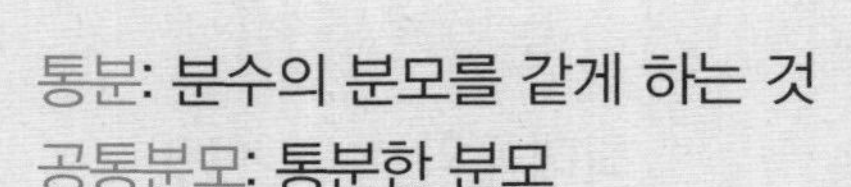

통분: 분수의 분모를 같게 하는 것
공통분모: 통분한 분모

$\left(\frac{5}{6}, \frac{3}{8}\right)$

$\Rightarrow \left(\frac{5\times 8}{6\times 8}, \frac{3\times 6}{8\times 6}\right)$

$\Rightarrow \left(\frac{40}{48}, \frac{18}{48}\right)$

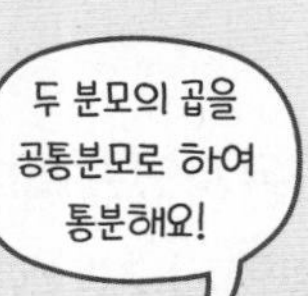

두 분모의 곱을 공통분모로 하여 통분하려고 합니다. □ 안에 알맞은 수를 써넣으세요.

1 $\left(\frac{1}{2}, \frac{1}{3}\right) \Rightarrow \left(\frac{1\times\square}{2\times 3}, \frac{1\times\square}{3\times 2}\right) \Rightarrow \left(\frac{\square}{\square}, \frac{\square}{\square}\right)$

2 $\left(\frac{1}{3}, \frac{2}{5}\right) \Rightarrow \left(\frac{1\times\square}{3\times 5}, \frac{2\times\square}{5\times 3}\right) \Rightarrow \left(\frac{\square}{\square}, \frac{\square}{\square}\right)$

3 $\left(1\frac{1}{2}, 1\frac{2}{7}\right) \Rightarrow \left(1\frac{1\times\square}{2\times 7}, 1\frac{2\times\square}{7\times 2}\right) \Rightarrow \left(1\frac{\square}{\square}, 1\frac{\square}{\square}\right)$

4 $\left(\frac{2}{5}, \frac{2}{3}\right) \Rightarrow \left(\frac{\square}{15}, \frac{\square}{15}\right)$

5 $\left(\frac{1}{6}, \frac{3}{8}\right) \Rightarrow \left(\frac{\square}{48}, \frac{\square}{48}\right)$

6 $\left(\frac{1}{2}, \frac{4}{15}\right) \Rightarrow \left(\frac{\square}{30}, \frac{\square}{30}\right)$

7 $\left(\frac{1}{4}, \frac{3}{14}\right) \Rightarrow \left(\frac{\square}{56}, \frac{\square}{56}\right)$

8 $\left(\frac{3}{4}, \frac{4}{17}\right) \Rightarrow \left(\frac{\square}{68}, \frac{\square}{68}\right)$

9 $\left(\frac{1}{5}, \frac{5}{7}\right) \Rightarrow \left(\frac{\square}{35}, \frac{\square}{35}\right)$

10 $\left(\frac{1}{6}, \frac{2}{13}\right) \Rightarrow \left(\frac{\square}{78}, \frac{\square}{78}\right)$

두 분모의 곱을 공통분모로 하여 통분하세요.

11 $\left(\frac{5}{6}, \frac{9}{14}\right)$ ➡ (　　　　　　)

12 $\left(\frac{5}{8}, \frac{5}{6}\right)$ ➡ (　　　　　　)

13 $\left(\frac{3}{7}, \frac{3}{5}\right)$ ➡ (　　　　　　)

14 $\left(\frac{2}{7}, \frac{5}{12}\right)$ ➡ (　　　　　　)

15 $\left(\frac{1}{4}, \frac{4}{13}\right)$ ➡ (　　　　　　)

16 $\left(\frac{3}{8}, \frac{2}{11}\right)$ ➡ (　　　　　　)

17 $\left(\frac{2}{9}, \frac{5}{14}\right)$ ➡ (　　　　　　)

18 $\left(\frac{3}{10}, \frac{16}{17}\right)$ ➡ (　　　　　　)

19 $\left(1\frac{2}{7}, 1\frac{2}{11}\right)$ ➡ (　　　　　　)

20 $\left(2\frac{1}{9}, 2\frac{2}{7}\right)$ ➡ (　　　　　　)

21 $\left(2\frac{3}{10}, 3\frac{5}{8}\right)$ ➡ (　　　　　　)

22 $\left(2\frac{5}{11}, 2\frac{2}{3}\right)$ ➡ (　　　　　　)

23 $\left(1\frac{3}{10}, 1\frac{2}{7}\right)$ ➡ (　　　　　　)

24 $\left(2\frac{5}{11}, 2\frac{2}{5}\right)$ ➡ (　　　　　　)

맞힌 개수

개 /24개

나의 학습 결과에 ○표 하세요.

맞힌 개수	0～3개	4～12개	13～21개	22～24개
학습 방법	다시 한번 풀어 봐요.	계산 연습이 필요해요.	틀린 문제를 확인해요.	실수하지 않도록 집중해요.

QR 빠른 정답 확인

5. 분모의 곱을 이용한 통분

두 분모의 곱을 공통분모로 하여 통분하세요.

1 $\left(\frac{1}{11}, \frac{2}{9}\right)$ ➡ (　　　　)

2 $\left(\frac{3}{11}, \frac{3}{4}\right)$ ➡ (　　　　)

3 $\left(\frac{1}{8}, \frac{3}{11}\right)$ ➡ (　　　　)

4 $\left(\frac{5}{11}, \frac{7}{16}\right)$ ➡ (　　　　)

5 $\left(\frac{2}{9}, \frac{1}{12}\right)$ ➡ (　　　　)

6 $\left(\frac{1}{12}, \frac{13}{14}\right)$ ➡ (　　　　)

7 $\left(\frac{5}{12}, \frac{6}{17}\right)$ ➡ (　　　　)

8 $\left(\frac{7}{12}, \frac{7}{10}\right)$ ➡ (　　　　)

9 $\left(\frac{11}{12}, \frac{12}{19}\right)$ ➡ (　　　　)

10 $\left(\frac{1}{13}, \frac{1}{2}\right)$ ➡ (　　　　)

11 $\left(\frac{2}{3}, \frac{1}{13}\right)$ ➡ (　　　　)

12 $\left(\frac{5}{13}, \frac{7}{18}\right)$ ➡ (　　　　)

13 $\left(1\frac{3}{13}, 2\frac{7}{19}\right)$ ➡ (　　　　)

14 $\left(3\frac{2}{5}, 3\frac{3}{13}\right)$ ➡ (　　　　)

15 $\left(1\frac{3}{14}, 1\frac{2}{11}\right)$ ➡ (　　　　)

16 $\left(3\frac{1}{4}, 3\frac{5}{14}\right)$ ➡ (　　　　)

연산 in 문장제

수원이네 집에서 유진이네 집까지의 거리는 $\frac{1}{2}$ km이고, 지영이네 집까지의 거리는 $\frac{3}{7}$ km입니다. 수원이네 집에서 유진이네 집까지의 거리와 지영이네 집까지의 거리를 두 분모의 곱을 공통분모로 하여 통분하세요.

유진이네 집까지의 거리: $\frac{1}{2}=\frac{1\times7}{2\times7}=\frac{7}{14}$ (km)

지영이네 집까지의 거리: $\frac{3}{7}=\frac{3\times2}{7\times2}=\frac{6}{14}$ (km)

17 은정이네 집의 냉장고에 주스가 $\frac{1}{10}$ L, 우유가 $\frac{5}{14}$ L 있습니다. 주스와 우유의 양을 두 분모의 곱을 공통분모로 하여 통분하세요.

18 수학 교과서의 무게는 $\frac{5}{9}$ kg, 수학 익힘책의 무게는 $\frac{2}{5}$ kg입니다. 수학 교과서와 수학 익힘책의 무게를 두 분모의 곱을 공통분모로 하여 통분하세요.

답 ______________________

19 스케치북의 가로가 $\frac{2}{5}$ m, 세로가 $\frac{4}{7}$ m입니다. 스케치북의 가로와 세로를 두 분모의 곱을 공통분모로 하여 통분하세요.

맞힌 개수

개 /19개

나의 학습 결과에 ○표 하세요.

맞힌 개수	0~2개	3~9개	10~17개	18~19개
학습 방법	다시 한번 풀어 봐요.	계산 연습이 필요해요.	틀린 문제를 확인해요.	실수하지 않도록 집중해요.

QR 빠른 정답 확인

6. 분모의 최소공배수를 이용한 통분

두 분모의 최소공배수를 공통분모로 하여 통분해요!

$\left(\frac{5}{6}, \frac{3}{8}\right)$

$\Rightarrow \left(\frac{5\times4}{6\times4}, \frac{3\times3}{8\times3}\right)$ ← 6과 8의 최소공배수는 24예요.

$\Rightarrow \left(\frac{20}{24}, \frac{9}{24}\right)$

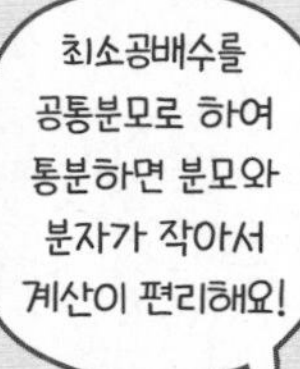

두 분모의 최소공배수를 공통분모로 하여 통분하려고 합니다. $\square$ 안에 알맞은 수를 써넣으세요.

1 $\left(\frac{5}{6}, \frac{3}{4}\right) \Rightarrow \left(\frac{5\times\square}{6\times2}, \frac{3\times\square}{4\times3}\right)$

$\Rightarrow \left(\frac{\square}{\square}, \frac{\square}{\square}\right)$

2 $\left(\frac{2}{9}, \frac{1}{3}\right) \Rightarrow \left(\frac{2}{9}, \frac{1\times\square}{3\times3}\right)$

$\Rightarrow \left(\frac{\square}{\square}, \frac{\square}{\square}\right)$

3 $\left(4\frac{1}{6}, 4\frac{2}{9}\right) \Rightarrow \left(4\frac{1\times\square}{6\times\square}, 4\frac{2\times\square}{9\times\square}\right)$

$\Rightarrow \left(4\frac{\square}{\square}, 4\frac{\square}{\square}\right)$

4 $\left(\frac{1}{2}, \frac{3}{4}\right) \Rightarrow \left(\frac{\square}{4}, \frac{\square}{4}\right)$

5 $\left(\frac{1}{4}, \frac{5}{8}\right) \Rightarrow \left(\frac{\square}{8}, \frac{\square}{8}\right)$

6 $\left(\frac{5}{6}, \frac{2}{3}\right) \Rightarrow \left(\frac{\square}{6}, \frac{\square}{6}\right)$

7 $\left(\frac{6}{7}, \frac{13}{14}\right) \Rightarrow \left(\frac{\square}{14}, \frac{\square}{14}\right)$

8 $\left(\frac{7}{10}, \frac{2}{5}\right) \Rightarrow \left(\frac{\square}{10}, \frac{\square}{10}\right)$

9 $\left(3\frac{5}{8}, 3\frac{5}{12}\right)$

$\Rightarrow \left(\square\frac{\square}{24}, \square\frac{\square}{24}\right)$

10 $\left(2\frac{1}{4}, 2\frac{9}{14}\right)$

$\Rightarrow \left(\square\frac{\square}{28}, \square\frac{\square}{28}\right)$

두 분모의 최소공배수를 공통분모로 하여 통분하세요.

11 $\left(\frac{5}{6}, \frac{5}{18}\right)$ ➡ ( )

12 $\left(\frac{7}{8}, \frac{5}{6}\right)$ ➡ ( )

13 $\left(\frac{1}{2}, \frac{9}{16}\right)$ ➡ ( )

14 $\left(\frac{7}{10}, \frac{5}{6}\right)$ ➡ ( )

15 $\left(\frac{11}{12}, \frac{4}{9}\right)$ ➡ ( )

16 $\left(\frac{5}{16}, \frac{3}{14}\right)$ ➡ ( )

17 $\left(\frac{4}{15}, \frac{7}{10}\right)$ ➡ ( )

18 $\left(\frac{9}{16}, \frac{3}{20}\right)$ ➡ ( )

19 $\left(\frac{7}{27}, \frac{5}{9}\right)$ ➡ ( )

20 $\left(\frac{11}{21}, \frac{5}{6}\right)$ ➡ ( )

21 $\left(2\frac{3}{4}, 2\frac{7}{16}\right)$ ➡ ( )

22 $\left(1\frac{3}{10}, 1\frac{1}{4}\right)$ ➡ ( )

23 $\left(1\frac{11}{16}, 1\frac{5}{12}\right)$ ➡ ( )

24 $\left(3\frac{7}{20}, 3\frac{13}{30}\right)$ ➡ ( )

맞힌 개수

개 /24개

나의 학습 결과에 ○표 하세요.

맞힌 개수	0~3개	4~12개	13~21개	22~24개
학습 방법	다시 한번 풀어 봐요.	계산 연습이 필요해요.	틀린 문제를 확인해요.	실수하지 않도록 집중해요.

QR 빠른 정답 확인

6. 분모의 최소공배수를 이용한 통분

두 분모의 최소공배수를 공통분모로 하여 통분하세요.

1 $\left(\frac{5}{12}, \frac{3}{4}\right)$ ➡ (　　　　)

2 $\left(\frac{1}{6}, \frac{4}{15}\right)$ ➡ (　　　　)

3 $\left(\frac{5}{8}, \frac{11}{12}\right)$ ➡ (　　　　)

4 $\left(\frac{5}{8}, \frac{9}{14}\right)$ ➡ (　　　　)

5 $\left(\frac{3}{16}, \frac{3}{8}\right)$ ➡ (　　　　)

6 $\left(\frac{3}{10}, \frac{7}{12}\right)$ ➡ (　　　　)

7 $\left(\frac{7}{10}, \frac{9}{14}\right)$ ➡ (　　　　)

8 $\left(\frac{13}{20}, \frac{9}{10}\right)$ ➡ (　　　　)

9 $\left(\frac{8}{25}, \frac{7}{15}\right)$ ➡ (　　　　)

10 $\left(\frac{21}{25}, \frac{17}{50}\right)$ ➡ (　　　　)

11 $\left(9\frac{5}{8}, 6\frac{7}{10}\right)$ ➡ (　　　　)

통분할 때, 대분수의 자연수는 변하지 않아요!

12 $\left(6\frac{7}{18}, 6\frac{1}{4}\right)$ ➡ (　　　　)

13 $\left(4\frac{8}{21}, 4\frac{9}{14}\right)$ ➡ (　　　　)

14 $\left(7\frac{9}{32}, 5\frac{7}{12}\right)$ ➡ (　　　　)

연산 in 문장제

냉장고에 우유 $\frac{3}{4}$ L, 요구르트 $\frac{1}{6}$ L가 있습니다. 우유와 요구르트의 양을 두 분모의 최소공배수를 공통분모로 하여 통분하세요.

두 분모	4
	6
최소공배수	12

우유: $\frac{3}{4}=\frac{3\times3}{4\times3}=\frac{9}{12}$ (L)

요구르트: $\frac{1}{6}=\frac{1\times2}{6\times2}=\frac{2}{12}$ (L)

15 연정이네 집에 쌀 $\frac{5}{6}$ kg, 보리 $\frac{3}{10}$ kg이 있습니다. 쌀과 보리의 양을 두 분모의 최소공배수를 공통분모로 하여 통분하세요.

➜

두 분모	
최소공배수	

답 ______

16 수현이의 발 길이는 $\frac{2}{9}$ m, 수현이 동생의 발 길이는 $\frac{1}{6}$ m입니다. 수현이와 동생의 발 길이를 두 분모의 최소공배수를 공통분모로 하여 통분하세요.

➜

두 분모	
최소공배수	

답 ______

17 선미네 집에서 편의점까지의 거리는 $\frac{5}{8}$ km, 문구점까지의 거리는 $\frac{7}{10}$ km입니다. 선미네 집에서 편의점까지의 거리와 문구점까지의 거리를 두 분모의 최소공배수를 공통분모로 하여 통분하세요.

➜

두 분모	
최소공배수	

답 ______

맞힌 개수

개 /17개

나의 학습 결과에 ○표 하세요.

맞힌 개수	0~2개	3~8개	9~15개	16~17개
학습 방법	다시 한번 풀어 봐요.	계산 연습이 필요해요.	틀린 문제를 확인해요.	실수하지 않도록 집중해요.

QR 빠른 정답 확인

13 일차 7. 두 분수의 크기 비교

$$\left(\frac{5}{6}, \frac{5}{9}\right) \Rightarrow \left(\frac{15}{18}, \frac{10}{18}\right)$$

$$\frac{15}{18} > \frac{10}{18} \Rightarrow \frac{5}{6} > \frac{5}{9}$$

두 분수를 통분하여 비교해요!

🥕 두 분수의 크기를 비교하려고 합니다. $\square$ 안에 알맞은 수를 써넣고, $\bigcirc$ 안에 $>$, $=$, $<$ 를 알맞게 써넣으세요.

1 $\left(\frac{1}{2}, \frac{3}{7}\right) \Rightarrow \left(\frac{\square}{14}, \frac{\square}{14}\right)$

$\Rightarrow \frac{1}{2} \bigcirc \frac{3}{7}$

2 $\left(\frac{2}{3}, \frac{3}{4}\right) \Rightarrow \left(\frac{\square}{12}, \frac{\square}{12}\right)$

$\Rightarrow \frac{2}{3} \bigcirc \frac{3}{4}$

3 $\left(\frac{1}{2}, \frac{2}{3}\right) \Rightarrow \left(\frac{\square}{6}, \frac{\square}{6}\right)$

$\Rightarrow \frac{1}{2} \bigcirc \frac{2}{3}$

4 $\left(\frac{3}{5}, \frac{1}{2}\right) \Rightarrow \left(\frac{\square}{10}, \frac{\square}{10}\right)$

$\Rightarrow \frac{3}{5} \bigcirc \frac{1}{2}$

5 $\left(\frac{2}{5}, \frac{4}{9}\right) \Rightarrow \left(\frac{\square}{45}, \frac{\square}{45}\right)$

$\Rightarrow \frac{2}{5} \bigcirc \frac{4}{9}$

6 $\left(\frac{7}{8}, \frac{9}{10}\right) \Rightarrow \left(\frac{\square}{40}, \frac{\square}{40}\right)$

$\Rightarrow \frac{7}{8} \bigcirc \frac{9}{10}$

7 $\left(\frac{3}{8}, \frac{5}{11}\right) \Rightarrow \left(\frac{\square}{88}, \frac{\square}{88}\right)$

$\Rightarrow \frac{3}{8} \bigcirc \frac{5}{11}$

8 $\left(\frac{7}{9}, \frac{4}{7}\right) \Rightarrow \left(\frac{\square}{63}, \frac{\square}{63}\right)$

$\Rightarrow \frac{7}{9} \bigcirc \frac{4}{7}$

9 $\left(1\frac{3}{5}, 1\frac{7}{8}\right) \Rightarrow \left(1\frac{\square}{40}, 1\frac{\square}{40}\right)$

$\Rightarrow 1\frac{3}{5} \bigcirc 1\frac{7}{8}$

10 $\left(2\frac{5}{6}, 2\frac{4}{9}\right) \Rightarrow \left(2\frac{\square}{18}, 2\frac{\square}{18}\right)$

$\Rightarrow 2\frac{5}{6} \bigcirc 2\frac{4}{9}$

두 분수의 크기를 비교하여 ◯ 안에 $>$, $=$, $<$를 알맞게 써넣으세요.

11 $\frac{4}{7}$ ◯ $\frac{2}{3}$

12 $\frac{7}{12}$ ◯ $\frac{3}{4}$

13 $\frac{5}{6}$ ◯ $\frac{9}{10}$

14 $\frac{7}{10}$ ◯ $\frac{3}{8}$

15 $\frac{1}{6}$ ◯ $\frac{3}{10}$

16 $\frac{2}{3}$ ◯ $\frac{8}{15}$

17 $\frac{1}{5}$ ◯ $\frac{7}{15}$

18 $\frac{7}{9}$ ◯ $\frac{2}{21}$

19 $\frac{6}{13}$ ◯ $\frac{2}{5}$

20 $\frac{7}{12}$ ◯ $\frac{7}{18}$

21 $\frac{5}{12}$ ◯ $\frac{9}{16}$

22 $\frac{9}{14}$ ◯ $\frac{17}{24}$

23 $\frac{23}{24}$ ◯ $\frac{11}{12}$

24 $\frac{6}{11}$ ◯ $\frac{19}{40}$

25 $\frac{13}{45}$ ◯ $\frac{4}{15}$

26 $\frac{9}{40}$ ◯ $\frac{6}{25}$

27 $1\frac{5}{16}$ ◯ $1\frac{3}{8}$

28 $2\frac{9}{26}$ ◯ $2\frac{4}{13}$

29 $1\frac{13}{21}$ ◯ $1\frac{15}{28}$

30 $3\frac{8}{15}$ ◯ $3\frac{14}{25}$

31 $2\frac{9}{22}$ ◯ $2\frac{5}{16}$

맞힌 개수
개 /31개

나의 학습 결과에 ○표 하세요.

맞힌 개수	0～4개	5～16개	17～28개	29～31개
학습 방법	다시 한번 풀어 봐요.	계산 연습이 필요해요.	틀린 문제를 확인해요.	실수하지 않도록 집중해요.

QR 빠른 정답 확인

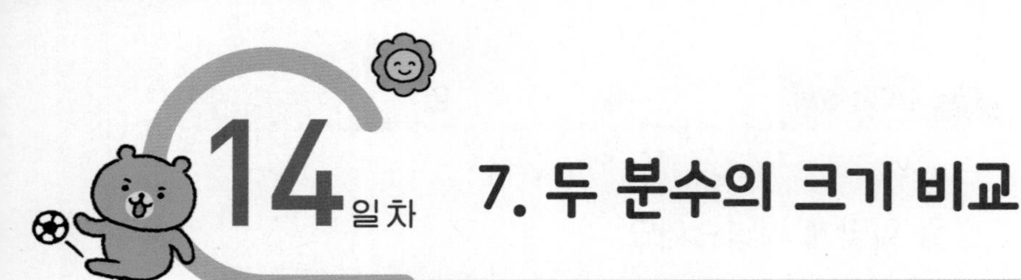

7. 두 분수의 크기 비교

두 분수의 크기를 비교하여 ◯ 안에 >, =, <를 알맞게 써넣으세요.

1 $\frac{13}{18}$ ◯ $\frac{7}{8}$

2 $\frac{9}{20}$ ◯ $\frac{7}{16}$

3 $\frac{5}{12}$ ◯ $\frac{7}{24}$

4 $\frac{4}{15}$ ◯ $\frac{5}{18}$

5 $\frac{5}{18}$ ◯ $\frac{4}{21}$

6 $\frac{12}{35}$ ◯ $\frac{9}{28}$

7 $\frac{17}{40}$ ◯ $\frac{11}{30}$

8 $\frac{7}{24}$ ◯ $\frac{11}{36}$

9 $\frac{9}{22}$ ◯ $\frac{14}{33}$

10 $\frac{4}{21}$ ◯ $\frac{5}{42}$

11 $\frac{11}{24}$ ◯ $\frac{7}{18}$

12 $\frac{5}{18}$ ◯ $\frac{10}{27}$

13 $2\frac{6}{7}$ ◯ $2\frac{3}{4}$

14 $1\frac{2}{15}$ ◯ $1\frac{3}{13}$

15 $2\frac{13}{28}$ ◯ $2\frac{5}{14}$

16 $5\frac{11}{15}$ ◯ $5\frac{7}{10}$

17 $4\frac{3}{7}$ ◯ $4\frac{9}{14}$

18 $4\frac{9}{14}$ ◯ $4\frac{13}{21}$

19 $6\frac{8}{25}$ ◯ $6\frac{3}{10}$

20 $1\frac{11}{18}$ ◯ $1\frac{9}{14}$

21 $6\frac{11}{45}$ ◯ $6\frac{2}{9}$

22 $5\frac{4}{21}$ ◯ $5\frac{5}{28}$

23 $8\frac{7}{15}$ ◯ $8\frac{11}{18}$

24 $9\frac{8}{45}$ ◯ $9\frac{7}{30}$

연산 in 문장제

사과주스 $\frac{3}{5}$ L와 포도주스 $\frac{1}{2}$ L가 있습니다. 사과주스와 포도주스 중에서 더 많은 것은 무엇인지 구해 보세요.

사과주스의 양 → $\frac{3}{5}$ > $\frac{1}{2}$ ← 포도주스의 양

↖ 통분한 후 분자의 크기 비교: 6>5

따라서 사과주스가 더 많습니다.

두 분수	통분한 분수
$\frac{3}{5}$	$\frac{6}{10}$
$\frac{1}{2}$	$\frac{5}{10}$

25 유나가 $\frac{1}{6}$시간 동안 달리기를 하고, $\frac{5}{12}$시간 동안 줄넘기를 하였습니다. 달리기와 줄넘기 중에서 더 오래한 것은 무엇인지 구해 보세요.

답 ____________

→

두 분수	통분한 분수

26 지은이는 파란색 테이프를 $\frac{5}{12}$ m, 빨간색 테이프를 $\frac{7}{16}$ m 가지고 있습니다. 파란색 테이프와 빨간색 테이프 중에서 더 긴 것은 무엇인지 구해 보세요.

답 ____________

→

두 분수	통분한 분수

27 서진이가 밀가루 $\frac{2}{15}$ kg으로 쿠키를 만들고, 밀가루 $\frac{3}{20}$ kg으로 빵을 만들었습니다. 쿠키와 빵 중에서 밀가루를 더 많이 사용한 것은 무엇인지 구해 보세요.

답 ____________

→

두 분수	통분한 분수

맞힌 개수

개 /27개

나의 학습 결과에 ○표 하세요.

맞힌 개수	0~4개	5~14개	15~24개	25~27개
학습 방법	다시 한번 풀어 봐요.	계산 연습이 필요해요.	틀린 문제를 확인해요.	실수하지 않도록 집중해요.

QR 빠른 정답 확인

15일차

8. 세 분수의 크기 비교

$\frac{2}{3}, \frac{3}{5}, \frac{5}{8}$의 크기 비교

$\left(\frac{2}{3}, \frac{3}{5}\right) \Rightarrow \left(\frac{10}{15}, \frac{9}{15}\right) \Rightarrow \frac{2}{3} > \frac{3}{5}$

3과 5의 최소공배수로 통분해요.

$\left(\frac{3}{5}, \frac{5}{8}\right) \Rightarrow \left(\frac{24}{40}, \frac{25}{40}\right) \Rightarrow \frac{3}{5} < \frac{5}{8}$

5와 8의 최소공배수로 통분해요.

$\left(\frac{2}{3}, \frac{5}{8}\right) \Rightarrow \left(\frac{16}{24}, \frac{15}{24}\right) \Rightarrow \frac{2}{3} > \frac{5}{8}$

3과 8의 최소공배수로 통분해요.

$\Rightarrow \frac{3}{5} < \frac{5}{8} < \frac{2}{3}$

세 분수의 크기를 비교할 때에는 두 분수끼리 통분하여 차례대로 크기를 비교해요.

□ 안에 알맞은 수를 써넣고, ○ 안에 >, =, <를 알맞게 써넣으세요.

1 $\left(\frac{2}{3}, \frac{1}{5}, \frac{5}{6}\right)$

$\left(\frac{2}{3}, \frac{1}{5}\right) \Rightarrow \left(\frac{\square}{15}, \frac{\square}{15}\right) \Rightarrow \frac{2}{3} \bigcirc \frac{1}{5}$

$\left(\frac{1}{5}, \frac{5}{6}\right) \Rightarrow \left(\frac{\square}{30}, \frac{\square}{30}\right) \Rightarrow \frac{1}{5} \bigcirc \frac{5}{6}$

$\left(\frac{2}{3}, \frac{5}{6}\right) \Rightarrow \left(\frac{\square}{6}, \frac{5}{6}\right) \Rightarrow \frac{2}{3} \bigcirc \frac{5}{6}$

$\Rightarrow \square < \square < \square$

2 $\left(\frac{3}{7}, \frac{5}{9}, \frac{7}{12}\right)$

$\left(\frac{3}{7}, \frac{5}{9}\right) \Rightarrow \left(\frac{\square}{63}, \frac{\square}{63}\right) \Rightarrow \frac{3}{7} \bigcirc \frac{5}{9}$

$\left(\frac{5}{9}, \frac{7}{12}\right) \Rightarrow \left(\frac{\square}{36}, \frac{\square}{36}\right) \Rightarrow \frac{5}{9} \bigcirc \frac{7}{12}$

$\left(\frac{3}{7}, \frac{7}{12}\right) \Rightarrow \left(\frac{\square}{84}, \frac{\square}{84}\right) \Rightarrow \frac{3}{7} \bigcirc \frac{7}{12}$

$\Rightarrow \square < \square < \square$

세 분수의 크기를 비교하여 작은 수부터 차례대로 써 보세요.

3 $\left(\frac{3}{5}, \frac{7}{10}, \frac{9}{14}\right)$

➡ (　　　　　　　)

4 $\left(\frac{1}{8}, \frac{2}{13}, \frac{3}{10}\right)$

➡ (　　　　　　　)

5 $\left(\frac{9}{10}, \frac{7}{18}, \frac{4}{15}\right)$

➡ (　　　　　　　)

6 $\left(\frac{11}{15}, \frac{17}{18}, \frac{8}{9}\right)$

➡ (　　　　　　　)

7 $\left(\frac{11}{18}, \frac{7}{20}, \frac{5}{8}\right)$

➡ (　　　　　　　)

8 $\left(2\frac{4}{7}, 2\frac{3}{14}, 2\frac{2}{9}\right)$

➡ (　　　　　　　)

9 $\left(1\frac{5}{12}, 1\frac{3}{8}, 1\frac{9}{14}\right)$

➡ (　　　　　　　)

10 $\left(3\frac{13}{14}, 3\frac{9}{11}, 3\frac{3}{4}\right)$

➡ (　　　　　　　)

11 $\left(5\frac{5}{17}, 5\frac{4}{9}, 5\frac{6}{19}\right)$

➡ (　　　　　　　)

12 $\left(7\frac{10}{21}, 7\frac{6}{11}, 7\frac{8}{15}\right)$

➡ (　　　　　　　)

맞힌 개수
개 /12개

나의 학습 결과에 ○표 하세요.

맞힌 개수	0～2개	3～6개	7～10개	11～12개
학습 방법	다시 한번 풀어 봐요.	계산 연습이 필요해요.	틀린 문제를 확인해요.	실수하지 않도록 집중해요.

QR 빠른 정답 확인

16일차 8. 세 분수의 크기 비교

세 분수의 크기를 비교하여 작은 수부터 차례대로 써 보세요.

1 $\left(\frac{1}{4}, \frac{3}{5}, \frac{7}{10}\right)$

⇨ (   )

2 $\left(\frac{5}{7}, \frac{2}{5}, \frac{7}{9}\right)$

⇨ (   )

3 $\left(\frac{3}{10}, \frac{8}{17}, \frac{5}{14}\right)$

⇨ (   )

4 $\left(\frac{7}{12}, \frac{5}{8}, \frac{11}{18}\right)$

⇨ (   )

5 $\left(\frac{13}{15}, \frac{16}{21}, \frac{4}{9}\right)$

⇨ (   )

6 $\left(\frac{13}{20}, \frac{9}{25}, \frac{11}{30}\right)$

⇨ (   )

7 $\left(1\frac{6}{7}, 1\frac{1}{2}, 1\frac{10}{11}\right)$

⇨ (   )

8 $\left(4\frac{7}{8}, 4\frac{13}{18}, 4\frac{11}{14}\right)$

⇨ (   )

9 $\left(3\frac{6}{11}, 3\frac{4}{7}, 3\frac{8}{21}\right)$

⇨ (   )

10 $\left(6\frac{9}{14}, 6\frac{7}{12}, 6\frac{7}{16}\right)$

⇨ (   )

11 $\left(2\frac{5}{16}, 2\frac{17}{24}, 2\frac{3}{8}\right)$

⇨ (   )

12 $\left(7\frac{9}{20}, 7\frac{1}{6}, 7\frac{7}{16}\right)$

⇨ (   )

연산 in 문장제

현성이네 집에서 학교까지의 거리는 $\frac{5}{6}$ km, 문구점까지의 거리는 $\frac{9}{10}$ km, 도서관까지의 거리는 $\frac{7}{9}$ km입니다. 학교, 문구점, 도서관 중 현성이네 집에서 가장 가까운 곳은 어디인지 구해 보세요.

$$\left(\frac{5}{6}, \frac{9}{10}\right) \Rightarrow \left(\frac{25}{30}, \frac{27}{30}\right) \Rightarrow \frac{5}{6} < \frac{9}{10}$$

$$\left(\frac{9}{10}, \frac{7}{9}\right) \Rightarrow \left(\frac{81}{90}, \frac{70}{90}\right) \Rightarrow \frac{9}{10} > \frac{7}{9}$$

$$\left(\frac{5}{6}, \frac{7}{9}\right) \Rightarrow \left(\frac{15}{18}, \frac{14}{18}\right) \Rightarrow \frac{5}{6} > \frac{7}{9}$$

$$\Rightarrow \frac{7}{9} < \frac{5}{6} < \frac{9}{10}$$

따라서 현성이네 집에서 가장 가까운 곳은 도서관입니다.

13 윤정이가 철사를 $\frac{7}{9}$ m, 끈을 $\frac{7}{8}$ m, 나무 막대를 $\frac{7}{12}$ m 가지고 있습니다. 철사, 끈, 나무 막대 중 가장 긴 것을 써 보세요.

답 ____________

14 민아, 지수, 솔이가 학교 텃밭에서 감자를 캤습니다. 다음과 같이 감자를 캤다면, 감자를 많이 캔 사람부터 차례대로 써 보세요.

민아: $\frac{5}{6}$ kg, 지수: $\frac{3}{5}$ kg, 솔이: $\frac{7}{12}$ kg

답 ____________

15 민정이와 친구들이 모두 같은 와플을 먹고 있습니다. 민정이는 전체의 $\frac{3}{4}$, 영경이는 전체의 $\frac{2}{3}$, 지현이는 전체의 $\frac{3}{5}$을 먹었다면, 와플을 가장 많이 먹은 사람은 누구인지 구해 보세요.

답 ____________

맞힌 개수

개 /15개

나의 학습 결과에 ○표 하세요.

맞힌 개수	0~2개	3~7개	8~13개	14~15개
학습 방법	다시 한번 풀어 봐요.	계산 연습이 필요해요.	틀린 문제를 확인해요.	실수하지 않도록 집중해요.

QR 빠른 정답 확인

17 일차 9. 분수와 소수의 크기 비교

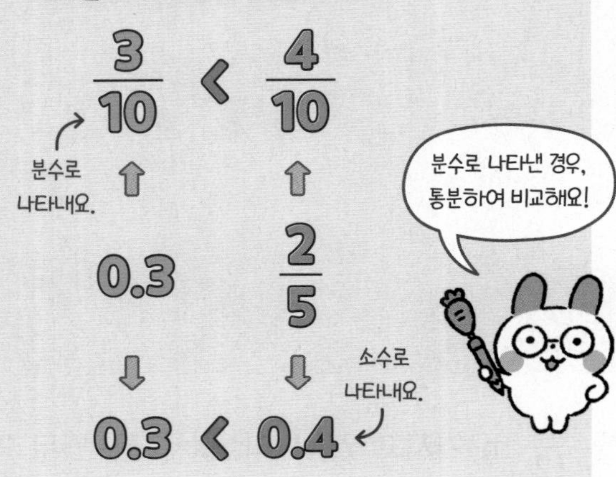

분수와 소수의 크기를 비교하려고 합니다. □ 안에 알맞은 수를 써넣고, ○ 안에 $>$, $=$, $<$를 알맞게 써넣으세요.

1 $\left(\frac{3}{5}, 0.7\right) \Rightarrow \left(\frac{\square}{10}, \square\right)$

$\Rightarrow \frac{3}{5} \bigcirc 0.7$

2 $\left(0.3, \frac{1}{5}\right) \Rightarrow \left(\square, \frac{\square}{10}\right)$

$\Rightarrow 0.3 \bigcirc \frac{1}{5}$

3 $\left(2.3, 2\frac{1}{4}\right) \Rightarrow \left(2.3, \square\right)$

$\Rightarrow 2.3 \bigcirc 2\frac{1}{4}$

4 $\left(1\frac{41}{100}, 1.37\right) \Rightarrow \left(\square, 1.37\right)$

$\Rightarrow 1\frac{41}{100} \bigcirc 1.37$

두 수의 크기를 비교하여 ○ 안에 $>$, $=$, $<$를 알맞게 써넣으세요.

5 $\frac{3}{4} \bigcirc 0.4$

6 $\frac{1}{9} \bigcirc 0.4$

7 $\frac{5}{17} \bigcirc 0.4$

8 $\frac{5}{14} \bigcirc 0.5$

9 $0.5 \bigcirc \frac{11}{12}$

10 $\frac{8}{9} \bigcirc 0.6$

11 $\frac{10}{19} \bigcirc 0.6$

12 $\frac{5}{13} \bigcirc 0.7$

13 $0.7 \bigcirc \frac{1}{2}$

14 $\frac{1}{6} \bigcirc 0.25$

15 $0.25 \bigcirc \frac{4}{9}$

16 $\frac{13}{20} \bigcirc 0.25$

17 $0.75 \bigcirc \frac{1}{2}$

18 $\frac{12}{19} \bigcirc 0.84$

19 $\frac{18}{19} \bigcirc 0.75$

20 $1\frac{3}{8} \bigcirc 1.2$

21 $1.4 \bigcirc 1\frac{16}{19}$

22 $1\frac{1}{7} \bigcirc 1.3$

23 $2.5 \bigcirc 2\frac{8}{9}$

24 $2\frac{5}{12} \bigcirc 2.2$

25 $1\frac{2}{17} \bigcirc 1.5$

26 $2.5 \bigcirc 2\frac{13}{19}$

27 $1\frac{1}{4} \bigcirc 1.6$

28 $1.6 \bigcirc 1\frac{1}{5}$

29 $1\frac{6}{11} \bigcirc 1.6$

30 $2.7 \bigcirc 2\frac{1}{18}$

31 $2.25 \bigcirc 2\frac{3}{10}$

32 $1.75 \bigcirc 1\frac{1}{3}$

33 $1\frac{3}{19} \bigcirc 1.75$

맞힌 개수

개 /33개

나의 학습 결과에 ○표 하세요.

맞힌 개수	0～4개	5～17개	18～30개	31～33개
학습 방법	다시 한번 풀어 봐요.	계산 연습이 필요해요.	틀린 문제를 확인해요.	실수하지 않도록 집중해요.

QR 빠른 정답 확인

9. 분수와 소수의 크기 비교

두 수의 크기를 비교하여 ○ 안에 >, =, <를 알맞게 써넣으세요.

1 $\frac{5}{18}$ ○ 0.4

2 $\frac{7}{17}$ ○ 0.5

3 $\frac{2}{3}$ ○ 0.7

4 $\frac{6}{7}$ ○ 0.8

5 0.8 ○ $\frac{7}{18}$

6 $1\frac{2}{11}$ ○ 1.8

7 $\frac{4}{9}$ ○ 0.46

8 $\frac{5}{8}$ ○ 0.25

9 $\frac{2}{9}$ ○ 0.25

10 0.25 ○ $\frac{9}{11}$

11 $\frac{4}{9}$ ○ 0.65

12 $\frac{7}{9}$ ○ 0.75

13 0.75 ○ $\frac{5}{16}$

14 $1\frac{4}{7}$ ○ 1.4

15 $1\frac{9}{13}$ ○ 1.2

16 1.3 ○ $1\frac{1}{9}$

17 1.4 ○ $1\frac{1}{4}$

18 $2\frac{3}{4}$ ○ 2.4

19 $2\frac{4}{13}$ ○ 2.4

20 $1\frac{2}{3}$ ○ 1.5

21 2.5 ○ $2\frac{1}{3}$

22 $2\frac{3}{8}$ ○ 2.5

23 $1\frac{8}{11}$ ○ 1.5

24 $\frac{7}{18}$ ○ 0.5

연산 in 문장제

희연이는 노란색 테이프 0.5 m와 분홍색 테이프 $\frac{2}{3}$ m를 가지고 있습니다. 노란색 테이프와 분홍색 테이프 중 어느 색 테이프의 길이가 더 긴지 구해 보세요.

$$\left(0.5, \frac{2}{3}\right) \Rightarrow \left(\frac{1}{2}, \frac{2}{3}\right) \Rightarrow \left(\frac{3}{6}, \frac{4}{6}\right) \Rightarrow \frac{3}{6} < \frac{4}{6}$$

노란색 테이프 분홍색 테이프

따라서 분홍색 테이프가 더 깁니다.

두 수	$0.5, \frac{2}{3}$
분수 또는 소수	$\frac{3}{6}, \frac{4}{6}$

25 ㉮ 물통에는 물이 $\frac{5}{16}$ L, ㉯ 물통에는 물이 0.5 L 들어 있습니다. 어느 물통에 들어 있는 물이 더 많은지 구해 보세요.

두 수	
분수 또는 소수	

답 ______________

26 소현이네 집에서 학교까지의 거리는 1.2 km이고, 지원이네 집에서 학교까지의 거리는 $1\frac{1}{4}$ km입니다. 누구의 집이 학교와 더 가까운지 구해 보세요.

두 수	
분수 또는 소수	

답 ______________

27 가영이의 키는 $1\frac{12}{25}$ m, 슬비의 키는 1.4 m입니다. 누구의 키가 더 큰지 구해 보세요.

두 수	
분수 또는 소수	

답 ______________

28 미연이와 나영이가 멜론 체험장에서 멜론을 받아왔습니다. 미연이가 받은 멜론이 1.5 kg, 나영이가 받은 멜론이 $1\frac{5}{7}$ kg이라면 누가 받은 멜론이 더 무거운지 구해 보세요.

두 수	
분수 또는 소수	

답 ______________

맞힌 개수

개 /28개

나의 학습 결과에 ○표 하세요.

맞힌 개수	0~3개	4~14개	15~25개	26~28개
학습 방법	다시 한번 풀어 봐요.	계산 연습이 필요해요.	틀린 문제를 확인해요.	실수하지 않도록 집중해요.

QR 빠른 정답 확인

19 일차 연산&문장제 마무리

크기가 같은 분수를 만들어 2개 써 보세요.

1 $\frac{1}{3}$ ➡ (　　　　)

2 $\frac{4}{9}$ ➡ (　　　　)

3 $\frac{1}{7}$ ➡ (　　　　)

4 $\frac{5}{13}$ ➡ (　　　　)

5 $\frac{24}{30}$ ➡ (　　　　)

6 $\frac{18}{36}$ ➡ (　　　　)

7 $\frac{24}{54}$ ➡ (　　　　)

8 $\frac{63}{84}$ ➡ (　　　　)

약분한 분수를 모두 쓰세요.

9 $\frac{6}{10}$ ➡ (　　　　)

10 $\frac{15}{21}$ ➡ (　　　　)

11 $\frac{49}{56}$ ➡ (　　　　)

12 $\frac{42}{66}$ ➡ (　　　　)

기약분수로 나타내어 보세요.

13 $\frac{14}{18}$ ➡ (　　　　)

14 $\frac{15}{25}$ ➡ (　　　　)

15 $\frac{26}{39}$ ➡ (　　　　)

16 $\frac{72}{90}$ ➡ (　　　　)

두 분수를 통분하세요.

17 $\left(\frac{1}{5}, \frac{1}{2}\right)$ ➡ (　　　　)

18 $\left(\frac{2}{7}, \frac{3}{5}\right)$ ➡ (　　　　)

19 $\left(\frac{5}{8}, \frac{11}{16}\right)$ ➡ (　　　　)

20 $\left(\frac{5}{14}, \frac{13}{21}\right)$ ➡ (　　　　)

21 $\left(1\frac{9}{20}, 1\frac{23}{24}\right)$ ➡ (　　　　)

22 $\left(1\frac{5}{18}, 1\frac{1}{4}\right)$ ➡ (　　　　)

23 $\left(2\frac{11}{16}, 2\frac{7}{12}\right)$ ➡ (　　　　)

두 분수의 크기를 비교하여 ◯ 안에 >, =, <를 알맞게 써넣으세요.

24 $\frac{1}{5}$ ◯ $\frac{1}{6}$

25 $\frac{3}{4}$ ◯ $\frac{5}{7}$

26 $\frac{5}{8}$ ◯ $\frac{7}{12}$

27 $\frac{11}{15}$ ◯ $\frac{4}{5}$

28 $\frac{17}{18}$ ◯ $\frac{20}{21}$

29 $\frac{6}{11}$ ◯ $\frac{13}{20}$

30 $2\frac{7}{18}$ ◯ $2\frac{5}{14}$

31 $5\frac{27}{35}$ ◯ $5\frac{23}{30}$

세 분수의 크기를 비교하여 작은 수부터 차례대로 쓰세요.

32 $\left(\frac{2}{3}, \frac{5}{9}, \frac{7}{18}\right)$

➡ (　　　　　)

33 $\left(\frac{3}{4}, \frac{5}{7}, \frac{8}{9}\right)$

➡ (　　　　　)

34 $\left(\frac{3}{8}, \frac{5}{6}, \frac{9}{10}\right)$

➡ (　　　　　)

35 $\left(\frac{3}{14}, \frac{2}{7}, \frac{3}{11}\right)$

➡ (　　　　　)

36 $\left(4\frac{14}{15}, 4\frac{11}{12}, 4\frac{15}{16}\right)$

➡ (　　　　　)

37 $\left(3\frac{7}{16}, 3\frac{9}{20}, 3\frac{5}{12}\right)$

➡ (　　　　　)

38 $\left(1\frac{13}{24}, 1\frac{19}{28}, 1\frac{9}{14}\right)$

➡ (　　　　　)

두 수의 크기를 비교하여 ◯ 안에 >, =, <를 알맞게 써넣으세요.

39 $\frac{8}{15}$ ◯ 0.5

40 $\frac{3}{4}$ ◯ 0.6

41 $1\frac{3}{7}$ ◯ 1.5

42 $1\frac{10}{19}$ ◯ 1.75

43 $2\frac{5}{9}$ ◯ 2.4

44 2.5 ◯ $2\frac{13}{17}$

45 2.75 ◯ $2\frac{5}{16}$

46 $2\frac{9}{13}$ ◯ 2.2

47 은정이가 할머니네 집까지 가려면 자동차로 45분이 걸립니다. 은정이가 자동차를 타고 집에서 출발한 지 27분이 지났다면, 할머니네 집에 도착할 때까지 남은 시간은 전체의 몇 분의 몇인지 기약분수로 나타내어 보세요.

답 ____________

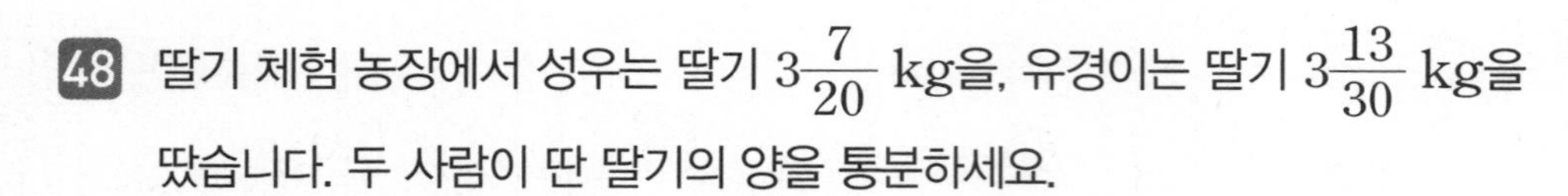

48 딸기 체험 농장에서 성우는 딸기 $3\frac{7}{20}$ kg을, 유경이는 딸기 $3\frac{13}{30}$ kg을 땄습니다. 두 사람이 딴 딸기의 양을 통분하세요.

답 ____________

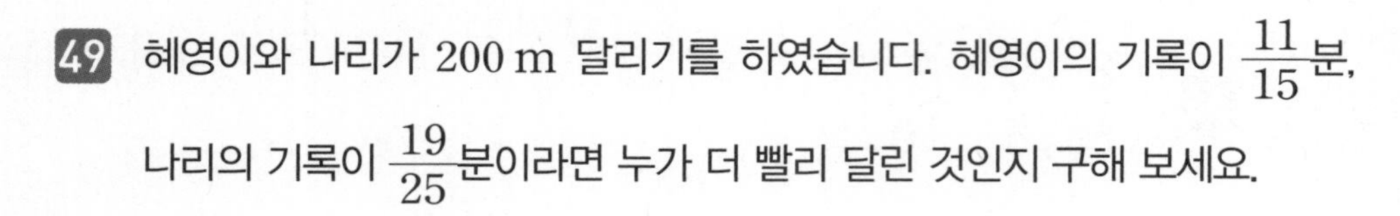

49 혜영이와 나리가 200 m 달리기를 하였습니다. 혜영이의 기록이 $\frac{11}{15}$분, 나리의 기록이 $\frac{19}{25}$분이라면 누가 더 빨리 달린 것인지 구해 보세요.

답 ____________

50 희경이가 미술 시간에 빨간색 테이프를 $2\frac{3}{8}$ m, 파란색 테이프를 $2\frac{1}{3}$ m, 노란색 테이프를 $2\frac{5}{12}$ m 사용하였습니다. 가장 많이 사용한 것부터 차례대로 써 보세요.

답 ____________

51 냉장고에 사과주스 $1\frac{6}{11}$ L, 포도주스 1.6 L가 있습니다. 어느 주스가 더 많은지 구해 보세요.

답 ____________

맞힌 개수

개 /51개

나의 학습 결과에 ○표 하세요.

맞힌 개수	0~5개	6~26개	27~47개	48~51개
학습 방법	다시 한번 풀어 봐요.	계산 연습이 필요해요.	틀린 문제를 확인해요.	실수하지 않도록 집중해요.

4

분수의 덧셈

학습 주제	학습 일차	맞힌 개수
1. 받아올림이 없는 진분수의 덧셈	01일차	/39
	02일차	/27
2. 받아올림이 있는 진분수의 덧셈	03일차	/39
	04일차	/27
3. 받아올림이 없는 (대분수)+(진분수)	05일차	/39
	06일차	/27
4. 받아올림이 없는 (대분수)+(대분수)	07일차	/31
	08일차	/27
5. 받아올림이 있는 (대분수)+(진분수)	09일차	/31
	10일차	/27
6. 받아올림이 있는 (대분수)+(대분수)	11일차	/31
	12일차	/27
연산 & 문장제 마무리	13일차	/53

01 일차 1. 받아올림이 없는 진분수의 덧셈

$\frac{5}{6}+\frac{1}{9}$

분모를 통분해요.

$=\frac{5\times3}{6\times3}+\frac{1\times2}{9\times2}$

$=\frac{15}{18}+\frac{2}{18}$

$=\frac{17}{18}$

두 분모의 곱이나 최소공배수를 공통분모로 통분하여 더해요.

□ 안에 알맞은 수를 써넣으세요.

1 $\frac{1}{7}+\frac{1}{5}$

$=\frac{5}{35}+\frac{\square}{35}$

$=\frac{\square}{35}$

2 $\frac{1}{5}+\frac{1}{2}$

$=\frac{\square}{10}+\frac{5}{10}$

$=\frac{\square}{10}$

계산하여 기약분수로 나타내어 보세요.

3 $\frac{1}{3}+\frac{1}{6}$

4 $\frac{1}{4}+\frac{1}{5}$

5 $\frac{1}{6}+\frac{1}{8}$

6 $\frac{1}{9}+\frac{1}{6}$

7 $\frac{1}{4}+\frac{1}{7}$

8 $\frac{1}{3}+\frac{1}{8}$

9 $\frac{1}{8}+\frac{3}{4}$

10 $\frac{1}{9}+\frac{2}{3}$

11 $\frac{2}{5}+\frac{1}{2}$

12 $\frac{1}{9}+\frac{1}{4}$

13 $\frac{3}{5}+\frac{1}{4}$

14 $\frac{3}{5}+\frac{2}{7}$

15 $\frac{3}{4}+\frac{1}{10}$

16 $\frac{5}{8}+\frac{1}{3}$

17 $\frac{3}{8}+\frac{1}{4}$

18 $\frac{1}{3}+\frac{2}{9}$

19 $\frac{1}{6}+\frac{7}{9}$

20 $\frac{5}{9}+\frac{3}{8}$

21 $\frac{3}{8}+\frac{3}{7}$

22 $\frac{5}{7}+\frac{2}{9}$

23 $\frac{1}{6}+\frac{3}{8}$

24 $\frac{2}{3}+\frac{1}{5}$

25 $\frac{1}{7}+\frac{3}{4}$

26 $\frac{5}{6}+\frac{1}{7}$

27 $\frac{3}{8}+\frac{2}{9}$

28 $\frac{1}{12}+\frac{1}{9}$

29 $\frac{1}{3}+\frac{7}{12}$

30 $\frac{4}{5}+\frac{2}{15}$

31 $\frac{11}{15}+\frac{1}{6}$

32 $\frac{3}{11}+\frac{2}{3}$

33 $\frac{5}{8}+\frac{3}{10}$

34 $\frac{1}{11}+\frac{1}{7}$

35 $\frac{4}{7}+\frac{3}{14}$

36 $\frac{3}{8}+\frac{5}{12}$

37 $\frac{7}{15}+\frac{4}{9}$

38 $\frac{3}{10}+\frac{7}{12}$

39 $\frac{5}{14}+\frac{3}{10}$

맞힌 개수

개 /39개

나의 학습 결과에 ○표 하세요.

맞힌 개수	0～4개	5～20개	21～36개	37～39개
학습 방법	다시 한번 풀어 봐요.	계산 연습이 필요해요.	틀린 문제를 확인해요.	실수하지 않도록 집중해요.

QR 빠른 정답 확인

02 일차 1. 받아올림이 없는 진분수의 덧셈

계산하여 기약분수로 나타내어 보세요.

1 $\frac{1}{10}+\frac{2}{5}$

2 $\frac{2}{3}+\frac{3}{10}$

3 $\frac{1}{11}+\frac{1}{5}$

4 $\frac{1}{6}+\frac{7}{10}$

5 $\frac{1}{4}+\frac{5}{12}$

6 $\frac{2}{3}+\frac{5}{21}$

7 $\frac{1}{12}+\frac{5}{8}$

8 $\frac{7}{12}+\frac{2}{9}$

9 $\frac{1}{4}+\frac{11}{18}$

공통분모는 분모의 곱과 최소공배수 중 편한 것으로 해요!

10 $\frac{2}{15}+\frac{3}{4}$

11 $\frac{3}{7}+\frac{5}{12}$

12 $\frac{4}{9}+\frac{5}{18}$

13 $\frac{2}{3}+\frac{3}{16}$

14 $\frac{5}{8}+\frac{3}{14}$

15 $\frac{4}{13}+\frac{2}{7}$

16 $\frac{3}{11}+\frac{5}{9}$

17 $\frac{4}{15}+\frac{5}{9}$

18 $\frac{1}{12}+\frac{1}{10}$

19 $\frac{9}{10}+\frac{1}{15}$

20 $\frac{5}{16}+\frac{5}{12}$

21 $\frac{8}{15}+\frac{1}{18}$

22 $\frac{5}{18}+\frac{7}{10}$

23 $\frac{7}{30}+\frac{9}{20}$

24 $\frac{7}{36}+\frac{7}{12}$

연산 in 문장제

성주가 동화책을 읽고 있습니다. 어제는 전체의 $\frac{1}{2}$을 읽었고, 오늘은 전체의 $\frac{1}{3}$을 읽었습니다. 성주가 어제와 오늘 읽은 동화책은 전체의 얼마인지 구해 보세요.

$$\frac{1}{2}+\frac{1}{3}=\frac{3}{6}+\frac{2}{6}=\frac{5}{6}$$

($\frac{1}{2}$: 어제 읽은 동화책의 양, $\frac{1}{3}$: 오늘 읽은 동화책의 양, $\frac{5}{6}$: 어제와 오늘 읽은 동화책의 양)

두 분수	최소 공배수	통분한 분수
$\frac{1}{2}$	6	$\frac{3}{6}$
$\frac{1}{3}$		$\frac{2}{6}$

25 선화가 미술 시간에 노란색 테이프를 $\frac{1}{9}$ m, 보라색 테이프를 $\frac{1}{12}$ m 사용하였습니다. 선화가 미술 시간에 사용한 색 테이프는 모두 몇 m인지 구해 보세요.

답 ______________

➜

두 분수	최소 공배수	통분한 분수

26 나은이가 사과파이를 아침에 전체의 $\frac{2}{5}$만큼 먹었고, 저녁에 전체의 $\frac{1}{2}$만큼 먹었습니다. 나은이가 사과파이를 오늘 전체의 얼마만큼 먹었는지 구해 보세요.

답 ______________

➜

두 분수	최소 공배수	통분한 분수

27 미현이는 어머니와 함께 텃밭에서 고구마를 캤습니다. 미현이는 $\frac{1}{10}$ kg, 미현이의 어머니는 $\frac{3}{4}$ kg을 캤다면, 모두 몇 kg을 캤는지 구해 보세요.

답 ______________

➜

두 분수	최소 공배수	통분한 분수

맞힌 개수

개 /27개

나의 학습 결과에 ○표 하세요.

맞힌 개수	0~3개	4~14개	15~25개	26~27개
학습 방법	다시 한번 풀어 봐요.	계산 연습이 필요해요.	틀린 문제를 확인해요.	실수하지 않도록 집중해요.

QR 빠른 정답 확인

03 일차 2. 받아올림이 있는 진분수의 덧셈

$\frac{1}{3}+\frac{3}{4}$ 분모의 최소공배수 12로 통분해요.

$=\frac{1\times4}{3\times4}+\frac{3\times3}{4\times3}$

$=\frac{4}{12}+\frac{9}{12}=\frac{13}{12}$

$=1\frac{1}{12}$

계산 결과가 가분수이면 대분수로 나타내요.

□ 안에 알맞은 수를 써넣으세요.

1 $\frac{1}{2}+\frac{3}{5}$

$=\frac{5}{10}+\frac{\square}{10}=\frac{\square}{10}$

$=1\frac{\square}{10}$

2 $\frac{1}{4}+\frac{5}{6}$

$=\frac{\square}{12}+\frac{10}{12}=\frac{\square}{12}$

$=1\frac{\square}{12}$

계산하여 기약분수로 나타내어 보세요.

3 $\frac{2}{3}+\frac{3}{4}$

4 $\frac{3}{4}+\frac{2}{7}$

5 $\frac{3}{5}+\frac{5}{6}$

6 $\frac{5}{6}+\frac{2}{9}$

7 $\frac{6}{7}+\frac{1}{3}$

8 $\frac{7}{8}+\frac{2}{3}$

9 $\frac{3}{8}+\frac{11}{12}$

10 $\frac{1}{3}+\frac{8}{9}$

11 $\frac{4}{5}+\frac{2}{7}$

12 $\frac{1}{4}+\frac{8}{9}$

13 $\frac{5}{6}+\frac{3}{7}$

14 $\frac{4}{5}+\frac{4}{9}$

15 $\frac{7}{8}+\frac{2}{5}$

16 $\frac{4}{7}+\frac{7}{9}$

17 $\frac{7}{9}+\frac{1}{2}$

18 $\frac{11}{12}+\frac{1}{3}$

19 $\frac{2}{3}+\frac{1}{2}$

20 $\frac{2}{5}+\frac{2}{3}$

21 $\frac{7}{8}+\frac{1}{6}$

22 $\frac{3}{4}+\frac{5}{8}$

23 $\frac{4}{5}+\frac{3}{4}$

24 $\frac{1}{2}+\frac{4}{5}$

25 $\frac{2}{3}+\frac{5}{7}$

26 $\frac{3}{7}+\frac{4}{5}$

27 $\frac{1}{5}+\frac{5}{6}$

28 $\frac{3}{5}+\frac{5}{8}$

29 $\frac{5}{6}+\frac{3}{4}$

30 $\frac{2}{7}+\frac{5}{6}$

31 $\frac{3}{8}+\frac{5}{7}$

32 $\frac{5}{9}+\frac{2}{3}$

33 $\frac{7}{10}+\frac{4}{5}$

34 $\frac{4}{9}+\frac{13}{18}$

35 $\frac{11}{12}+\frac{2}{9}$

36 $\frac{9}{10}+\frac{1}{8}$

37 $\frac{1}{6}+\frac{15}{16}$

38 $\frac{4}{9}+\frac{9}{10}$

39 $\frac{8}{11}+\frac{5}{9}$

맞힌 개수

개 /39개

나의 학습 결과에 ○표 하세요.

맞힌 개수	0~4개	5~20개	21~36개	37~39개
학습 방법	다시 한번 풀어 봐요.	계산 연습이 필요해요.	틀린 문제를 확인해요.	실수하지 않도록 집중해요.

QR 빠른 정답 확인

04일차 2. 받아올림이 있는 진분수의 덧셈

계산하여 기약분수로 나타내어 보세요.

1 $\frac{4}{7}+\frac{9}{14}$

2 $\frac{7}{10}+\frac{2}{5}$

3 $\frac{5}{8}+\frac{5}{12}$

4 $\frac{8}{9}+\frac{5}{6}$

5 $\frac{3}{5}+\frac{11}{12}$

6 $\frac{7}{12}+\frac{5}{9}$

7 $\frac{7}{9}+\frac{11}{15}$

8 $\frac{7}{11}+\frac{4}{5}$

9 $\frac{4}{7}+\frac{8}{11}$

10 $\frac{5}{8}+\frac{13}{15}$

11 $\frac{7}{9}+\frac{7}{12}$

12 $\frac{1}{4}+\frac{13}{15}$

13 $\frac{14}{17}+\frac{2}{5}$

14 $\frac{4}{7}+\frac{7}{13}$

15 $\frac{5}{6}+\frac{9}{20}$

16 $\frac{17}{20}+\frac{2}{5}$

17 $\frac{6}{7}+\frac{10}{21}$

18 $\frac{13}{20}+\frac{7}{8}$

19 $\frac{17}{45}+\frac{8}{9}$

20 $\frac{3}{8}+\frac{25}{36}$

21 $\frac{7}{10}+\frac{8}{15}$

22 $\frac{7}{12}+\frac{13}{18}$

23 $\frac{3}{10}+\frac{11}{12}$

24 $\frac{9}{14}+\frac{5}{12}$

연산 in 문장제

승화네 집에서 문구점까지의 거리는 $\frac{5}{6}$ km, 문구점에서 도서관까지의 거리는 $\frac{2}{9}$ km입니다. 승화네 집에서 문구점을 지나 도서관까지의 거리는 몇 km인지 구해 보세요.

$$\frac{5}{6}+\frac{2}{9}=\frac{15}{18}+\frac{4}{18}=\frac{19}{18}=1\frac{1}{18}(\text{km})$$

집에서 문구점까지의 거리 / 문구점에서 도서관까지의 거리 / 집 → 문구점 → 도서관까지의 거리

두 분수	최소 공배수	통분한 분수
$\frac{5}{6}$	18	$\frac{15}{18}$
$\frac{2}{9}$		$\frac{4}{18}$

25 다솔이가 운동을 $\frac{4}{9}$시간 동안 하고, 공부를 $\frac{4}{5}$시간 동안 하였습니다. 다솔이가 운동을 하고, 공부를 한 시간은 모두 몇 시간인지 구해 보세요.

답 ______________

→

두 분수	최소 공배수	통분한 분수

26 지민이는 오렌지 $\frac{3}{4}$ kg과 바나나 $\frac{7}{15}$ kg을 가지고 있습니다. 지민이가 가지고 있는 오렌지와 바나나는 모두 몇 kg인지 구해 보세요.

답 ______________

→

두 분수	최소 공배수	통분한 분수

27 냉장고에 오렌지주스 $\frac{13}{20}$ L와 포도주스 $\frac{7}{8}$ L가 있습니다. 냉장고에 있는 주스는 모두 몇 L인지 구해 보세요.

답 ______________

→

두 분수	최소 공배수	통분한 분수

맞힌 개수

개 /27개

나의 학습 결과에 ○표 하세요.

맞힌 개수	0~3개	4~14개	15~25개	26~27개
학습 방법	다시 한번 풀어 봐요.	계산 연습이 필요해요.	틀린 문제를 확인해요.	실수하지 않도록 집중해요.

QR 빠른 정답 확인

05일차 3. 받아올림이 없는 (대분수)+(진분수)

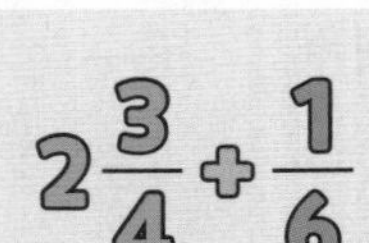

$2\frac{3}{4}+\frac{1}{6}$

$=2\frac{9}{12}+\frac{2}{12}$

$=2+\left(\frac{9}{12}+\frac{2}{12}\right)$

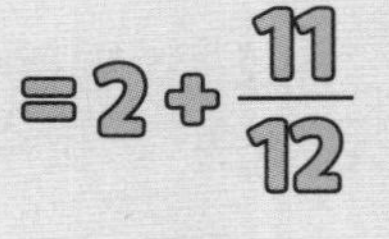

$=2+\frac{11}{12}$

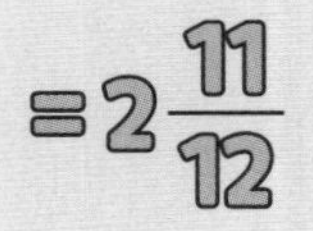

$=2\frac{11}{12}$

자연수에 분수끼리 계산한 값을 더해요.

□ 안에 알맞은 수를 써넣으세요.

1 $1\frac{1}{2}+\frac{1}{3}$

$=1+\left(\frac{\square}{6}+\frac{2}{6}\right)$

$=1\frac{\square}{6}$

대분수를 가분수로 나타내어 계산할 수도 있어요.

2 $\frac{1}{8}+2\frac{3}{4}$

$=\frac{1}{8}+\frac{\square}{4}$

$=\frac{1}{8}+\frac{\square}{8}$

$=\frac{\square}{8}=\square\frac{\square}{8}$

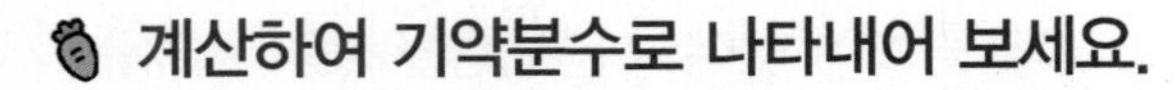

계산하여 기약분수로 나타내어 보세요.

3 $\frac{1}{3}+3\frac{1}{6}$

4 $\frac{1}{5}+1\frac{1}{2}$

5 $\frac{3}{5}+3\frac{1}{4}$

6 $3\frac{2}{5}+\frac{1}{2}$

7 $2\frac{1}{4}+\frac{1}{5}$

8 $\frac{1}{5}+2\frac{2}{3}$

9 $2\frac{3}{5}+\frac{2}{7}$

10 $3\frac{1}{7}+\frac{1}{4}$

11 $2\frac{1}{8}+\frac{1}{3}$

12 $\frac{3}{4}+2\frac{1}{7}$

13 $\frac{1}{6}+1\frac{3}{8}$

14 $\frac{5}{8}+1\frac{1}{3}$

15 $\frac{1}{6}+3\frac{1}{8}$

16 $\frac{1}{4}+3\frac{3}{7}$

17 $\frac{1}{9}+1\frac{2}{3}$

18 $\frac{3}{8}+3\frac{1}{4}$

19 $2\frac{1}{3}+\frac{2}{9}$

20 $\frac{1}{9}+2\frac{1}{4}$

21 $1\frac{5}{6}+\frac{1}{7}$

22 $\frac{3}{8}+1\frac{3}{7}$

23 $\frac{5}{9}+3\frac{3}{8}$

24 $\frac{5}{7}+1\frac{2}{9}$

25 $2\frac{1}{6}+\frac{7}{9}$

26 $\frac{3}{8}+1\frac{2}{9}$

27 $\frac{1}{6}+1\frac{1}{9}$

28 $\frac{3}{4}+1\frac{1}{10}$

29 $2\frac{3}{10}+\frac{5}{8}$

30 $\frac{2}{5}+1\frac{1}{10}$

31 $\frac{1}{4}+3\frac{7}{10}$

32 $\frac{3}{10}+3\frac{2}{3}$

33 $3\frac{3}{11}+\frac{5}{9}$

34 $2\frac{1}{11}+\frac{1}{5}$

35 $\frac{7}{12}+2\frac{1}{3}$

36 $1\frac{1}{11}+\frac{1}{7}$

37 $\frac{1}{10}+3\frac{1}{8}$

38 $\frac{3}{11}+2\frac{2}{3}$

39 $\frac{7}{15}+1\frac{4}{9}$

맞힌 개수

개 /39개

나의 학습 결과에 ○표 하세요.

맞힌 개수	0~4개	5~20개	21~36개	37~39개
학습 방법	다시 한번 풀어 봐요.	계산 연습이 필요해요.	틀린 문제를 확인해요.	실수하지 않도록 집중해요.

QR 빠른 정답 확인

3. 받아올림이 없는 (대분수)+(진분수)

계산하여 기약분수로 나타내어 보세요.

1 $\frac{1}{9}+1\frac{1}{12}$

2 $\frac{4}{5}+3\frac{2}{15}$

3 $1\frac{1}{6}+\frac{5}{12}$

4 $1\frac{2}{7}+\frac{4}{13}$

5 $\frac{5}{12}+1\frac{3}{7}$

6 $2\frac{1}{6}+\frac{11}{15}$

7 $1\frac{3}{8}+\frac{5}{12}$

8 $\frac{4}{7}+1\frac{3}{14}$

9 $\frac{4}{9}+1\frac{5}{18}$

10 $\frac{7}{12}+3\frac{2}{9}$

11 $1\frac{1}{4}+\frac{11}{18}$

12 $3\frac{4}{15}+\frac{5}{9}$

13 $\frac{2}{3}+3\frac{3}{16}$

14 $3\frac{2}{15}+\frac{3}{4}$

15 $\frac{5}{8}+3\frac{3}{14}$

16 $2\frac{1}{12}+\frac{5}{8}$

17 $\frac{2}{3}+1\frac{5}{21}$

18 $1\frac{1}{12}+\frac{1}{10}$

19 $3\frac{1}{15}+\frac{9}{10}$

20 $3\frac{5}{16}+\frac{5}{12}$

21 $\frac{3}{10}+2\frac{7}{12}$

22 $\frac{3}{10}+1\frac{5}{14}$

23 $2\frac{2}{11}+\frac{7}{10}$

24 $\frac{8}{15}+2\frac{1}{18}$

연산 in 문장제

무게가 $\frac{3}{5}$ kg인 빈 병에 물 $2\frac{1}{4}$ kg을 담았습니다. 물을 담은 병의 무게는 몇 kg인지 구해 보세요.

$$\frac{3}{5}+2\frac{1}{4}=\frac{12}{20}+2\frac{5}{20}=2\frac{17}{20}(\text{kg})$$

빈 병의 무게 / 물의 무게 / 물을 담은 병의 무게

두 분수	최소 공배수	통분한 분수
$\frac{3}{5}$	20	$\frac{12}{20}$
$2\frac{1}{4}$		$2\frac{5}{20}$

25 영미네 집에서 지하철역까지의 거리는 $\frac{1}{8}$ km, 지하철역에서 미술관까지의 거리는 $2\frac{3}{4}$ km입니다. 영미네 집에서 지하철역을 지나 미술관까지의 거리는 몇 km인지 구해 보세요.

답 ____________

➜

두 분수	최소 공배수	통분한 분수

26 수연이가 검은색 페인트 $\frac{5}{9}$ L와 흰색 페인트 $2\frac{4}{15}$ L를 섞어서 회색 페인트를 만들었습니다. 수연이가 만든 회색 페인트는 모두 몇 L인지 구해 보세요.

답 ____________

➜

두 분수	최소 공배수	통분한 분수

27 상우가 3D 프린터로 장난감을 만들기 위해 흰색 필라멘트 $\frac{5}{8}$ m와 노란색 필라멘트 $2\frac{3}{10}$ m를 사용하였습니다. 상우가 장난감을 만들기 위해 사용한 필라멘트는 모두 몇 m인지 구해 보세요.

답 ____________

➜

두 분수	최소 공배수	통분한 분수

3D 프린터에 들어가는 플라스틱 줄을 필라멘트라고 해요.

맞힌 개수: 개 /27개

나의 학습 결과에 ○표 하세요.

맞힌 개수	0~3개	4~14개	15~25개	26~27개
학습 방법	다시 한번 풀어 봐요.	계산 연습이 필요해요.	틀린 문제를 확인해요.	실수하지 않도록 집중해요.

QR 빠른 정답 확인

07 일차 4. 받아올림이 없는 (대분수)+(대분수)

$1\frac{2}{5}+2\frac{1}{2}$

$=1\frac{4}{10}+2\frac{5}{10}$

$=(1+2)+\left(\frac{4}{10}+\frac{5}{10}\right)$

$=3+\frac{9}{10}$

$=3\frac{9}{10}$

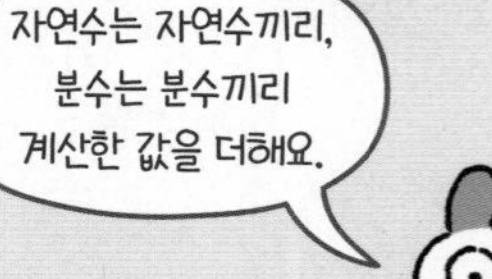

□ 안에 알맞은 수를 써넣으세요.

1 $1\frac{1}{6}+1\frac{7}{9}$

$=(1+1)+\left(\frac{\square}{18}+\frac{14}{18}\right)$

$=2\frac{\square}{18}$

대분수를 가분수로 나타내어 계산할 수도 있어요.

2 $1\frac{3}{4}+1\frac{1}{10}$

$=\frac{7}{4}+\frac{\square}{10}$

$=\frac{35}{20}+\frac{\square}{20}$

$=\frac{\square}{20}=\square\frac{\square}{20}$

계산하여 기약분수로 나타내어 보세요.

3 $2\frac{2}{5}+1\frac{1}{4}$

4 $1\frac{1}{6}+1\frac{2}{3}$

5 $1\frac{1}{3}+1\frac{1}{2}$

6 $1\frac{1}{5}+1\frac{2}{3}$

7 $2\frac{2}{7}+2\frac{1}{4}$

8 $1\frac{4}{5}+1\frac{2}{15}$

9 $1\frac{5}{7}+1\frac{3}{14}$

10 $2\frac{3}{8}+2\frac{1}{4}$

11 $1\frac{1}{9}+3\frac{5}{12}$

18 $3\frac{9}{20}+1\frac{11}{25}$

25 $3\frac{3}{7}+2\frac{2}{9}$

12 $3\frac{11}{15}+2\frac{1}{6}$

19 $2\frac{3}{5}+3\frac{1}{4}$

26 $3\frac{1}{10}+2\frac{2}{5}$

13 $2\frac{3}{11}+2\frac{2}{3}$

20 $2\frac{5}{8}+3\frac{1}{3}$

27 $1\frac{4}{9}+1\frac{5}{18}$

14 $1\frac{5}{8}+2\frac{3}{10}$

21 $1\frac{1}{4}+3\frac{3}{7}$

28 $2\frac{2}{3}+1\frac{3}{10}$

15 $2\frac{3}{11}+3\frac{1}{5}$

22 $3\frac{5}{9}+2\frac{3}{8}$

29 $1\frac{4}{15}+3\frac{5}{9}$

16 $2\frac{5}{12}+1\frac{1}{10}$

23 $1\frac{1}{10}+1\frac{1}{8}$

30 $1\frac{1}{6}+3\frac{5}{12}$

17 $1\frac{1}{4}+2\frac{11}{18}$

24 $3\frac{5}{12}+3\frac{1}{3}$

31 $2\frac{3}{11}+3\frac{5}{9}$

맞힌 개수

개 /31개

나의 학습 결과에 ○표 하세요.

맞힌 개수	0~3개	4~16개	17~29개	30~31개
학습 방법	다시 한번 풀어 봐요.	계산 연습이 필요해요.	틀린 문제를 확인해요.	실수하지 않도록 집중해요.

QR 빠른 정답 확인

4. 받아올림이 없는 (대분수)+(대분수)

계산하여 기약분수로 나타내어 보세요.

1 $2\frac{1}{9}+2\frac{2}{3}$

2 $2\frac{1}{11}+3\frac{1}{7}$

3 $3\frac{1}{6}+3\frac{5}{8}$

4 $2\frac{3}{8}+1\frac{5}{12}$

5 $1\frac{3}{5}+3\frac{2}{7}$

6 $2\frac{3}{10}+1\frac{7}{12}$

7 $3\frac{4}{9}+3\frac{7}{15}$

8 $2\frac{3}{10}+1\frac{5}{14}$

9 $1\frac{3}{8}+3\frac{3}{7}$

10 $2\frac{1}{6}+3\frac{4}{9}$

11 $1\frac{1}{3}+2\frac{2}{9}$

12 $3\frac{1}{4}+2\frac{7}{10}$

13 $2\frac{2}{3}+1\frac{5}{21}$

14 $3\frac{7}{12}+1\frac{2}{9}$

15 $3\frac{2}{15}+2\frac{3}{4}$

16 $2\frac{5}{8}+3\frac{3}{14}$

17 $1\frac{3}{8}+3\frac{2}{9}$

18 $2\frac{5}{12}+1\frac{3}{7}$

19 $2\frac{11}{20}+2\frac{13}{30}$

20 $1\frac{4}{15}+2\frac{7}{25}$

21 $2\frac{1}{9}+1\frac{5}{14}$

22 $3\frac{2}{3}+1\frac{3}{16}$

23 $1\frac{5}{16}+3\frac{3}{8}$

24 $2\frac{5}{6}+2\frac{2}{17}$

연산 in 문장제

정훈이와 현진이가 주말농장에서 토마토를 땄습니다. 정훈이가 $1\frac{2}{5}$ kg, 현진이가 $3\frac{1}{2}$ kg을 땄다면, 두 사람이 딴 토마토는 모두 몇 kg인지 구해 보세요.

$$1\frac{2}{5}+3\frac{1}{2}=1\frac{4}{10}+3\frac{5}{10}=4\frac{9}{10}\text{(kg)}$$

$1\frac{2}{5}$: 정훈이가 딴 토마토의 양, $3\frac{1}{2}$: 현진이가 딴 토마토의 양, $4\frac{9}{10}$: 두 사람이 딴 토마토의 양

두 분수	최소 공배수	통분한 분수
$1\frac{2}{5}$	10	$1\frac{4}{10}$
$3\frac{1}{2}$		$3\frac{5}{10}$

25 송이와 창훈이가 찰흙으로 만들기를 하였습니다. 송이는 찰흙 $2\frac{3}{8}$ kg을, 창훈이는 찰흙 $2\frac{1}{3}$ kg을 사용하였습니다. 두 사람이 사용한 찰흙은 모두 몇 kg인지 구해 보세요.

답 ____________

→

두 분수	최소 공배수	통분한 분수

26 소민이가 선물 상자를 꾸미는 데 노란색 색종이 $1\frac{3}{8}$장과 보라색 색종이 $3\frac{1}{6}$장을 사용하였습니다. 선물 상자를 꾸미는 데 색종이를 모두 몇 장 사용하였는지 구해 보세요.

답 ____________

→

두 분수	최소 공배수	통분한 분수

27 등산로 입구에서 쉼터까지의 거리는 $1\frac{5}{12}$ km, 쉼터에서 산 정상까지의 거리는 $1\frac{1}{7}$ km인 등산로가 있습니다. 등산로 입구에서 쉼터를 지나 산 정상까지의 거리는 몇 km인지 구해 보세요.

답 ____________

→

두 분수	최소 공배수	통분한 분수

맞힌 개수

개 /27개

나의 학습 결과에 ○표 하세요.

맞힌 개수	0～3개	4～14개	15～25개	26～27개
학습 방법	다시 한번 풀어 봐요.	계산 연습이 필요해요.	틀린 문제를 확인해요.	실수하지 않도록 집중해요.

QR 빠른 정답 확인

5. 받아올림이 있는 (대분수)+(진분수)

$$1\frac{3}{4}+\frac{2}{5}$$
$$=1\frac{15}{20}+\frac{8}{20}$$
$$=1+\left(\frac{15}{20}+\frac{8}{20}\right)$$
$$=1+\frac{23}{20}$$
$$=1+1\frac{3}{20}$$
$$=2\frac{3}{20}$$

자연수에 분수끼리
계산한 값을 더해요.

안에 알맞은 수를 써넣으세요.

1 $2\frac{1}{2}+\frac{4}{5}=2+\left(\frac{\square}{10}+\frac{8}{10}\right)$

$=2+\frac{\square}{10}=2+\square\frac{\square}{10}$

$=\square\frac{\square}{10}$

대분수를 가분수로 나타내어
계산할 수도 있어요.

2 $\frac{5}{6}+3\frac{2}{9}=\frac{5}{6}+\frac{\square}{9}$

$=\frac{15}{18}+\frac{\square}{18}=\frac{\square}{18}$

$=\square\frac{\square}{18}$

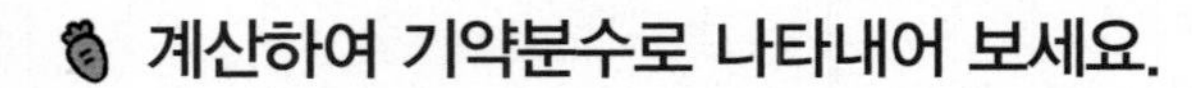

계산하여 기약분수로 나타내어 보세요.

3 $\frac{2}{3}+2\frac{3}{4}$

4 $2\frac{7}{9}+\frac{1}{2}$

5 $3\frac{1}{3}+\frac{8}{9}$

6 $\frac{5}{6}+2\frac{3}{7}$

7 $\frac{4}{5}+3\frac{2}{7}$

8 $\frac{1}{4}+2\frac{8}{9}$

9 $3\frac{2}{9}+\frac{11}{12}$

10 $2\frac{4}{5}+\frac{4}{9}$

11 $1\frac{7}{10}+\frac{2}{5}$

18 $2\frac{9}{20}+\frac{18}{25}$

25 $1\frac{4}{9}+\frac{13}{18}$

12 $\frac{4}{7}+2\frac{9}{14}$

19 $2\frac{1}{4}+\frac{5}{6}$

26 $2\frac{3}{8}+\frac{11}{12}$

13 $3\frac{17}{20}+\frac{2}{5}$

20 $\frac{6}{7}+3\frac{1}{3}$

27 $\frac{9}{10}+3\frac{1}{8}$

14 $\frac{7}{9}+2\frac{7}{12}$

21 $3\frac{2}{3}+\frac{7}{8}$

28 $\frac{1}{6}+2\frac{15}{16}$

15 $\frac{7}{11}+3\frac{4}{5}$

22 $2\frac{3}{4}+\frac{2}{7}$

29 $\frac{6}{7}+1\frac{10}{21}$

16 $\frac{1}{4}+1\frac{13}{15}$

23 $\frac{7}{8}+3\frac{2}{5}$

30 $\frac{5}{8}+2\frac{5}{12}$

17 $\frac{13}{18}+2\frac{8}{15}$

24 $\frac{7}{10}+2\frac{4}{5}$

31 $\frac{9}{10}+3\frac{8}{15}$

맞힌 개수

개 /31개

나의 학습 결과에 ○표 하세요.

맞힌 개수	0~3개	4~16개	17~29개	30~31개
학습 방법	다시 한번 풀어 봐요.	계산 연습이 필요해요.	틀린 문제를 확인해요.	실수하지 않도록 집중해요.

QR 빠른 정답 확인

5. 받아올림이 있는 (대분수)+(진분수)

계산하여 기약분수로 나타내어 보세요.

1 $1\frac{2}{3}+\frac{1}{2}$

2 $3\frac{2}{5}+\frac{2}{3}$

3 $\frac{1}{2}+3\frac{5}{7}$

4 $\frac{3}{4}+1\frac{5}{8}$

5 $2\frac{5}{6}+\frac{3}{4}$

6 $2\frac{7}{9}+\frac{5}{6}$

7 $\frac{4}{5}+3\frac{3}{4}$

8 $\frac{3}{5}+1\frac{5}{6}$

9 $1\frac{3}{5}+\frac{5}{8}$

10 $\frac{7}{8}+3\frac{1}{6}$

11 $\frac{11}{12}+3\frac{1}{3}$

12 $3\frac{8}{11}+\frac{5}{9}$

13 $\frac{3}{4}+2\frac{7}{15}$

14 $\frac{5}{8}+3\frac{13}{15}$

15 $\frac{4}{9}+2\frac{9}{10}$

16 $\frac{9}{14}+2\frac{5}{12}$

17 $2\frac{3}{10}+\frac{11}{12}$

18 $3\frac{7}{12}+\frac{13}{18}$

19 $\frac{7}{16}+3\frac{17}{24}$

20 $1\frac{19}{35}+\frac{7}{10}$

21 $\frac{13}{21}+2\frac{19}{42}$

22 $1\frac{11}{24}+\frac{21}{32}$

23 $2\frac{15}{28}+\frac{17}{21}$

24 $1\frac{9}{16}+\frac{11}{18}$

연산 in 문장제

냉장고에 사과주스 $2\frac{1}{3}$ L와 당근주스 $\frac{8}{9}$ L가 있습니다. 냉장고에 있는 주스는 모두 몇 L인지 구해 보세요.

$$2\frac{1}{3}+\frac{8}{9}=2\frac{3}{9}+\frac{8}{9}=2\frac{11}{9}=3\frac{2}{9}(\mathrm{L})$$

사과주스의 양 / 당근주스의 양 / 냉장고에 있는 주스의 양

두 분수	최소 공배수	통분한 분수
$2\frac{1}{3}$	9	$2\frac{3}{9}$
$\frac{8}{9}$		$\frac{8}{9}$

25 무게가 $\frac{1}{3}$ kg인 빈 병에 물 $2\frac{6}{7}$ kg을 담았습니다. 물을 담은 병의 무게는 몇 kg인지 구해 보세요.

답 ______

두 분수	최소 공배수	통분한 분수

26 성준이네 집에서 은행까지의 거리는 $1\frac{2}{9}$ km, 은행에서 수영장까지의 거리는 $\frac{11}{12}$ km입니다. 성준이네 집에서 은행을 지나 수영장까지의 거리는 몇 km인지 구해 보세요.

답 ______

두 분수	최소 공배수	통분한 분수

27 은경이가 흰색 물감 $3\frac{7}{10}$ g과 빨간색 물감 $\frac{3}{8}$ g을 섞어서 분홍색 물감을 만들었습니다. 은경이가 만든 분홍색 물감은 몇 g인지 구해 보세요.

답 ______

두 분수	최소 공배수	통분한 분수

맞힌 개수

개 /27개

나의 학습 결과에 ○표 하세요.

맞힌 개수	0～3개	4～14개	15～25개	26～27개
학습 방법	다시 한번 풀어 봐요.	계산 연습이 필요해요.	틀린 문제를 확인해요.	실수하지 않도록 집중해요.

QR 빠른 정답 확인

11 일차 6. 받아올림이 있는 (대분수)+(대분수)

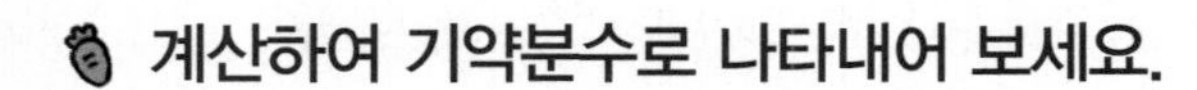

$1\frac{5}{6}+2\frac{3}{4}$

$=1\frac{10}{12}+2\frac{9}{12}$

$=(1+2)+\left(\frac{10}{12}+\frac{9}{12}\right)$

$=3+\frac{19}{12}$

$=3+1\frac{7}{12}$

$=4\frac{7}{12}$

자연수는 자연수끼리, 분수는 분수끼리 계산한 값을 더해요.

□ 안에 알맞은 수를 써넣으세요.

1 $3\frac{1}{2}+1\frac{3}{5}=(3+1)+\left(\frac{5}{10}+\frac{\square}{10}\right)$

$=4+\frac{\square}{10}$

$=\square\frac{\square}{10}$

2 $2\frac{2}{3}+1\frac{3}{4}=\frac{8}{3}+\frac{\square}{4}=\frac{32}{12}+\frac{\square}{12}$

$=\frac{\square}{12}$

$=\square\frac{\square}{12}$

대분수를 가분수로 나타내어 계산할 수도 있어요.

계산하여 기약분수로 나타내어 보세요.

3 $3\frac{1}{4}+3\frac{5}{6}$

4 $2\frac{6}{7}+3\frac{1}{3}$

5 $2\frac{1}{3}+2\frac{8}{9}$

6 $2\frac{3}{5}+2\frac{5}{6}$

7 $3\frac{4}{5}+2\frac{2}{7}$

8 $1\frac{2}{9}+2\frac{11}{12}$

9 $1\frac{7}{8}+3\frac{2}{5}$

10 $2\frac{1}{6}+3\frac{15}{16}$

11 $2\frac{4}{7}+1\frac{7}{9}$

12 $1\frac{3}{4}+3\frac{7}{15}$

13 $1\frac{9}{14}+2\frac{5}{12}$

14 $3\frac{4}{9}+1\frac{9}{10}$

15 $3\frac{5}{8}+3\frac{13}{15}$

16 $2\frac{7}{12}+3\frac{13}{18}$

17 $3\frac{7}{10}+2\frac{8}{15}$

18 $2\frac{8}{11}+3\frac{5}{9}$

19 $1\frac{5}{9}+2\frac{2}{3}$

20 $2\frac{4}{5}+2\frac{7}{10}$

21 $3\frac{5}{6}+3\frac{4}{9}$

22 $2\frac{6}{7}+1\frac{1}{6}$

23 $1\frac{7}{8}+5\frac{5}{12}$

24 $2\frac{1}{4}+1\frac{8}{9}$

25 $3\frac{9}{10}+3\frac{1}{8}$

26 $3\frac{4}{7}+3\frac{9}{14}$

27 $3\frac{7}{9}+1\frac{7}{12}$

28 $3\frac{9}{10}+2\frac{8}{15}$

29 $2\frac{13}{16}+1\frac{5}{8}$

30 $1\frac{5}{6}+1\frac{2}{5}$

31 $2\frac{8}{15}+1\frac{7}{9}$

맞힌 개수

개 /31개

나의 학습 결과에 ○표 하세요.

맞힌 개수	0~3개	4~16개	17~29개	30~31개
학습 방법	다시 한번 풀어 봐요.	계산 연습이 필요해요.	틀린 문제를 확인해요.	실수하지 않도록 집중해요.

QR 빠른 정답 확인

12일차 6. 받아올림이 있는 (대분수)+(대분수)

계산하여 기약분수로 나타내어 보세요.

1 $3\frac{3}{4}+2\frac{1}{2}$

2 $1\frac{1}{4}+3\frac{4}{5}$

3 $2\frac{3}{7}+3\frac{2}{3}$

4 $1\frac{3}{4}+2\frac{1}{3}$

5 $2\frac{4}{7}+1\frac{1}{2}$

6 $1\frac{3}{5}+2\frac{5}{8}$

7 $3\frac{3}{8}+3\frac{3}{4}$

8 $1\frac{1}{4}+1\frac{5}{6}$

9 $2\frac{4}{5}+3\frac{2}{3}$

10 $1\frac{1}{2}+2\frac{6}{7}$

11 $4\frac{3}{5}+2\frac{4}{9}$

12 $3\frac{1}{4}+1\frac{9}{10}$

13 $1\frac{3}{5}+3\frac{10}{11}$

14 $3\frac{2}{7}+1\frac{7}{8}$

15 $1\frac{11}{15}+3\frac{3}{10}$

16 $2\frac{13}{18}+3\frac{7}{12}$

17 $2\frac{13}{16}+5\frac{5}{12}$

18 $6\frac{5}{14}+2\frac{17}{21}$

19 $4\frac{16}{21}+3\frac{5}{9}$

20 $1\frac{2}{3}+5\frac{7}{15}$

21 $1\frac{8}{15}+1\frac{13}{25}$

22 $2\frac{3}{8}+4\frac{7}{11}$

23 $3\frac{11}{18}+4\frac{17}{30}$

24 $3\frac{7}{12}+3\frac{13}{27}$

연산 in 문장제

세정이와 규희가 실과 시간에 철사로 만들기를 하였습니다. 세정이는 $1\frac{5}{6}$ m를, 규희는 $3\frac{2}{9}$ m를 사용하였습니다. 두 사람이 사용한 철사는 모두 몇 m인지 구해 보세요.

$$1\frac{5}{6}+3\frac{2}{9}=1\frac{15}{18}+3\frac{4}{18}=4\frac{19}{18}=5\frac{1}{18}\text{(m)}$$

세정이가 사용한 철사의 길이 / 규희가 사용한 철사의 길이 / 두 사람이 사용한 철사의 길이

두 분수	최소 공배수	통분한 분수
$1\frac{5}{6}$	18	$1\frac{15}{18}$
$3\frac{2}{9}$		$3\frac{4}{18}$

25 희정이와 소현이가 학교 텃밭에서 감자를 캤습니다. 희정이가 $3\frac{2}{5}$ kg, 소현이가 $1\frac{2}{3}$ kg을 캤다면, 두 사람이 모두 몇 kg을 캤는지 구해 보세요.

➜

두 분수	최소 공배수	통분한 분수

답 ____________

26 은재가 할머니네 집에 다녀왔습니다. 가는 데 걸린 시간이 $2\frac{3}{8}$시간, 돌아오는 데 걸린 시간이 $1\frac{11}{12}$시간이라면, 은재가 할머니네 집에 다녀오는 데 모두 몇 시간이 걸렸는지 구해 보세요.

➜

두 분수	최소 공배수	통분한 분수

답 ____________

27 지윤이가 모형 자동차를 장식하는 데 빨간색 색종이 $3\frac{7}{9}$장과 파란색 색종이 $3\frac{11}{15}$장을 사용하였습니다. 지윤이가 모형 자동차를 장식하는 데 색종이를 모두 몇 장 사용하였는지 구해 보세요.

➜

두 분수	최소 공배수	통분한 분수

답 ____________

맞힌 개수

개 /27개

나의 학습 결과에 ○표 하세요.

맞힌 개수	0~3개	4~14개	15~25개	26~27개
학습 방법	다시 한번 풀어 봐요.	계산 연습이 필요해요.	틀린 문제를 확인해요.	실수하지 않도록 집중해요.

QR 빠른 정답 확인

연산&문장제 마무리

계산하여 기약분수로 나타내어 보세요.

1 $\frac{2}{3}+\frac{1}{7}$

2 $\frac{3}{7}+\frac{1}{2}$

3 $\frac{3}{5}+\frac{4}{15}$

4 $\frac{3}{8}+\frac{3}{10}$

5 $\frac{1}{3}+\frac{4}{9}$

6 $\frac{12}{35}+\frac{3}{10}$

7 $\frac{7}{22}+\frac{13}{33}$

8 $\frac{10}{27}+\frac{20}{81}$

9 $\frac{8}{9}+\frac{1}{2}$

10 $\frac{5}{6}+\frac{7}{8}$

11 $\frac{9}{20}+\frac{4}{5}$

12 $\frac{1}{3}+\frac{14}{15}$

13 $\frac{6}{11}+\frac{5}{9}$

14 $\frac{7}{15}+\frac{9}{10}$

15 $\frac{9}{16}+\frac{11}{18}$

16 $\frac{9}{20}+\frac{18}{25}$

17 $2\frac{1}{9}+\frac{2}{3}$

18 $\frac{3}{4}+1\frac{3}{14}$

19 $\frac{4}{15}+1\frac{1}{6}$

20 $3\frac{1}{12}+\frac{5}{8}$

21 $4\frac{1}{4}+\frac{11}{18}$

22 $3\frac{7}{36}+\frac{7}{12}$

23 $2\frac{8}{21}+\frac{13}{28}$

24 $\frac{14}{55}+1\frac{9}{22}$

25 $2\frac{1}{8}+1\frac{3}{4}$

26 $2\frac{2}{5}+2\frac{1}{2}$

27 $3\frac{2}{15}+1\frac{5}{6}$

28 $1\frac{4}{7}+1\frac{3}{14}$

29 $1\frac{3}{10}+2\frac{3}{5}$

30 $3\frac{5}{18}+3\frac{11}{30}$

31 $4\frac{7}{10}+2\frac{2}{11}$

32 $2\frac{13}{24}+3\frac{5}{16}$

33 $1\frac{1}{2}+\frac{3}{5}$

34 $3\frac{3}{4}+\frac{2}{7}$

35 $2\frac{9}{10}+\frac{1}{8}$

36 $\frac{3}{4}+3\frac{7}{15}$

37 $\frac{7}{13}+3\frac{4}{7}$

38 $2\frac{9}{16}+\frac{17}{24}$

39 $2\frac{15}{28}+\frac{2}{3}$

40 $2\frac{11}{24}+\frac{21}{32}$

41 $1\frac{1}{4}+2\frac{5}{6}$

42 $3\frac{5}{7}+2\frac{2}{3}$

43 $1\frac{4}{9}+2\frac{13}{18}$

44 $3\frac{17}{20}+4\frac{2}{5}$

45 $1\frac{3}{8}+4\frac{7}{10}$

46 $4\frac{9}{14}+1\frac{13}{21}$

47 $3\frac{7}{10}+5\frac{16}{25}$

48 $4\frac{13}{18}+2\frac{8}{15}$

49 혜진이가 동화책을 읽고 있습니다. 어제는 전체의 $\frac{2}{3}$를, 오늘은 전체의 $\frac{2}{9}$를 읽었습니다. 혜진이가 어제와 오늘 읽은 동화책은 전체의 얼마인지 구해 보세요.

답 ____________

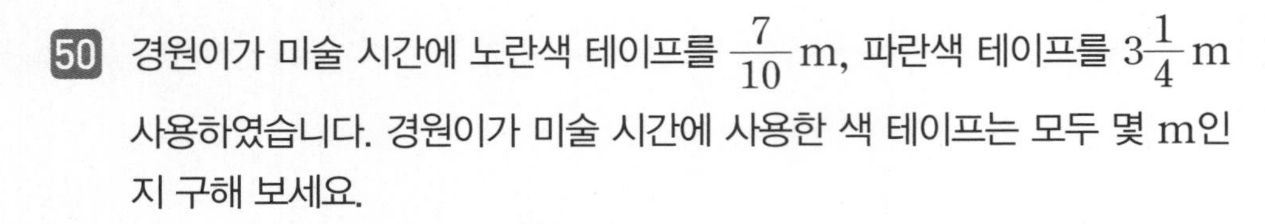

50 경원이가 미술 시간에 노란색 테이프를 $\frac{7}{10}$ m, 파란색 테이프를 $3\frac{1}{4}$ m 사용하였습니다. 경원이가 미술 시간에 사용한 색 테이프는 모두 몇 m인지 구해 보세요.

답 ____________

51 예원이네 집의 냉장고에 오렌지주스 $1\frac{1}{4}$ L와 사과주스 $2\frac{5}{7}$ L가 있습니다. 냉장고에 있는 주스는 모두 몇 L인지 구해 보세요.

답 ____________

52 아라네 집에서 도서관까지의 거리는 $2\frac{2}{3}$ km이고, 도서관에서 수영장까지의 거리는 $\frac{5}{6}$ km입니다. 아라네 집에서 도서관을 지나 수영장까지의 거리는 몇 km인지 구해 보세요.

답 ____________

53 준성이와 다정이가 딸기 체험 농장에서 딸기를 땄습니다. 준성이는 $4\frac{1}{2}$ kg, 다정이는 $7\frac{3}{5}$ kg을 땄습니다. 두 사람이 딴 딸기는 모두 몇 kg인지 구해 보세요.

답 ____________

연산 노트

맞힌 개수

개 /53개

나의 학습 결과에 ○표 하세요.

맞힌 개수	0~5개	6~27개	28~49개	50~53개
학습 방법	다시 한번 풀어 봐요.	계산 연습이 필요해요.	틀린 문제를 확인해요.	실수하지 않도록 집중해요.

QR 빠른 정답 확인

5

분수의 뺄셈

학습 주제	학습 일차	맞힌 개수
1. (진분수)−(진분수)	01일차	/39
	02일차	/27
2. 받아내림이 없는 (대분수)−(진분수)	03일차	/39
	04일차	/27
3. 받아내림이 없는 (대분수)−(대분수)	05일차	/31
	06일차	/27
4. 받아내림이 있는 (대분수)−(진분수)	07일차	/31
	08일차	/27
5. 받아내림이 있는 (대분수)−(대분수)	09일차	/31
	10일차	/27
6. 분수의 덧셈과 뺄셈	11일차	/39
	12일차	/28
연산 & 문장제 마무리	13일차	/53

01 일차 1. (진분수)-(진분수)

$\dfrac{4}{5}-\dfrac{5}{8}$ 분모를 통분해요.

$=\dfrac{4\times8}{5\times8}-\dfrac{5\times5}{8\times5}$

$=\dfrac{32}{40}-\dfrac{25}{40}$

$=\dfrac{7}{40}$

□ 안에 알맞은 수를 써넣으세요.

1 $\dfrac{1}{5}-\dfrac{1}{7}$

$=\dfrac{7}{35}-\dfrac{\square}{35}$

$=\dfrac{\square}{35}$

2 $\dfrac{5}{6}-\dfrac{4}{9}$

$=\dfrac{\square}{18}-\dfrac{8}{18}$

$=\dfrac{\square}{18}$

계산하여 기약분수로 나타내어 보세요.

3 $\dfrac{1}{2}-\dfrac{1}{3}$

4 $\dfrac{3}{4}-\dfrac{1}{2}$

5 $\dfrac{1}{5}-\dfrac{1}{10}$

6 $\dfrac{2}{3}-\dfrac{1}{5}$

7 $\dfrac{1}{4}-\dfrac{1}{7}$

8 $\dfrac{2}{3}-\dfrac{2}{7}$

9 $\dfrac{5}{7}-\dfrac{1}{4}$

10 $\dfrac{5}{8}-\dfrac{1}{3}$

11 $\dfrac{1}{9}-\dfrac{1}{15}$

12 $\dfrac{3}{10}-\dfrac{1}{5}$

13 $\dfrac{3}{5}-\dfrac{7}{20}$

14 $\dfrac{7}{10}-\dfrac{1}{4}$

15 $\dfrac{6}{7}-\dfrac{3}{5}$

16 $\dfrac{1}{6}-\dfrac{2}{21}$

17 $\dfrac{3}{8}-\dfrac{1}{4}$

18 $\dfrac{1}{3}-\dfrac{2}{9}$

19 $\frac{1}{3}-\frac{1}{4}$

20 $\frac{1}{2}-\frac{1}{7}$

21 $\frac{1}{4}-\frac{1}{8}$

22 $\frac{3}{5}-\frac{1}{2}$

23 $\frac{8}{9}-\frac{1}{2}$

24 $\frac{3}{4}-\frac{3}{10}$

25 $\frac{1}{5}-\frac{1}{20}$

26 $\frac{7}{10}-\frac{1}{5}$

27 $\frac{5}{6}-\frac{2}{9}$

28 $\frac{11}{12}-\frac{5}{6}$

29 $\frac{2}{3}-\frac{1}{9}$

30 $\frac{4}{5}-\frac{3}{4}$

31 $\frac{14}{15}-\frac{3}{4}$

32 $\frac{10}{11}-\frac{5}{6}$

33 $\frac{7}{8}-\frac{5}{12}$

34 $\frac{7}{9}-\frac{2}{3}$

35 $\frac{5}{7}-\frac{2}{5}$

36 $\frac{1}{8}-\frac{1}{10}$

37 $\frac{13}{15}-\frac{1}{2}$

38 $\frac{1}{10}-\frac{1}{12}$

39 $\frac{5}{14}-\frac{1}{6}$

맞힌 개수

개 /39개

나의 학습 결과에 ○표 하세요.

맞힌 개수	0～4개	5～20개	21～36개	37～39개
학습 방법	다시 한번 풀어 봐요.	계산 연습이 필요해요.	틀린 문제를 확인해요.	실수하지 않도록 집중해요.

QR 빠른 정답 확인

1. (진분수)-(진분수)

계산하여 기약분수로 나타내어 보세요.

1 $\frac{3}{4}-\frac{1}{3}$

2 $\frac{2}{3}-\frac{1}{4}$

3 $\frac{5}{14}-\frac{2}{7}$

4 $\frac{1}{2}-\frac{3}{8}$

5 $\frac{3}{4}-\frac{4}{9}$

6 $\frac{1}{3}-\frac{1}{5}$

7 $\frac{7}{12}-\frac{3}{8}$

8 $\frac{5}{12}-\frac{2}{9}$

9 $\frac{3}{4}-\frac{1}{6}$

10 $\frac{8}{15}-\frac{7}{25}$

11 $\frac{1}{7}-\frac{1}{9}$

12 $\frac{8}{9}-\frac{5}{6}$

13 $\frac{2}{3}-\frac{1}{12}$

14 $\frac{3}{8}-\frac{1}{3}$

15 $\frac{9}{13}-\frac{1}{3}$

16 $\frac{9}{11}-\frac{1}{2}$

17 $\frac{11}{15}-\frac{9}{20}$

18 $\frac{11}{12}-\frac{5}{8}$

19 $\frac{7}{10}-\frac{2}{3}$

20 $\frac{9}{16}-\frac{3}{8}$

21 $\frac{11}{15}-\frac{2}{3}$

22 $\frac{13}{18}-\frac{5}{12}$

23 $\frac{19}{20}-\frac{9}{16}$

24 $\frac{17}{32}-\frac{11}{24}$

연산 in 문장제

지수네 집에서 공원까지의 거리는 $\frac{3}{4}$ km, 지수네 집에서 서점까지의 거리는 $\frac{2}{5}$ km입니다. 지수네 집에서 공원까지의 거리는 지수네 집에서 서점까지의 거리보다 몇 km 더 먼지 구해 보세요.

$$\frac{3}{4}-\frac{2}{5}=\frac{15}{20}-\frac{8}{20}=\frac{7}{20}\text{(km)}$$

집에서 공원까지의 거리 / 집에서 서점까지의 거리 / 집에서 공원까지의 거리와 집에서 서점까지의 거리의 차

두 분수	최소 공배수	통분한 분수
$\frac{3}{4}$	20	$\frac{15}{20}$
$\frac{2}{5}$		$\frac{8}{20}$

25 혜리가 실과 시간에 철사 $\frac{9}{10}$ m 중에서 $\frac{2}{3}$ m를 사용하였습니다. 남은 철사는 몇 m인지 구해 보세요.

답 ______________ →

두 분수	최소 공배수	통분한 분수

26 지연이와 선화가 파이를 나누어 먹었습니다. 지연이는 전체의 $\frac{3}{5}$만큼, 선화는 전체의 $\frac{1}{3}$만큼을 먹었습니다. 지연이가 선화보다 전체의 얼마만큼 더 먹었는지 구해 보세요.

답 ______________ →

두 분수	최소 공배수	통분한 분수

27 인선이가 냉장고에 있는 오렌지주스 $\frac{5}{6}$ L 중에서 $\frac{1}{8}$ L를 마셨습니다. 오렌지주스가 몇 L 남았는지 구해 보세요.

답 ______________ →

두 분수	최소 공배수	통분한 분수

맞힌 개수: 개 /27개

나의 학습 결과에 ○표 하세요.

맞힌 개수	0~3개	4~14개	15~25개	26~27개
학습 방법	다시 한번 풀어 봐요.	계산 연습이 필요해요.	틀린 문제를 확인해요.	실수하지 않도록 집중해요.

QR 빠른 정답 확인

03 일차 2. 받아내림이 없는 (대분수)-(진분수)

$2\frac{5}{6}-\frac{5}{8}$

최소공배수 24로 통분해요.

$=2\frac{20}{24}-\frac{15}{24}$

$=2+\left(\frac{20}{24}-\frac{15}{24}\right)$

$=2+\frac{5}{24}=2\frac{5}{24}$

□ 안에 알맞은 수를 써넣으세요.

1 $3\frac{1}{2}-\frac{1}{5}$

$=3\frac{5}{10}-\frac{\square}{10}$

$=3\frac{\square}{10}$

대분수를 가분수로 나타내어 계산해도 돼요.

2 $1\frac{3}{4}-\frac{1}{6}$

$=\frac{\square}{4}-\frac{1}{6}$

$=\frac{\square}{12}-\frac{2}{12}$

$=\frac{\square}{12}=\square\frac{\square}{12}$

계산하여 기약분수로 나타내어 보세요.

3 $2\frac{1}{3}-\frac{1}{6}$

4 $4\frac{3}{4}-\frac{1}{2}$

5 $3\frac{1}{5}-\frac{1}{6}$

6 $3\frac{5}{6}-\frac{1}{3}$

7 $3\frac{5}{7}-\frac{1}{2}$

8 $3\frac{3}{10}-\frac{1}{5}$

9 $2\frac{8}{9}-\frac{5}{6}$

10 $5\frac{5}{6}-\frac{2}{9}$

11 $4\frac{7}{10}-\frac{1}{4}$

12 $2\frac{2}{3}-\frac{1}{9}$

13 $2\frac{5}{14}-\frac{2}{7}$

14 $2\frac{4}{5}-\frac{5}{8}$

15 $4\frac{4}{5}-\frac{4}{7}$

16 $2\frac{3}{4}-\frac{4}{9}$

17 $3\frac{4}{9}-\frac{5}{21}$

18 $4\frac{11}{12}-\frac{1}{3}$

19 $3\frac{1}{3}-\frac{1}{4}$

20 $5\frac{1}{5}-\frac{1}{7}$

21 $5\frac{1}{6}-\frac{1}{9}$

22 $3\frac{1}{5}-\frac{1}{10}$

23 $6\frac{2}{3}-\frac{1}{4}$

24 $5\frac{1}{2}-\frac{1}{7}$

25 $1\frac{2}{3}-\frac{2}{7}$

26 $2\frac{7}{10}-\frac{1}{5}$

27 $3\frac{5}{14}-\frac{1}{6}$

28 $4\frac{2}{5}-\frac{3}{8}$

29 $4\frac{5}{7}-\frac{1}{4}$

30 $5\frac{11}{12}-\frac{5}{6}$

31 $6\frac{3}{8}-\frac{5}{16}$

32 $7\frac{9}{10}-\frac{2}{3}$

33 $3\frac{7}{15}-\frac{2}{5}$

34 $5\frac{11}{12}-\frac{7}{18}$

35 $1\frac{9}{16}-\frac{3}{8}$

36 $4\frac{7}{10}-\frac{7}{15}$

37 $3\frac{11}{12}-\frac{5}{16}$

38 $3\frac{7}{12}-\frac{7}{20}$

39 $4\frac{13}{18}-\frac{7}{27}$

맞힌 개수

개 /39개

나의 학습 결과에 ○표 하세요.

맞힌 개수	0～4개	5～20개	21～36개	37～39개
학습 방법	다시 한번 풀어 봐요.	계산 연습이 필요해요.	틀린 문제를 확인해요.	실수하지 않도록 집중해요.

QR 빠른 정답 확인

04일차 2. 받아내림이 없는 (대분수)-(진분수)

계산하여 기약분수로 나타내어 보세요.

1 $5\frac{1}{2}-\frac{1}{3}$

2 $3\frac{3}{4}-\frac{1}{2}$

3 $4\frac{2}{3}-\frac{1}{5}$

4 $1\frac{8}{9}-\frac{1}{6}$

5 $5\frac{1}{4}-\frac{1}{8}$

6 $2\frac{1}{5}-\frac{1}{20}$

7 $5\frac{1}{6}-\frac{2}{15}$

8 $5\frac{8}{9}-\frac{1}{2}$

9 $6\frac{3}{4}-\frac{3}{10}$

10 $8\frac{11}{14}-\frac{1}{4}$

11 $6\frac{5}{12}-\frac{2}{9}$

12 $6\frac{5}{7}-\frac{2}{5}$

13 $3\frac{7}{8}-\frac{3}{5}$

14 $6\frac{9}{13}-\frac{1}{3}$

15 $8\frac{1}{10}-\frac{1}{20}$

16 $4\frac{5}{7}-\frac{2}{5}$

17 $1\frac{5}{7}-\frac{1}{4}$

18 $5\frac{9}{14}-\frac{5}{8}$

19 $5\frac{6}{7}-\frac{2}{9}$

20 $3\frac{1}{8}-\frac{1}{10}$

21 $7\frac{7}{10}-\frac{2}{3}$

22 $7\frac{7}{12}-\frac{3}{8}$

23 $7\frac{13}{16}-\frac{7}{12}$

24 $8\frac{5}{14}-\frac{2}{21}$

연산 in 문장제

물이 들어 있는 유리병이 있습니다. 물이 들어 있는 유리병의 무게가 $3\frac{3}{4}$ kg이고, 빈 유리병의 무게가 $\frac{2}{5}$ kg일 때, 들어 있는 물은 몇 kg인지 구해 보세요.

$$3\frac{3}{4}-\frac{2}{5}=3\frac{15}{20}-\frac{8}{20}=3\frac{7}{20}\,(\text{kg})$$

물이 들어 있는 유리병의 무게 / 빈 유리병의 무게 / 들어 있는 물의 무게

두 분수	최소 공배수	통분한 분수
$3\frac{3}{4}$	20	$3\frac{15}{20}$
$\frac{2}{5}$		$\frac{8}{20}$

25 혜인이가 텃밭에서 캔 고구마 $3\frac{5}{6}$ kg 중에서 $\frac{1}{8}$ kg을 먹었습니다. 남은 고구마는 몇 kg인지 구해 보세요.

답 ____________

➜

두 분수	최소 공배수	통분한 분수

26 냉장고에 사과주스와 토마토주스가 $1\frac{11}{12}$ L 있습니다. 그중 토마토주스가 $\frac{5}{8}$ L일 때, 사과주스는 몇 L인지 구해 보세요.

답 ____________

➜

두 분수	최소 공배수	통분한 분수

27 희정이가 집에서부터 $5\frac{7}{9}$ km 떨어진 미술관에 가려고 합니다. 처음 $\frac{7}{15}$ km는 걸어서 가다가 남은 거리는 자전거를 타고 간다면 희정이가 자전거를 타고 가야 하는 거리는 몇 km인지 구해 보세요.

답 ____________

➜

두 분수	최소 공배수	통분한 분수

맞힌 개수

개 /27개

나의 학습 결과에 ○표 하세요.

맞힌 개수	0~3개	4~14개	15~25개	26~27개
학습 방법	다시 한번 풀어 봐요.	계산 연습이 필요해요.	틀린 문제를 확인해요.	실수하지 않도록 집중해요.

QR 빠른 정답 확인

05일차 3. 받아내림이 없는 (대분수)-(대분수)

□ 안에 알맞은 수를 써넣으세요.

1 $2\frac{1}{2}-1\frac{1}{5}$

$=2\frac{\square}{10}-1\frac{2}{10}$

$=(2-1)+\left(\frac{\square}{10}-\frac{2}{10}\right)$

$=1\frac{\square}{10}$

대분수를 가분수로 나타내어
계산할 수도 있어요.

2 $3\frac{4}{5}-1\frac{3}{4}$

$=\frac{\square}{5}-\frac{\square}{4}=\frac{\square}{20}-\frac{\square}{20}$

$=\frac{\square}{20}=\square\frac{\square}{20}$

계산하여 기약분수로 나타내어 보세요.

3 $6\frac{1}{2}-2\frac{1}{3}$

4 $3\frac{3}{4}-1\frac{1}{2}$

5 $8\frac{1}{3}-2\frac{1}{4}$

6 $4\frac{3}{4}-2\frac{2}{5}$

7 $5\frac{7}{9}-2\frac{2}{3}$

8 $4\frac{5}{14}-1\frac{2}{7}$

9 $5\frac{8}{9}-2\frac{5}{6}$

10 $8\frac{7}{10}-5\frac{1}{4}$

11 $6\frac{5}{8}-3\frac{1}{3}$

12 $4\frac{13}{15}-2\frac{1}{2}$

13 $4\frac{1}{5}-2\frac{1}{20}$

14 $8\frac{5}{6}-3\frac{1}{8}$

15 $2\frac{11}{14}-1\frac{1}{4}$

16 $8\frac{7}{10}-2\frac{7}{15}$

17 $2\frac{2}{5}-1\frac{3}{8}$

18 $3\frac{5}{12}-1\frac{3}{14}$

19 $5\frac{1}{5}-3\frac{1}{10}$

20 $3\frac{1}{6}-1\frac{1}{9}$

21 $8\frac{1}{5}-2\frac{1}{7}$

22 $3\frac{3}{4}-2\frac{1}{3}$

23 $8\frac{3}{10}-1\frac{1}{5}$

24 $5\frac{3}{5}-3\frac{7}{20}$

25 $5\frac{7}{12}-1\frac{3}{8}$

26 $2\frac{1}{6}-1\frac{2}{21}$

27 $6\frac{1}{8}-3\frac{1}{10}$

28 $7\frac{3}{4}-4\frac{3}{10}$

29 $7\frac{7}{8}-2\frac{5}{12}$

30 $5\frac{5}{12}-1\frac{2}{9}$

31 $8\frac{5}{6}-4\frac{2}{7}$

맞힌 개수

개 /31개

나의 학습 결과에 ○표 하세요.

맞힌 개수	0~3개	4~16개	17~29개	30~31개
학습 방법	다시 한번 풀어 봐요.	계산 연습이 필요해요.	틀린 문제를 확인해요.	실수하지 않도록 집중해요.

QR 빠른 정답 확인

3. 받아내림이 없는 (대분수)-(대분수)

계산하여 기약분수로 나타내어 보세요.

1 $2\frac{3}{5}-1\frac{1}{2}$

2 $8\frac{1}{3}-2\frac{1}{5}$

3 $2\frac{1}{2}-1\frac{1}{7}$

4 $5\frac{1}{4}-3\frac{1}{8}$

5 $6\frac{1}{7}-4\frac{1}{9}$

6 $4\frac{8}{9}-1\frac{1}{2}$

7 $6\frac{1}{6}-3\frac{1}{15}$

8 $3\frac{2}{3}-2\frac{1}{4}$

9 $5\frac{11}{12}-2\frac{5}{6}$

10 $3\frac{3}{5}-1\frac{1}{3}$

11 $2\frac{3}{8}-1\frac{5}{16}$

12 $7\frac{5}{6}-1\frac{2}{9}$

13 $6\frac{3}{4}-1\frac{3}{10}$

14 $5\frac{3}{8}-1\frac{1}{3}$

15 $6\frac{5}{7}-2\frac{2}{5}$

16 $6\frac{7}{10}-4\frac{2}{3}$

17 $5\frac{2}{3}-1\frac{4}{11}$

18 $2\frac{11}{12}-1\frac{7}{18}$

19 $7\frac{7}{10}-2\frac{3}{8}$

20 $5\frac{5}{14}-2\frac{2}{21}$

21 $7\frac{4}{5}-2\frac{2}{11}$

22 $3\frac{10}{13}-2\frac{3}{5}$

23 $8\frac{9}{10}-5\frac{12}{35}$

24 $5\frac{6}{7}-2\frac{5}{12}$

연산 in 문장제

지현이가 선물 상자를 꾸미는 데 색종이 $2\frac{2}{5}$장 중 $1\frac{1}{10}$장을 사용하였습니다. 남은 색종이는 몇 장인지 구해 보세요.

$$2\frac{2}{5}-1\frac{1}{10}=2\frac{4}{10}-1\frac{1}{10}=1\frac{3}{10}\text{(장)}$$

처음 색종이 수 / 사용한 색종이 수 / 남은 색종이 수

두 분수	최소공배수	통분한 분수
$2\frac{2}{5}$	10	$2\frac{4}{10}$
$1\frac{1}{10}$		$1\frac{1}{10}$

25 진성이와 준영이가 주말농장에서 감자를 캤습니다. 진성이는 $7\frac{3}{8}$ kg, 준영이는 $3\frac{1}{3}$ kg을 캤다면, 진성이는 준영이보다 몇 kg 더 캤는지 구해 보세요.

답 ______________

→

두 분수	최소공배수	통분한 분수

26 승준이가 미술 시간에 찰흙으로 만들기를 하였습니다. 선생님께 받은 찰흙 $2\frac{9}{14}$ kg 중에서 $1\frac{3}{10}$ kg을 사용하였습니다. 남은 찰흙은 몇 kg인지 구해 보세요.

답 ______________

→

두 분수	최소공배수	통분한 분수

27 윤희가 입구에서 산 정상까지의 거리가 $6\frac{7}{15}$ km인 산을 오르고 있습니다. 지금까지 $1\frac{2}{5}$ km를 갔다면, 산 정상까지 몇 km를 더 가야 하는지 구해 보세요.

답 ______________

→

두 분수	최소공배수	통분한 분수

맞힌 개수

개 /27개

나의 학습 결과에 ○표 하세요.

맞힌 개수	0～3개	4～14개	15～25개	26～27개
학습 방법	다시 한번 풀어 봐요.	계산 연습이 필요해요.	틀린 문제를 확인해요.	실수하지 않도록 집중해요.

QR 빠른 정답 확인

4. 받아내림이 있는 (대분수)-(진분수)

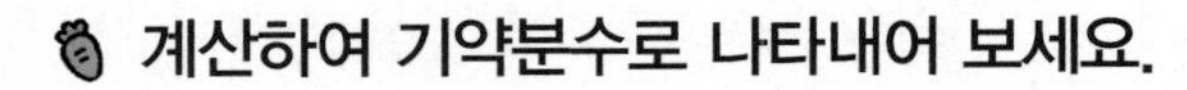

$5\frac{1}{3}-\frac{5}{9}$

$=5\frac{3}{9}-\frac{5}{9}=4\frac{12}{9}-\frac{5}{9}$

$=4+\left(\frac{12}{9}-\frac{5}{9}\right)$

$=4+\frac{7}{9}$

$=4\frac{7}{9}$

자연수에서 1을 받아내림하여 계산해요.

□ 안에 알맞은 수를 써넣으세요.

1 $2\frac{1}{8}-\frac{1}{4}$

$=2\frac{1}{8}-\frac{\square}{8}=1\frac{\square}{8}-\frac{\square}{8}$

$=1+\left(\frac{\square}{8}-\frac{\square}{8}\right)$

$=1+\frac{\square}{8}=1\frac{\square}{8}$

대분수를 가분수로 나타내어 계산할 수도 있어요.

2 $2\frac{1}{4}-\frac{5}{7}$

$=2\frac{\square}{28}-\frac{\square}{28}=\frac{\square}{28}-\frac{\square}{28}$

$=\frac{\square}{28}=\square\frac{\square}{28}$

계산하여 기약분수로 나타내어 보세요.

3 $4\frac{1}{6}-\frac{3}{8}$

4 $1\frac{2}{3}-\frac{11}{12}$

5 $5\frac{4}{11}-\frac{1}{2}$

6 $5\frac{5}{6}-\frac{9}{10}$

7 $2\frac{5}{12}-\frac{3}{4}$

8 $2\frac{1}{4}-\frac{3}{10}$

9 $3\frac{11}{24}-\frac{2}{3}$

10 $5\frac{5}{18}-\frac{7}{12}$

11 $4\frac{2}{15}-\frac{7}{10}$

12 $6\frac{7}{10}-\frac{11}{14}$

13 $5\frac{2}{3}-\frac{7}{9}$

14 $5\frac{3}{7}-\frac{3}{4}$

15 $3\frac{1}{3}-\frac{5}{8}$

16 $1\frac{2}{5}-\frac{5}{7}$

17 $1\frac{5}{8}-\frac{4}{5}$

18 $4\frac{1}{3}-\frac{7}{11}$

19 $3\frac{3}{10}-\frac{4}{5}$

20 $3\frac{1}{4}-\frac{11}{12}$

21 $4\frac{5}{12}-\frac{2}{3}$

22 $3\frac{2}{9}-\frac{4}{15}$

23 $1\frac{3}{10}-\frac{5}{8}$

24 $3\frac{1}{7}-\frac{3}{10}$

25 $1\frac{1}{10}-\frac{7}{20}$

26 $5\frac{7}{18}-\frac{11}{12}$

27 $6\frac{4}{15}-\frac{7}{10}$

28 $7\frac{5}{14}-\frac{10}{21}$

29 $1\frac{5}{12}-\frac{9}{16}$

30 $3\frac{7}{20}-\frac{7}{12}$

31 $5\frac{7}{18}-\frac{17}{30}$

맞힌 개수

개 /31개

나의 학습 결과에 ○표 하세요.

맞힌 개수	0～3개	4～16개	17～28개	29～31개
학습 방법	다시 한번 풀어 봐요.	계산 연습이 필요해요.	틀린 문제를 확인해요.	실수하지 않도록 집중해요.

QR 빠른 정답 확인

4. 받아내림이 있는 (대분수)-(진분수)

계산하여 기약분수로 나타내어 보세요.

1 $5\frac{1}{3}-\frac{2}{5}$

2 $6\frac{1}{5}-\frac{1}{3}$

3 $7\frac{1}{6}-\frac{4}{5}$

4 $3\frac{1}{3}-\frac{6}{7}$

5 $4\frac{1}{2}-\frac{7}{8}$

6 $3\frac{1}{6}-\frac{3}{4}$

7 $1\frac{1}{8}-\frac{1}{3}$

8 $3\frac{1}{7}-\frac{1}{4}$

9 $6\frac{7}{10}-\frac{3}{4}$

10 $4\frac{3}{7}-\frac{7}{10}$

11 $4\frac{3}{8}-\frac{5}{12}$

12 $3\frac{7}{12}-\frac{4}{5}$

13 $6\frac{1}{10}-\frac{1}{8}$

14 $6\frac{1}{15}-\frac{5}{6}$

15 $1\frac{5}{9}-\frac{7}{10}$

16 $2\frac{11}{45}-\frac{7}{9}$

17 $4\frac{4}{15}-\frac{5}{12}$

18 $2\frac{3}{10}-\frac{11}{15}$

19 $3\frac{5}{12}-\frac{13}{18}$

20 $7\frac{3}{20}-\frac{5}{16}$

21 $4\frac{7}{18}-\frac{13}{27}$

22 $7\frac{3}{10}-\frac{18}{25}$

23 $1\frac{9}{20}-\frac{19}{30}$

24 $3\frac{7}{24}-\frac{13}{20}$

연산 in 문장제

진우와 용민이는 운동 일기를 쓰고 있습니다. 어제 운동한 시간을 비교해 보니 운동을 진우는 $1\frac{1}{6}$시간, 용민이는 $\frac{4}{9}$시간 동안 했습니다. 진우가 용민이보다 운동을 몇 시간 더 했는지 구해 보세요.

$$1\frac{1}{6}-\frac{4}{9}=1\frac{3}{18}-\frac{8}{18}=\frac{13}{18}\text{ (시간)}$$

$1\frac{1}{6}$: 어제 진우가 운동한 시간
$\frac{4}{9}$: 어제 용민이가 운동한 시간
$\frac{13}{18}$: 어제 진우와 용민이가 운동한 시간의 차

두 분수	최소 공배수	통분한 분수
$1\frac{1}{6}$	18	$1\frac{3}{18}$
$\frac{4}{9}$		$\frac{8}{18}$

25 준원이가 3D 프린터로 장난감을 만드는 데 가지고 있던 필라멘트 $4\frac{1}{2}$ m 중에서 $\frac{5}{8}$ m를 사용하였습니다. 남은 필라멘트는 몇 m인지 구해 보세요.

답 ____________

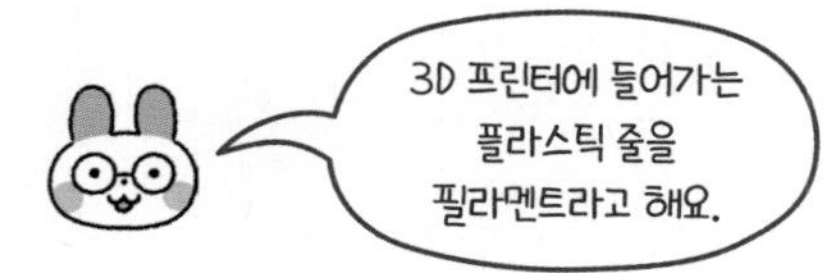

➜

두 분수	최소 공배수	통분한 분수

26 현수가 벽화를 그리기 위해 페인트 $3\frac{8}{15}$ L를 준비했습니다. 그 중 $\frac{2}{3}$ L를 사용하였다면 남은 페인트는 몇 L인지 구해 보세요.

답 ____________

➜

두 분수	최소 공배수	통분한 분수

27 진형이가 냉장고에 있는 오렌지주스 $1\frac{7}{24}$ L 중에서 $\frac{5}{12}$ L를 마셨습니다. 남은 오렌지주스는 몇 L인지 구해 보세요.

답 ____________

➜

두 분수	최소 공배수	통분한 분수

맞힌 개수

개 /27개

나의 학습 결과에 ○표 하세요.

맞힌 개수	0~3개	4~14개	15~25개	26~27개
학습 방법	다시 한번 풀어 봐요.	계산 연습이 필요해요.	틀린 문제를 확인해요.	실수하지 않도록 집중해요.

QR 빠른 정답 확인

5. 받아내림이 있는 (대분수)-(대분수)

$3\frac{1}{4}-1\frac{5}{6}$

$=3\frac{3}{12}-1\frac{10}{12}=2\frac{15}{12}-1\frac{10}{12}$

$=(2-1)+\left(\frac{15}{12}-\frac{10}{12}\right)$

$=1+\frac{5}{12}$

$=1\frac{5}{12}$

□ 안에 알맞은 수를 써넣으세요.

1 $3\frac{1}{6}-1\frac{2}{3}$

$=3\frac{1}{6}-1\frac{\square}{6}=2\frac{\square}{6}-1\frac{\square}{6}$

$=(2-1)+\left(\frac{\square}{6}-\frac{\square}{6}\right)$

$=\square+\frac{\square}{6}=\square+\frac{\square}{2}=\square\frac{\square}{2}$

2 $4\frac{1}{5}-2\frac{1}{2}$

$=4\frac{\square}{10}-2\frac{\square}{10}=\frac{\square}{10}-\frac{\square}{10}$

$=\frac{\square}{10}=\square\frac{\square}{10}$

계산하여 기약분수로 나타내어 보세요.

3 $4\frac{1}{2}-2\frac{3}{4}$

4 $7\frac{1}{3}-3\frac{2}{5}$

5 $6\frac{1}{3}-4\frac{1}{2}$

6 $5\frac{1}{4}-1\frac{2}{3}$

7 $5\frac{2}{5}-2\frac{5}{7}$

8 $6\frac{1}{9}-3\frac{1}{6}$

9 $4\frac{1}{8}-1\frac{3}{4}$

10 $3\frac{1}{10}-1\frac{3}{8}$

11 $3\frac{3}{8}-2\frac{5}{12}$

12 $5\frac{1}{15}-4\frac{5}{6}$

13 $4\frac{3}{7}-2\frac{9}{10}$

14 $6\frac{7}{12}-3\frac{4}{5}$

15 $7\frac{5}{6}-3\frac{15}{16}$

16 $2\frac{5}{12}-1\frac{3}{7}$

17 $5\frac{1}{9}-3\frac{10}{11}$

18 $8\frac{3}{10}-5\frac{13}{25}$

19 $2\frac{1}{3}-1\frac{5}{6}$

20 $4\frac{1}{4}-2\frac{1}{2}$

21 $3\frac{1}{6}-1\frac{7}{8}$

22 $5\frac{1}{3}-1\frac{5}{9}$

23 $4\frac{1}{5}-2\frac{2}{3}$

24 $2\frac{1}{6}-1\frac{4}{9}$

25 $3\frac{1}{4}-1\frac{5}{7}$

26 $3\frac{2}{7}-1\frac{7}{10}$

27 $4\frac{1}{5}-3\frac{7}{15}$

28 $2\frac{1}{4}-1\frac{3}{10}$

29 $7\frac{4}{11}-3\frac{1}{2}$

30 $7\frac{5}{16}-2\frac{7}{8}$

31 $3\frac{1}{12}-2\frac{1}{4}$

맞힌 개수

개 /31개

나의 학습 결과에 ○표 하세요.

맞힌 개수	0～3개	4～16개	17～28개	29～31개
학습 방법	다시 한번 풀어 봐요.	계산 연습이 필요해요.	틀린 문제를 확인해요.	실수하지 않도록 집중해요.

QR 빠른 정답 확인

10일차 5. 받아내림이 있는 (대분수)-(대분수)

계산하여 기약분수로 나타내어 보세요.

1. $5\frac{1}{5}-2\frac{2}{3}$

2. $4\frac{1}{6}-1\frac{4}{5}$

3. $5\frac{2}{7}-2\frac{3}{4}$

4. $4\frac{1}{2}-3\frac{7}{8}$

5. $6\frac{1}{8}-2\frac{1}{3}$

6. $4\frac{1}{6}-1\frac{3}{4}$

7. $5\frac{4}{9}-2\frac{2}{3}$

8. $3\frac{2}{3}-2\frac{3}{4}$

9. $4\frac{3}{10}-2\frac{5}{9}$

10. $7\frac{2}{9}-4\frac{5}{6}$

11. $5\frac{1}{3}-4\frac{6}{7}$

12. $6\frac{7}{10}-2\frac{3}{4}$

13. $8\frac{4}{9}-3\frac{11}{12}$

14. $5\frac{2}{7}-4\frac{3}{8}$

15. $2\frac{4}{15}-1\frac{5}{12}$

16. $5\frac{1}{14}-2\frac{3}{8}$

17. $7\frac{3}{10}-5\frac{11}{15}$

18. $6\frac{5}{12}-2\frac{13}{18}$

19. $8\frac{9}{20}-5\frac{19}{30}$

20. $5\frac{4}{15}-1\frac{9}{25}$

21. $3\frac{3}{20}-1\frac{5}{16}$

22. $2\frac{3}{10}-1\frac{13}{18}$

23. $5\frac{5}{18}-2\frac{11}{24}$

24. $3\frac{13}{27}-2\frac{7}{12}$

연산 in 문장제

석준이는 만들기를 하기 위하여 준비한 색 테이프 $2\frac{1}{2}$ m 중에서 $1\frac{4}{5}$ m를 사용하였습니다. 남은 색 테이프는 몇 m인지 구해 보세요.

$$2\frac{1}{2}-1\frac{4}{5}=2\frac{5}{10}-1\frac{8}{10}=\frac{7}{10}\,(\mathrm{m})$$

($2\frac{1}{2}$: 준비한 색 테이프의 길이, $1\frac{4}{5}$: 사용한 색 테이프의 길이, $\frac{7}{10}$: 남은 색 테이프의 길이)

두 분수	최소 공배수	통분한 분수
$2\frac{1}{2}$	10	$2\frac{5}{10}$
$1\frac{4}{5}$		$1\frac{8}{10}$

25 연주가 주말농장에서 고구마 $3\frac{2}{5}$ kg을 캤습니다. 캔 고구마 중에서 $1\frac{9}{10}$ kg을 옆집에 나누어 주었다면, 남은 고구마는 몇 kg인지 구해 보세요.

답 ____________

➜

두 분수	최소 공배수	통분한 분수

26 민규가 할아버지 댁에 가는 데 국도를 이용하면 $3\frac{5}{6}$시간, 고속도로를 이용하면 $2\frac{8}{9}$시간이 걸린다고 합니다. 고속도로를 이용하면 국도를 이용하는 것보다 몇 시간 더 일찍 도착하는지 구해 보세요.

답 ____________

➜

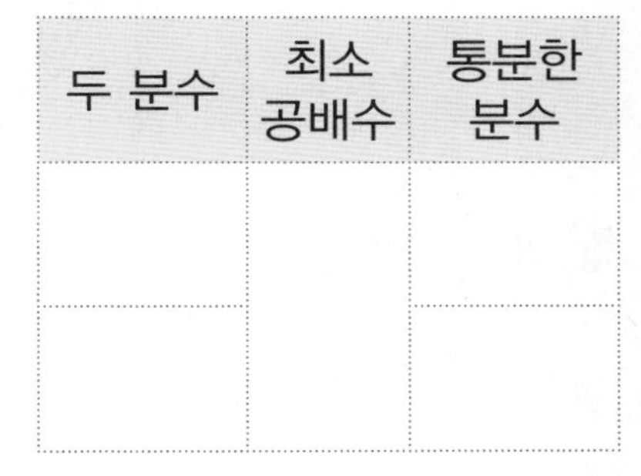

두 분수	최소 공배수	통분한 분수

27 원민이는 집에서 편의점을 지나 수영장까지 $7\frac{3}{10}$ km를 갔습니다. 집에서 편의점까지 $1\frac{7}{8}$ km는 마을버스를 타고 갔고, 편의점에서 수영장까지는 시내버스를 타고 갔다면, 시내버스를 타고 간 거리는 몇 km인지 구해 보세요.

답 ____________

➜

두 분수	최소 공배수	통분한 분수

맞힌 개수

개 /27개

나의 학습 결과에 ○표 하세요.

맞힌 개수	0~3개	4~14개	15~25개	26~27개
학습 방법	다시 한번 풀어 봐요.	계산 연습이 필요해요.	틀린 문제를 확인해요.	실수하지 않도록 집중해요.

QR 빠른 정답 확인

11 일차 6. 분수의 덧셈과 뺄셈

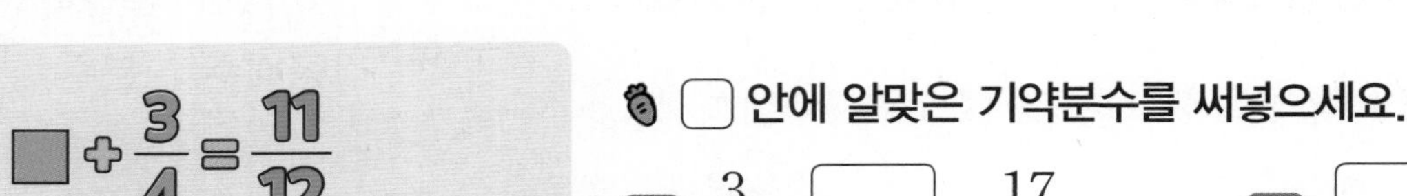

$\square + \frac{3}{4} = \frac{11}{12}$

⇨ $\square = \frac{11}{12} - \frac{3}{4} = \frac{1}{6}$

$\frac{7}{9} - \square = \frac{2}{3}$

⇨ $\square = \frac{7}{9} - \frac{2}{3} = \frac{1}{9}$

어떤 수(■)를 구하려고 합니다. □ 안에 알맞은 기약분수를 써넣으세요.

1 $■ + \frac{3}{5} = \frac{14}{15}$

$■ = \frac{14}{15} - \frac{3}{5}$

$= \square$

2 $■ - \frac{2}{5} = \frac{1}{2}$

$■ = \frac{1}{2} + \frac{2}{5}$

$= \square$

□ 안에 알맞은 기약분수를 써넣으세요.

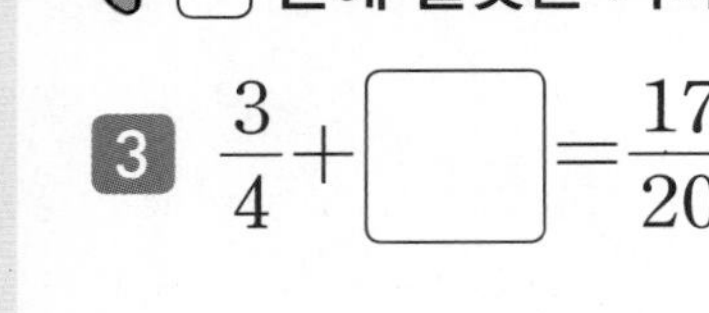

3 $\frac{3}{4} + \square = \frac{17}{20}$

4 $\frac{5}{6} + \square = 1\frac{1}{18}$

5 $\square + \frac{19}{42} = 1\frac{1}{14}$

6 $\square + 1\frac{1}{7} = 1\frac{4}{21}$

7 $3\frac{3}{10} + \square = 5\frac{43}{60}$

8 $2\frac{7}{12} + \square = 3\frac{5}{36}$

9 $\square + 1\frac{3}{10} = 3\frac{13}{60}$

10 $\square + 2\frac{3}{10} = 5\frac{1}{30}$

11 $\square - \frac{1}{12} = \frac{1}{24}$

12 $7\frac{11}{14} - \square = 7\frac{15}{28}$

13 $\square - 2\frac{1}{12} = 1\frac{1}{36}$

14 $\square - 2\frac{3}{8} = 5\frac{3}{16}$

15 $4\frac{5}{8} - \square = 3\frac{19}{24}$

16 $6\frac{3}{5} - \square = 5\frac{29}{40}$

17 $5\frac{3}{4} - \square = 2\frac{35}{36}$

18 $8\frac{2}{7} - \square = 2\frac{19}{42}$

19 $\frac{1}{4}+\square=\frac{5}{8}$

20 $\square+\frac{1}{3}=1\frac{1}{4}$

21 $\square+\frac{2}{5}=1\frac{1}{4}$

22 $3\frac{2}{5}+\square=3\frac{9}{10}$

23 $\frac{4}{5}+\square=3\frac{14}{15}$

24 $\square+2\frac{1}{6}=5\frac{9}{10}$

25 $3\frac{5}{12}+\square=6\frac{3}{4}$

26 $\square+2\frac{3}{4}=3\frac{5}{12}$

27 $\square+1\frac{10}{21}=2\frac{1}{3}$

28 $\square+3\frac{5}{6}=7\frac{1}{12}$

29 $1\frac{5}{6}+\square=5\frac{7}{30}$

30 $\square-\frac{3}{4}=\frac{5}{36}$

31 $\square-\frac{4}{9}=\frac{7}{18}$

32 $\square-\frac{1}{10}=2\frac{3}{20}$

33 $4\frac{5}{6}-\square=4\frac{3}{4}$

34 $7\frac{9}{16}-\square=5\frac{3}{8}$

35 $\square-2\frac{1}{3}=\frac{4}{15}$

36 $2\frac{1}{8}-\square=1\frac{19}{24}$

37 $2\frac{1}{2}-\square=1\frac{3}{4}$

38 $\square-4\frac{2}{3}=3\frac{7}{12}$

39 $\square-1\frac{5}{7}=1\frac{13}{14}$

맞힌 개수

개 /39개

나의 학습 결과에 ○표 하세요.

맞힌 개수	0~4개	5~20개	21~36개	37~39개
학습 방법	다시 한번 풀어 봐요.	계산 연습이 필요해요.	틀린 문제를 확인해요.	실수하지 않도록 집중해요.

QR 빠른 정답 확인

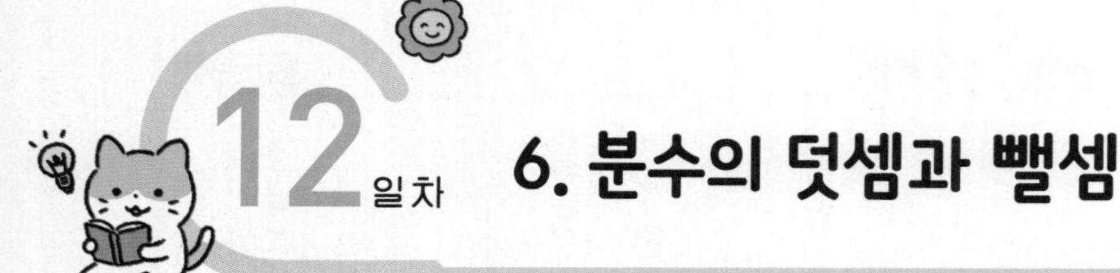

6. 분수의 덧셈과 뺄셈

□ 안에 알맞은 기약분수를 써넣으세요.

1 $\square+\frac{2}{5}=\frac{13}{20}$

2 $\square+\frac{2}{3}=\frac{31}{33}$

3 $\frac{7}{10}+\square=1\frac{1}{2}$

4 $\frac{7}{9}+\square=1\frac{5}{18}$

5 $3\frac{3}{4}+\square=3\frac{11}{12}$

6 $\frac{1}{6}+\square=1\frac{19}{24}$

7 $2\frac{1}{7}+\square=5\frac{37}{63}$

8 $\square+1\frac{3}{7}=3\frac{16}{21}$

9 $\square+\frac{4}{5}=3\frac{1}{20}$

10 $\frac{5}{6}+\square=4\frac{5}{18}$

11 $\square+3\frac{4}{7}=6\frac{6}{35}$

12 $1\frac{5}{8}+\square=5\frac{9}{40}$

13 $\square-\frac{1}{15}=\frac{2}{45}$

14 $\frac{1}{10}-\square=\frac{1}{60}$

15 $\square-\frac{4}{9}=\frac{13}{72}$

16 $\square-\frac{1}{7}=2\frac{3}{28}$

17 $\square-\frac{1}{4}=2\frac{1}{6}$

18 $3\frac{2}{3}-\square=2\frac{1}{15}$

19 $\square-3\frac{1}{3}=2\frac{8}{21}$

20 $6\frac{3}{10}-\square=5\frac{67}{90}$

21 $4\frac{3}{7}-\square=3\frac{37}{70}$

22 $\square-1\frac{1}{3}=1\frac{8}{9}$

23 $\square-2\frac{5}{6}=6\frac{23}{30}$

24 $\square-3\frac{13}{18}=\frac{26}{45}$

연산 in 문장제

영미의 컵에 오렌지주스 $\frac{2}{3}$ L를 더 담았더니 오렌지주스 $1\frac{2}{9}$ L가 되었습니다. 처음 컵에 있던 오렌지주스는 몇 L인지 구해 보세요.

$$\blacksquare+\frac{2}{3}=1\frac{2}{9} \Rightarrow \blacksquare=1\frac{2}{9}-\frac{2}{3}=\frac{5}{9}\,(\mathrm{L})$$

처음 컵에 있던 오렌지주스의 양 / 더 담은 오렌지주스의 양 / 컵에 담긴 오렌지주스의 양

25 성원이가 선물을 포장하는 데 끈 $\frac{1}{5}$ m를 사용하였습니다. 사용하고 남은 끈이 $\frac{1}{2}$ m라면 처음에 있던 끈은 몇 m인지 구해 보세요.

답 ______________

26 흰색 물감에 녹색 물감 $\frac{5}{6}$ g을 섞어서 연두색 물감 $3\frac{1}{12}$ g을 만들었습니다. 흰색 물감을 몇 g 섞었는지 구해 보세요.

답 ______________

27 성희가 모형 자동차를 만드는 데 아크릴판 $1\frac{5}{12}$장을 사용하고 남은 아크릴판이 $2\frac{5}{24}$장입니다. 성희가 처음에 가지고 있던 아크릴판은 몇 장인지 구해 보세요.

답 ______________

28 수연이네 집 수조에 물 $4\frac{1}{2}$ L를 더 넣었더니 물 $7\frac{1}{8}$ L가 되었습니다. 처음 수조에 있던 물은 몇 L인지 구해 보세요.

답 ______________

맞힌 개수

개 /28개

나의 학습 결과에 ○표 하세요.

맞힌 개수	0~3개	4~14개	15~25개	26~28개
학습 방법	다시 한번 풀어 봐요.	계산 연습이 필요해요.	틀린 문제를 확인해요.	실수하지 않도록 집중해요.

QR 빠른 정답 확인

13일차 연산&문장제 마무리

계산하여 기약분수로 나타내어 보세요.

1 $\frac{1}{4}-\frac{1}{6}$

2 $\frac{1}{8}-\frac{1}{14}$

3 $\frac{8}{9}-\frac{3}{4}$

4 $\frac{4}{5}-\frac{1}{3}$

5 $\frac{7}{8}-\frac{3}{5}$

6 $\frac{6}{7}-\frac{3}{8}$

7 $\frac{7}{11}-\frac{3}{7}$

8 $\frac{17}{32}-\frac{11}{24}$

9 $4\frac{1}{3}-\frac{1}{7}$

10 $2\frac{3}{5}-\frac{1}{2}$

11 $4\frac{5}{6}-\frac{1}{3}$

12 $4\frac{5}{7}-\frac{1}{2}$

13 $3\frac{4}{9}-\frac{1}{3}$

14 $5\frac{5}{6}-\frac{5}{9}$

15 $2\frac{5}{8}-\frac{5}{12}$

16 $1\frac{2}{3}-\frac{4}{13}$

17 $3\frac{1}{7}-2\frac{1}{8}$

18 $4\frac{3}{8}-1\frac{1}{4}$

19 $3\frac{2}{3}-1\frac{3}{5}$

20 $3\frac{3}{5}-1\frac{1}{4}$

21 $5\frac{5}{7}-3\frac{1}{3}$

22 $2\frac{6}{7}-1\frac{5}{12}$

23 $2\frac{7}{9}-1\frac{8}{15}$

24 $4\frac{4}{5}-2\frac{2}{11}$

25 $2\frac{1}{4}-\frac{1}{3}$

26 $4\frac{1}{6}-\frac{1}{2}$

27 $3\frac{3}{5}-\frac{2}{3}$

28 $2\frac{1}{2}-\frac{4}{5}$

29 $3\frac{1}{4}-\frac{5}{8}$

30 $3\frac{2}{7}-\frac{5}{14}$

31 $4\frac{11}{24}-\frac{5}{8}$

32 $2\frac{2}{13}-\frac{1}{2}$

33 $4\frac{1}{5}-1\frac{1}{4}$

34 $3\frac{1}{6}-2\frac{2}{3}$

35 $3\frac{2}{9}-1\frac{1}{3}$

36 $7\frac{3}{4}-2\frac{11}{12}$

37 $5\frac{1}{2}-4\frac{7}{9}$

38 $5\frac{3}{4}-2\frac{4}{5}$

39 $4\frac{3}{8}-3\frac{2}{3}$

40 $4\frac{3}{5}-1\frac{7}{9}$

☐ 안에 알맞은 기약분수를 써넣으세요.

41 $\frac{7}{11}+\square=1\frac{24}{55}$

42 $\square+\frac{1}{8}=2\frac{19}{24}$

43 $2\frac{1}{8}+\square=5\frac{33}{40}$

44 $1\frac{5}{9}+\square=4\frac{13}{72}$

45 $\square-\frac{2}{5}=\frac{17}{45}$

46 $\square-2\frac{1}{12}=4\frac{3}{4}$

47 $3\frac{1}{7}-\square=2\frac{33}{35}$

48 $\square-2\frac{5}{7}=1\frac{37}{56}$

연산 노트

49 은경이가 우유 $\frac{3}{4}$ L 중에서 $\frac{2}{5}$ L를 마셨습니다. 남은 우유는 몇 L인지 구해 보세요.

답 ____________

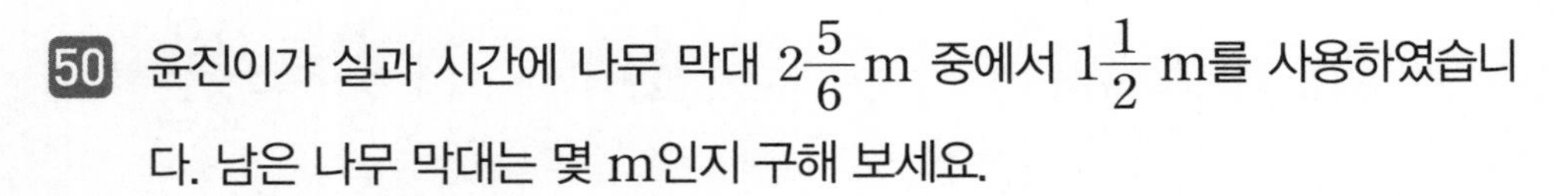

50 윤진이가 실과 시간에 나무 막대 $2\frac{5}{6}$ m 중에서 $1\frac{1}{2}$ m를 사용하였습니다. 남은 나무 막대는 몇 m인지 구해 보세요.

답 ____________

51 솔민이 어머니가 텃밭에서 캔 감자 $6\frac{1}{8}$ kg 중에서 $\frac{1}{5}$ kg으로 감자 샐러드를 만들었습니다. 남은 감자는 몇 kg인지 구해 보세요.

답 ____________

52 정희가 지점토 $2\frac{1}{2}$ kg 중에서 $1\frac{4}{5}$ kg으로 꽃 모양을 만들었습니다. 남은 지점토는 몇 kg인지 구해 보세요.

답 ____________

53 수원이가 3D 프린터로 장난감을 만들었습니다. 가지고 있던 필라멘트 $3\frac{1}{7}$ m 중에서 장난감을 만들고 남은 필라멘트가 $2\frac{33}{35}$ m이면, 장난감을 만드는 데 사용한 필라멘트는 몇 m인지 구해 보세요.

답 ____________

나의 학습 결과에 ○표 하세요.

맞힌 개수	0～5개	6～27개	28～49개	50～53개
학습 방법	다시 한번 풀어 봐요.	계산 연습이 필요해요.	틀린 문제를 확인해요.	실수하지 않도록 집중해요.

6

다각형의 둘레와 넓이

학습 주제	학습 일차	맞힌 개수
1. 정다각형의 둘레	01일차	/19
	02일차	/13
2. 사각형의 둘레	03일차	/17
	04일차	/15
3. 직사각형의 넓이	05일차	/18
	06일차	/15
4. 평행사변형의 넓이	07일차	/18
	08일차	/15
5. 삼각형의 넓이	09일차	/19
	10일차	/15
6. 마름모의 넓이	11일차	/18
	12일차	/15
7. 사다리꼴의 넓이	13일차	/19
	14일차	/15
연산 & 문장제 마무리	15일차	/35

1. 정다각형의 둘레

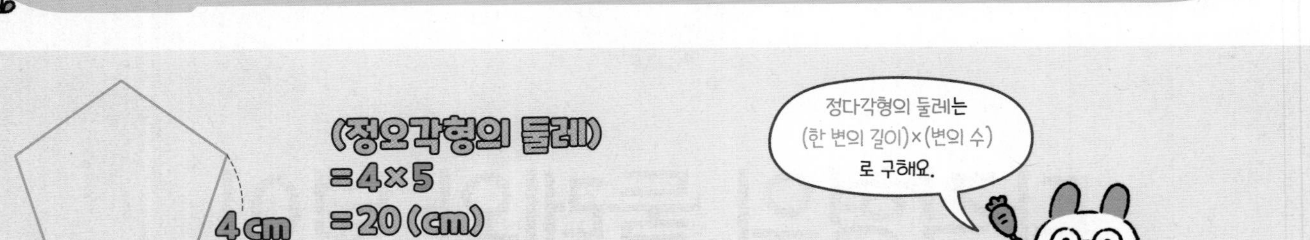

정다각형의 둘레를 구하려고 합니다. ☐ 안에 알맞은 수를 써넣으세요.

1

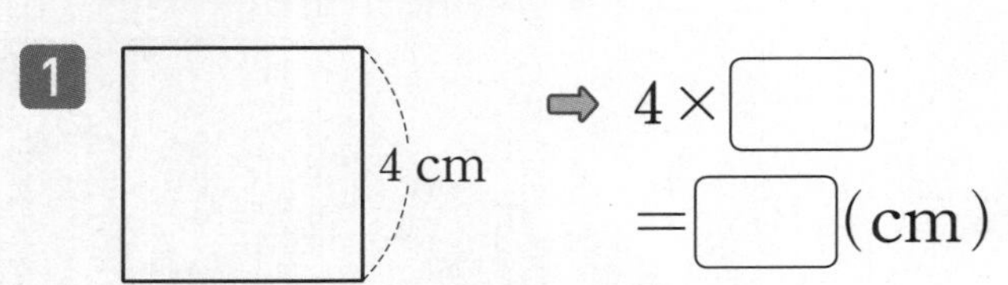

2

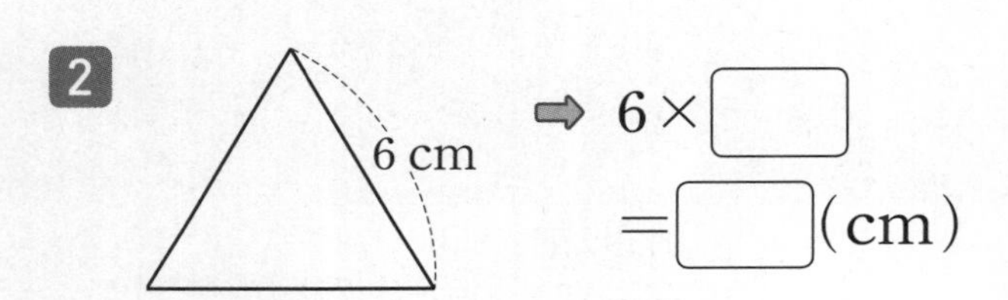

3

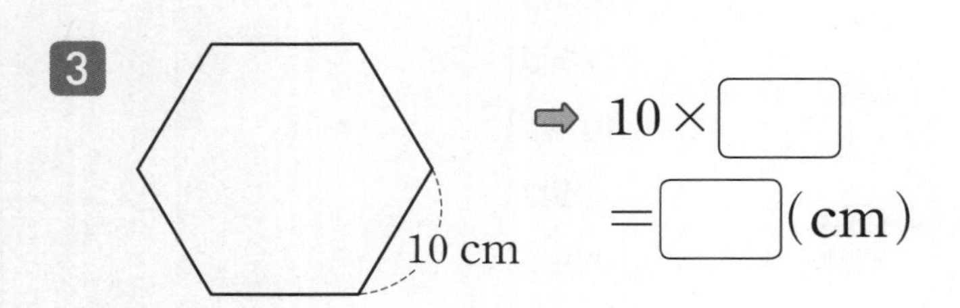

4

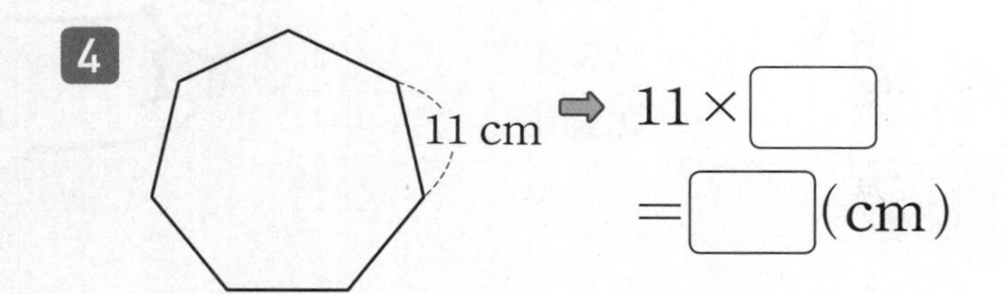

정다각형의 둘레를 구해 보세요.

5

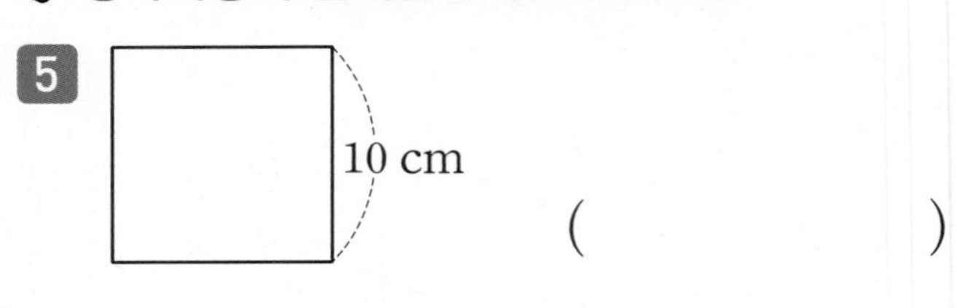

(　　　　　　　　)

6

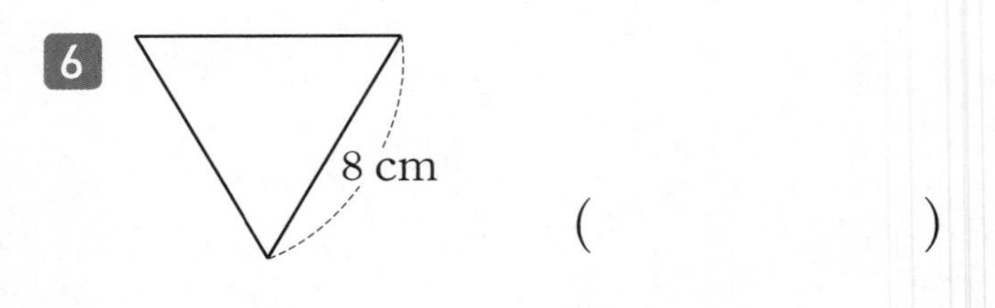

(　　　　　　　　)

7

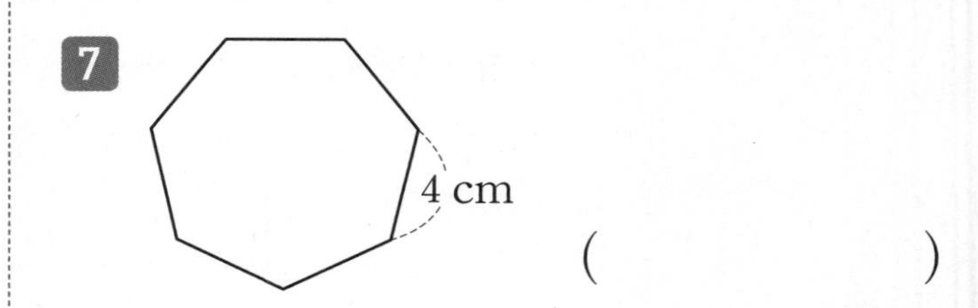

(　　　　　　　　)

8

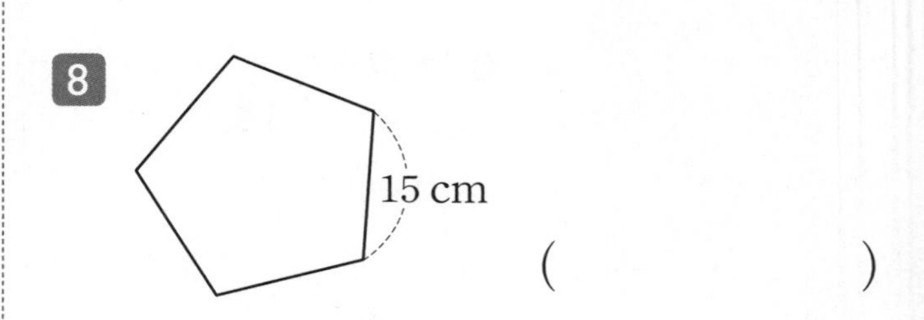

(　　　　　　　　)

9

7 cm

(　　　　　　　　)

10

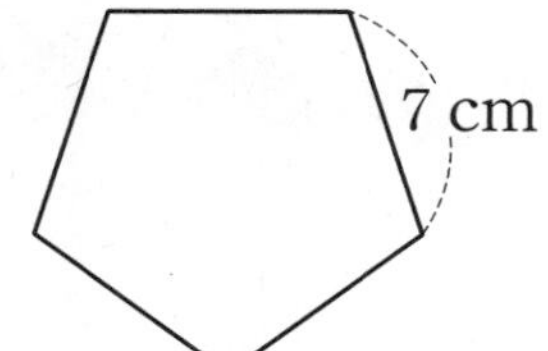

(　　　　　)

11

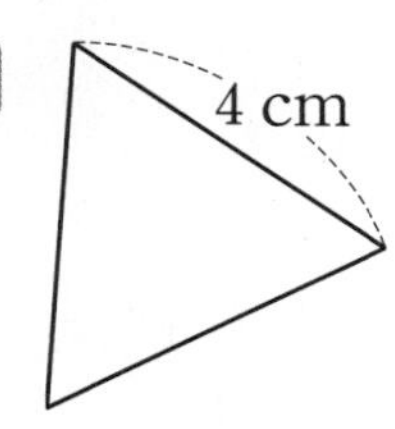

(　　　　　)

12

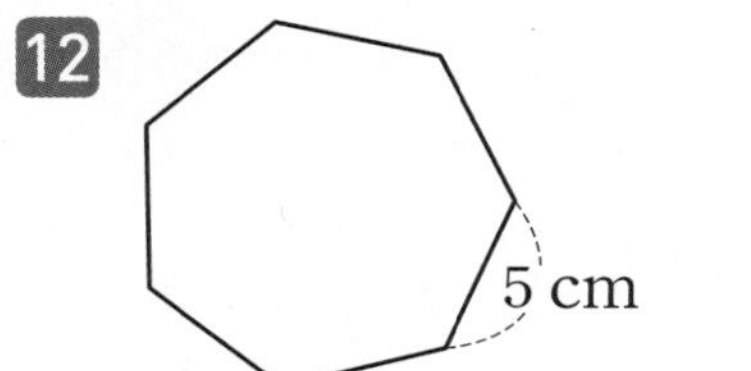

(　　　　　)

13

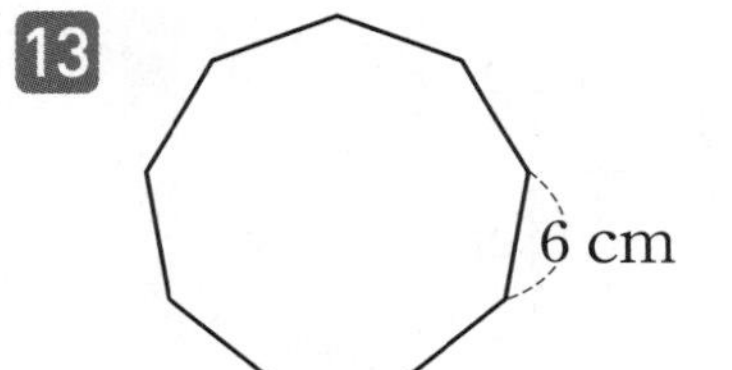

(　　　　　)

14

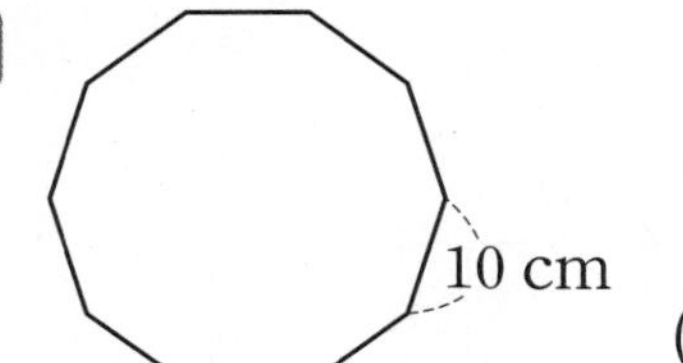

(　　　　　)

15

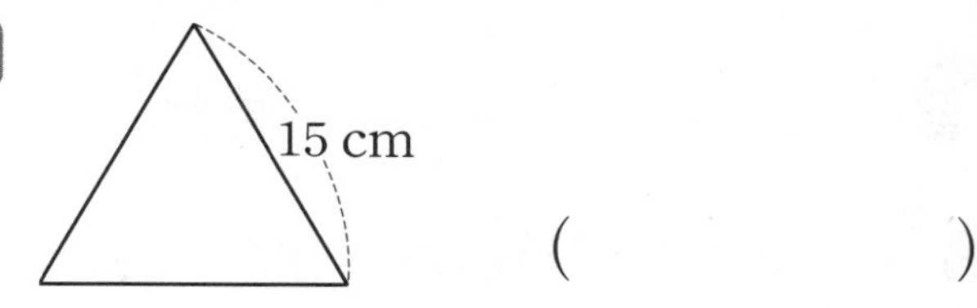

(　　　　　)

16

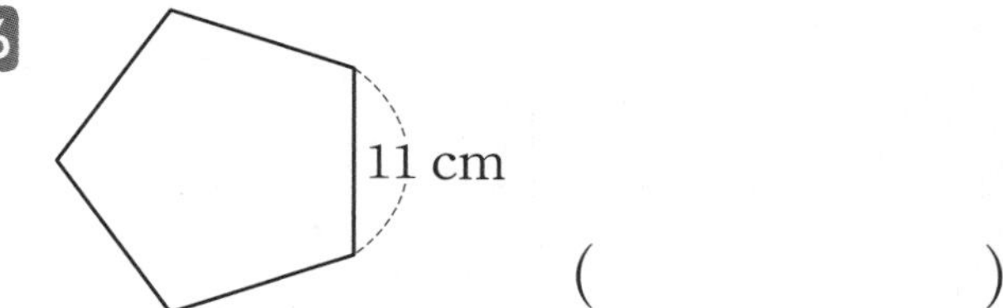

(　　　　　)

17

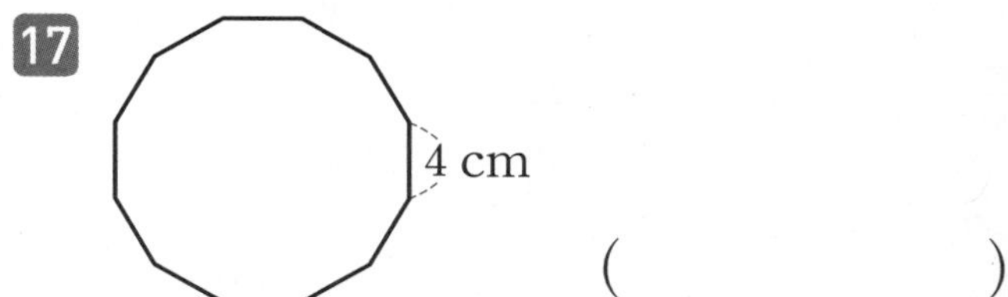

(　　　　　)

18

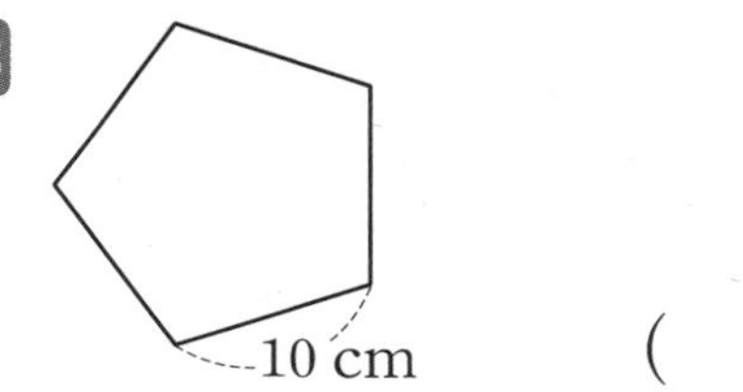

(　　　　　)

19

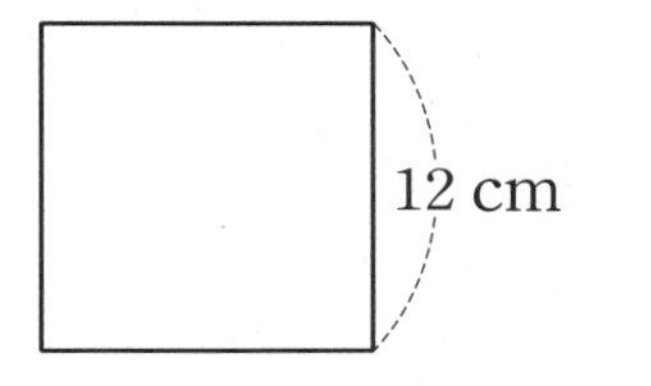

(　　　　　)

맞힌 개수
개 /19개

나의 학습 결과에 ○표 하세요.

맞힌 개수	0～2개	3～10개	11～17개	18～19개
학습 방법	다시 한번 풀어 봐요.	계산 연습이 필요해요.	틀린 문제를 확인해요.	실수하지 않도록 집중해요.

QR 빠른 정답 확인

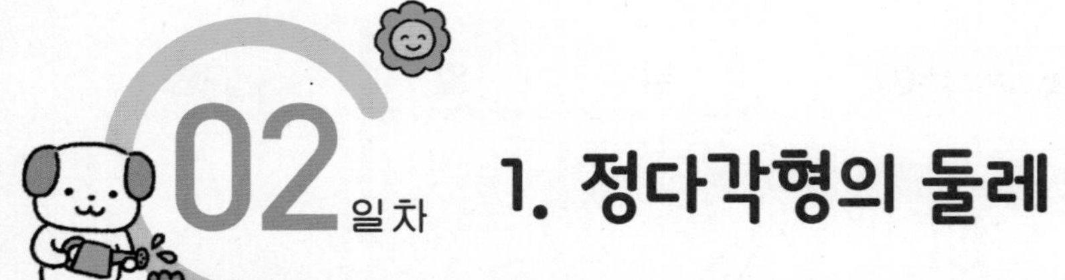

1. 정다각형의 둘레

정다각형의 한 변의 길이를 구해 보세요.

1 둘레: 68 cm

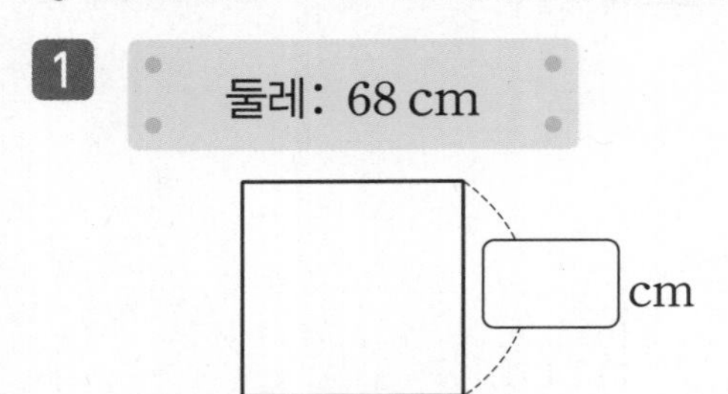

2 둘레: 65 cm

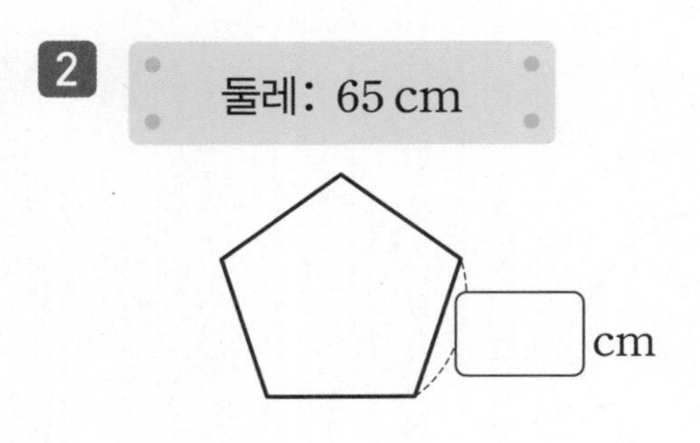

3 둘레: 51 cm

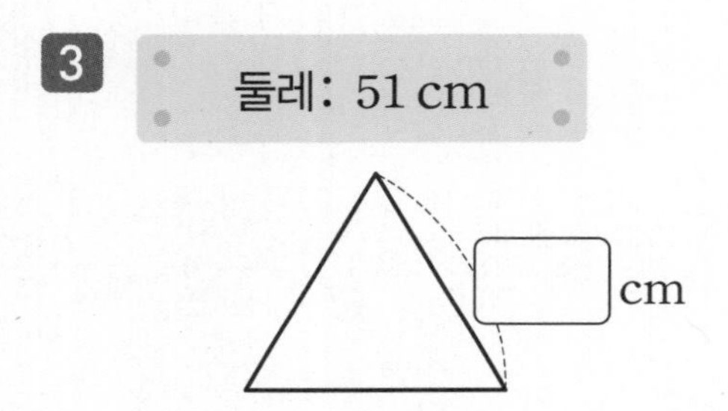

4 둘레: 36 cm

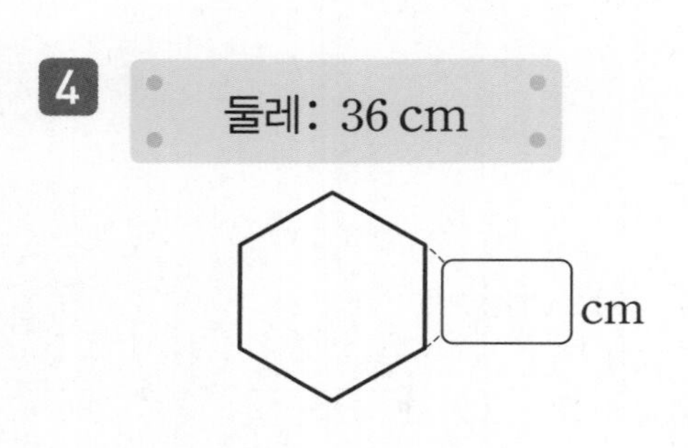

5 둘레: 70 cm

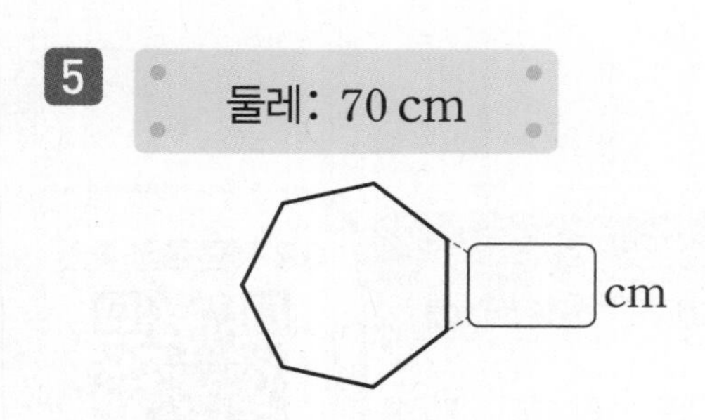

6 둘레: 96 cm

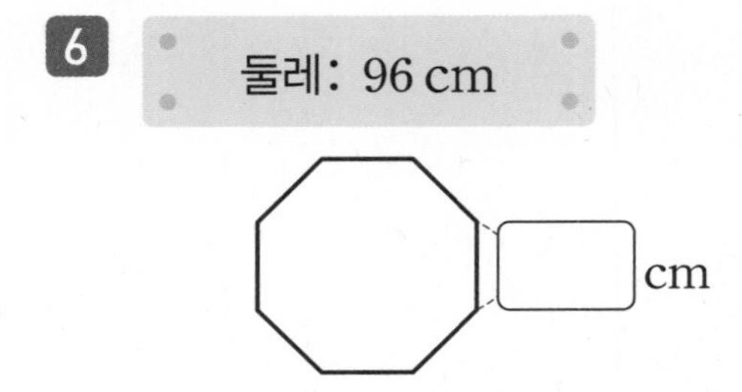

7 둘레: 98 cm

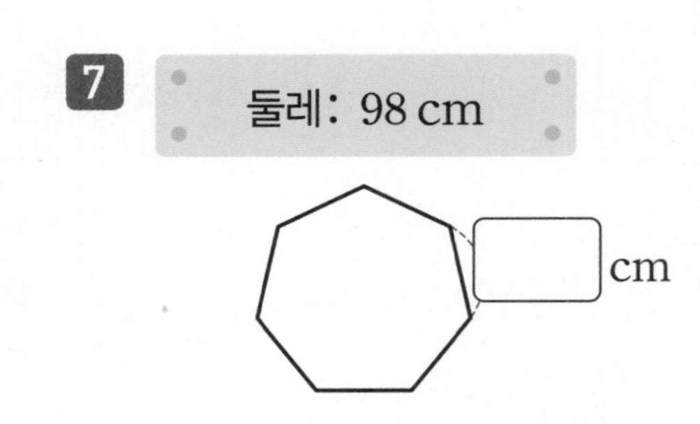

8 둘레: 144 cm

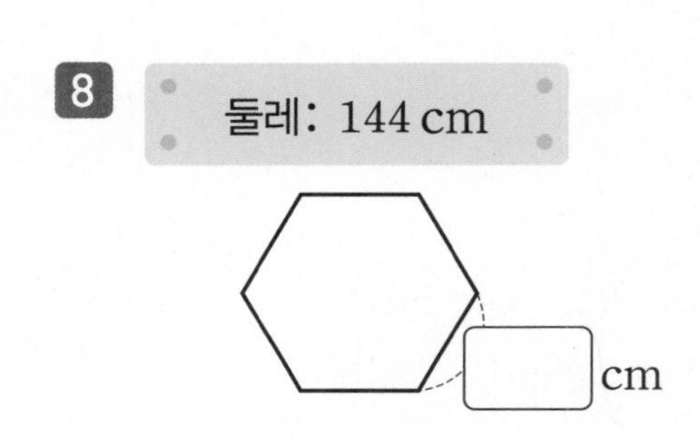

9 둘레: 45 cm

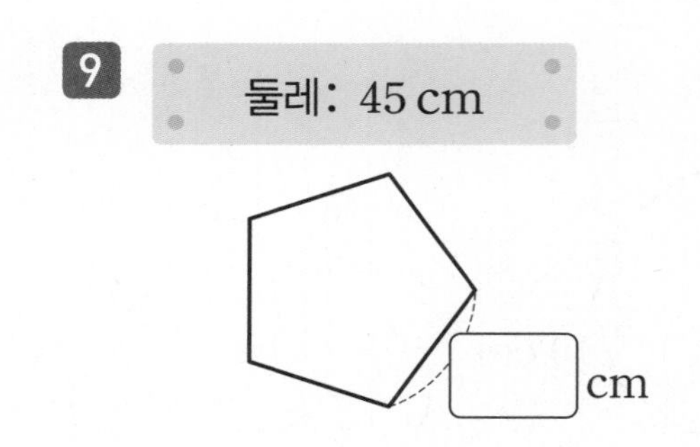

10 둘레: 153 cm

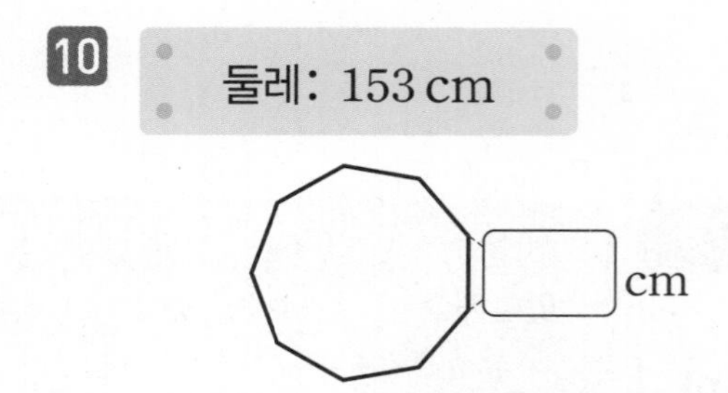

연산 in 문장제

한 변의 길이가 25 cm인 정팔각형 모양의 액자가 있습니다. 액자의 둘레는 몇 cm인지 구해 보세요.

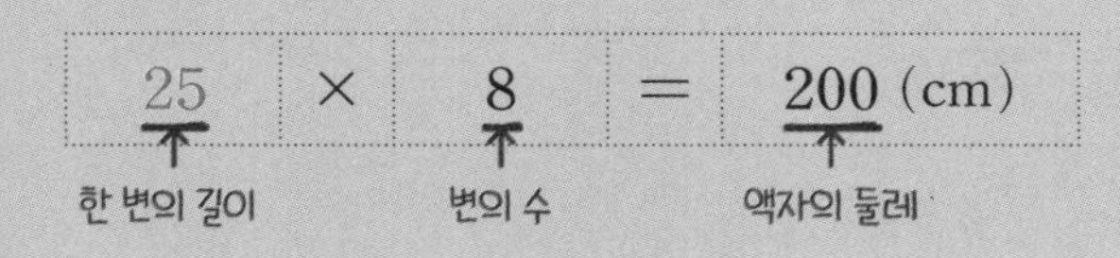

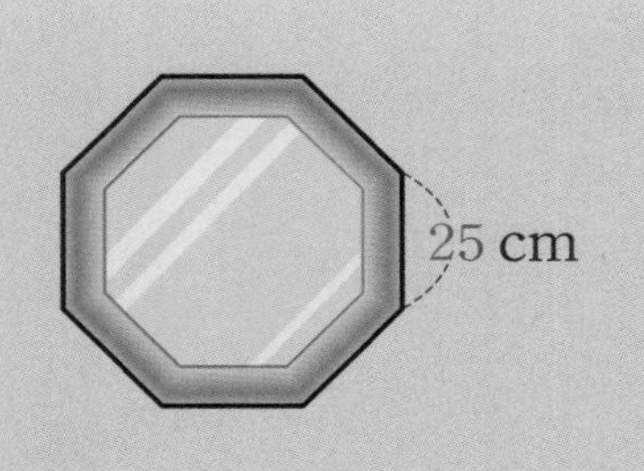

11 철사로 한 변의 길이가 15 cm인 정십각형을 만들려고 합니다. 철사가 서로 겹쳐지지 않게 만든다면 필요한 철사의 길이는 몇 cm인지 구해 보세요.

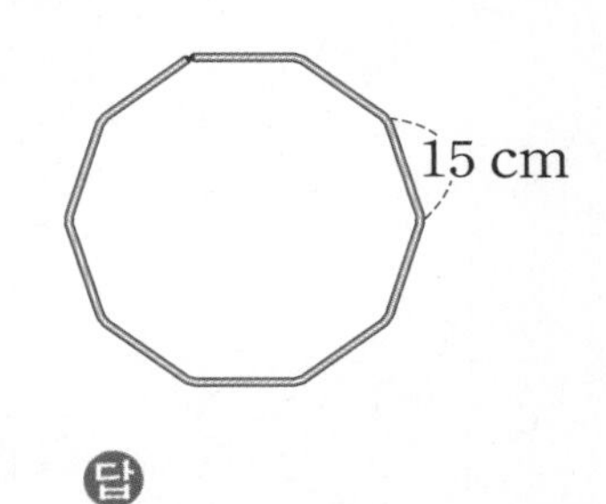

➜ 

답 ____________

12 정사각형 모양의 색종이가 있습니다. 색종이의 한 변의 길이가 24 cm이면 색종이의 둘레는 몇 cm인지 구해 보세요.

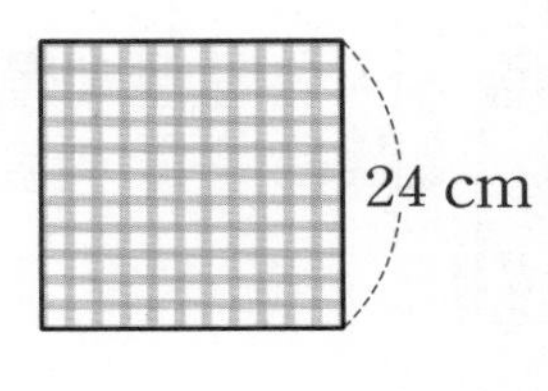

➜ 

답 ____________

13 한 변의 길이가 13 cm인 정삼각형 모양의 생일 파티 장식이 있습니다. 장식 하나의 둘레에 색 테이프를 붙이려고 합니다. 색 테이프를 겹쳐지지 않게 붙이려면 필요한 색 테이프의 길이는 몇 cm인지 구해 보세요.

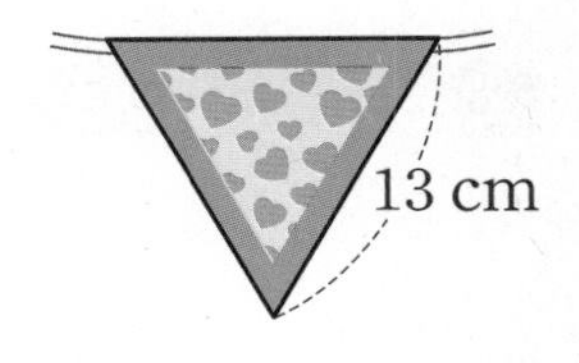

➜ □ × □ = □

답 ____________

맞힌 개수

개 /13개

나의 학습 결과에 ○표 하세요.

맞힌 개수	0～2개	3～7개	8～11개	12～13개
학습 방법	다시 한번 풀어 봐요.	계산 연습이 필요해요.	틀린 문제를 확인해요.	실수하지 않도록 집중해요.

QR 빠른 정답 확인

2. 사각형의 둘레

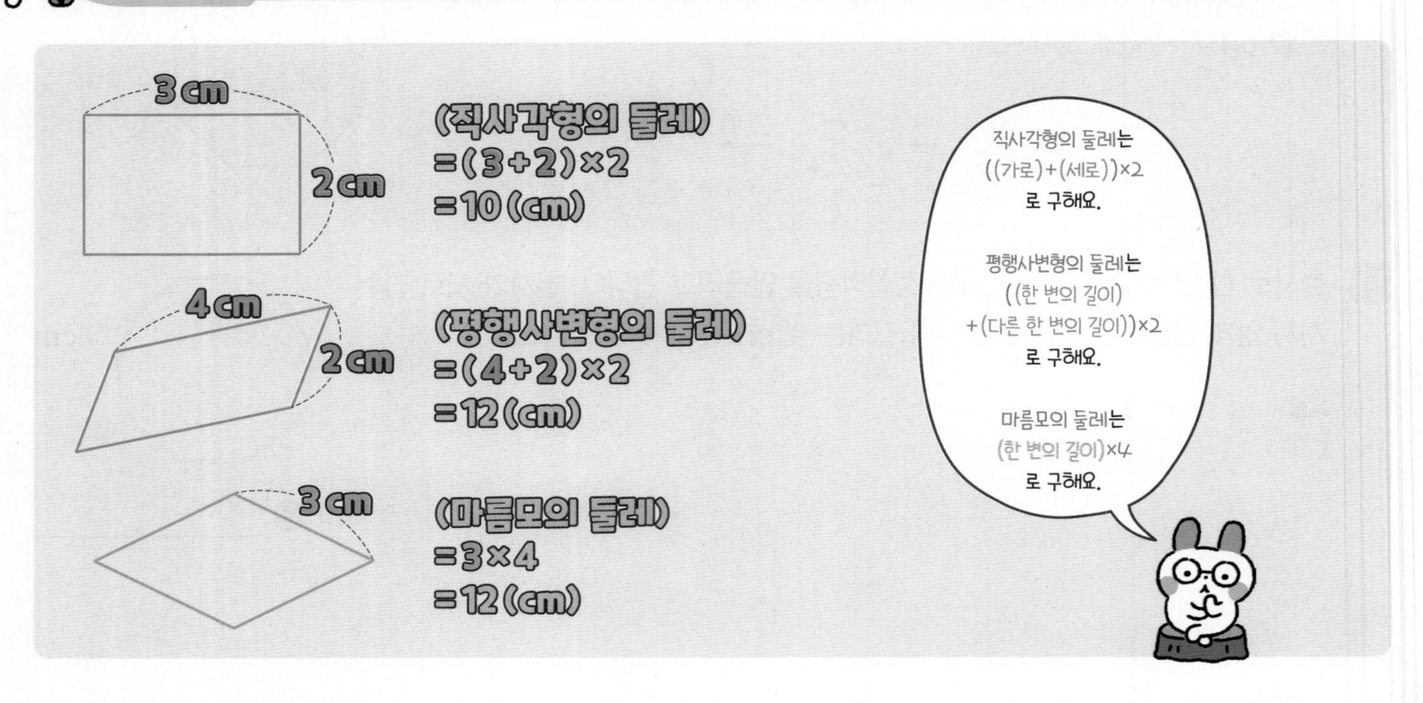

사각형의 둘레를 구하려고 합니다. □ 안에 알맞은 수를 써넣으세요.

1 3 cm, 4 cm

(직사각형의 둘레)
$=(3+\square)\times 2$
$=\square$(cm)

2 5 cm, 9 cm

(평행사변형의 둘레)
$=(5+\square)\times 2$
$=\square$(cm)

3 4 cm

(마름모의 둘레)
$=4\times\square$
$=\square$(cm)

직사각형, 평행사변형, 마름모의 둘레를 구해 보세요.

4 15 cm, 10 cm

(　　　　)

5 5 cm

(　　　　)

6 10 cm, 12 cm

(　　　　)

7 5 cm, 8 cm

(　　　　)

8
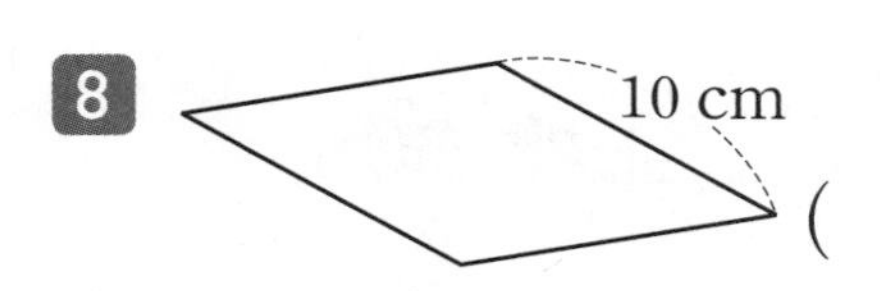

(   )

9
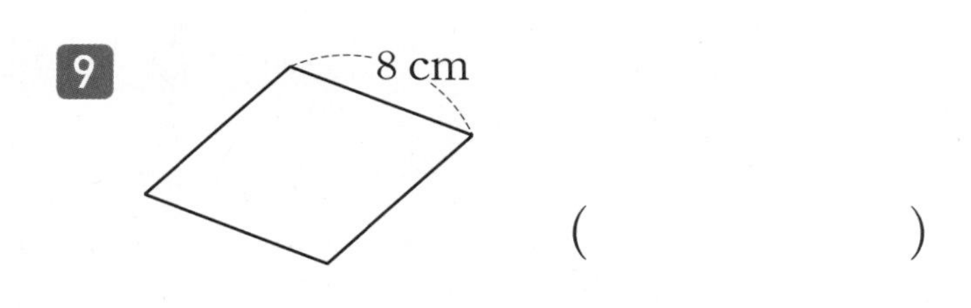

(   )

10
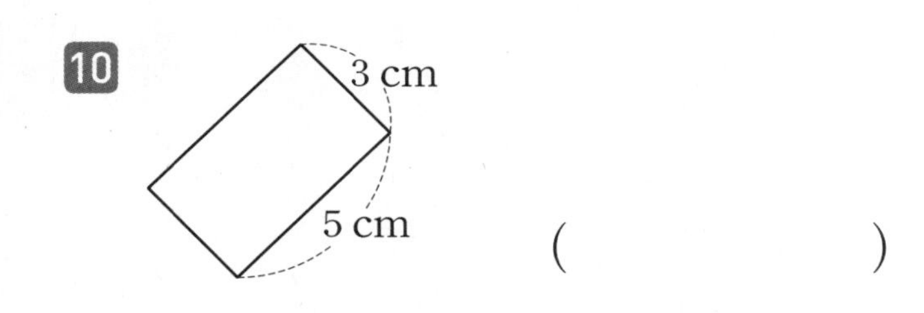

(   )

11
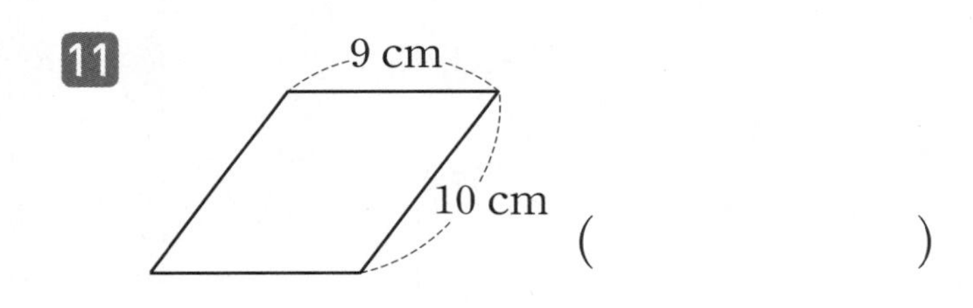

(   )

12
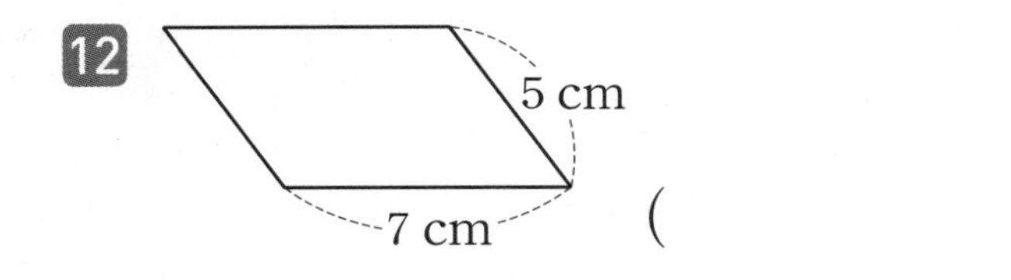

(   )

13
4 cm
(   )

14
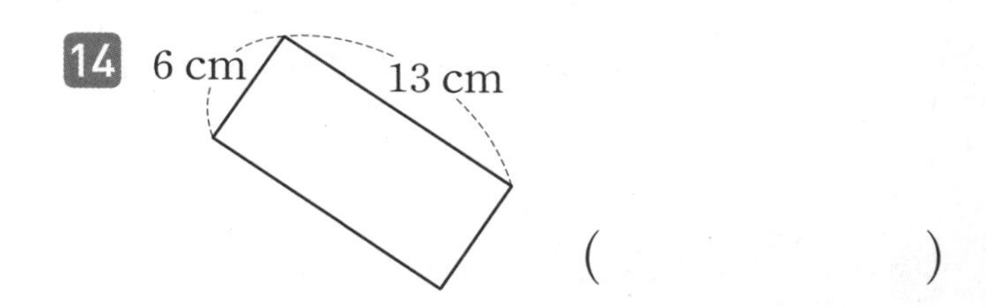

(   )

15
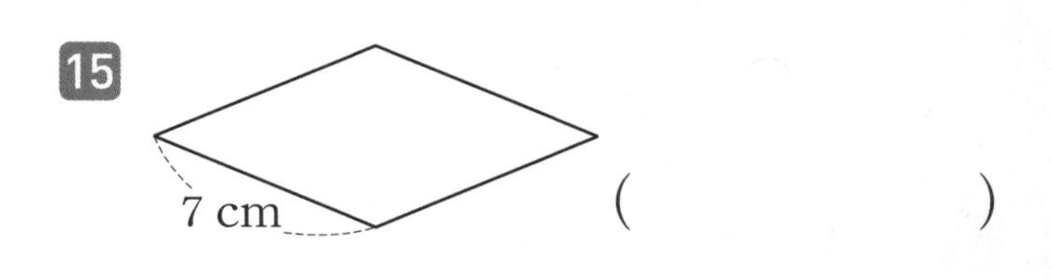

(   )

16
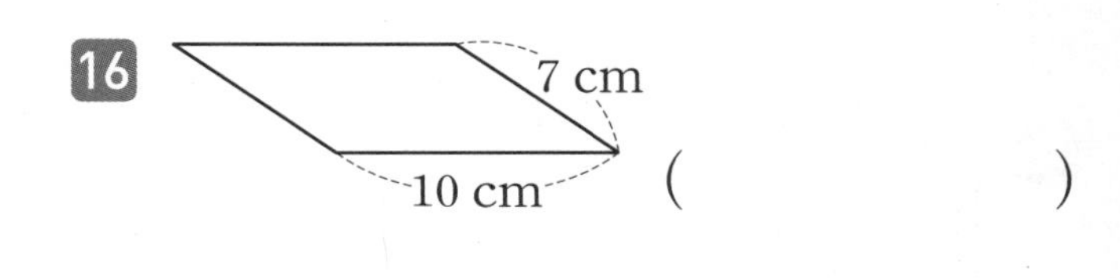

(   )

17
11 cm
(   )

맞힌 개수
개 /17개

나의 학습 결과에 ○표 하세요.

맞힌 개수	0～2개	3～9개	10～15개	16～17개
학습 방법	다시 한번 풀어 봐요.	계산 연습이 필요해요.	틀린 문제를 확인해요.	실수하지 않도록 집중해요.

QR 빠른 정답 확인

2. 사각형의 둘레

직사각형, 평행사변형, 마름모의 둘레를 구해 보세요.

1
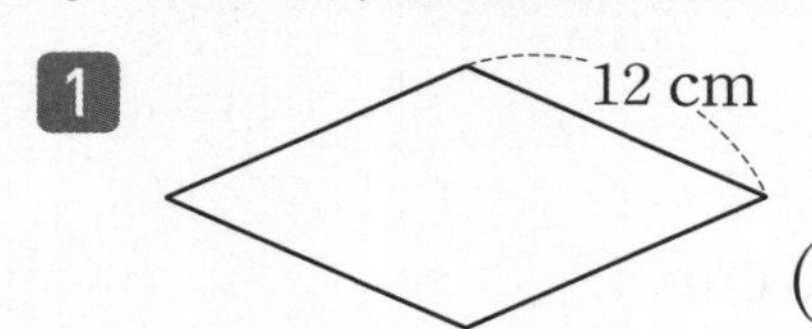

(   )

2
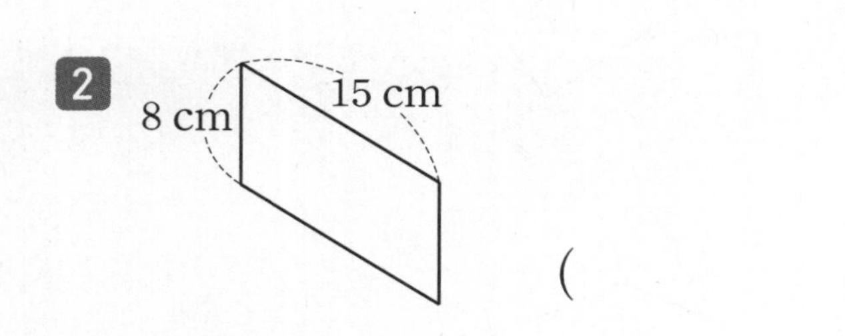

(   )

3
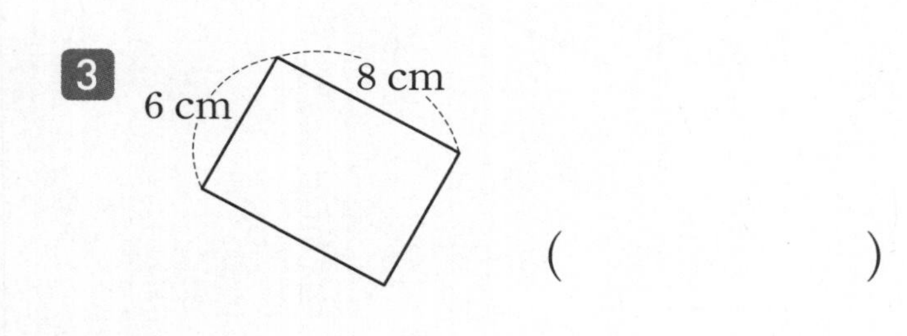

(   )

4
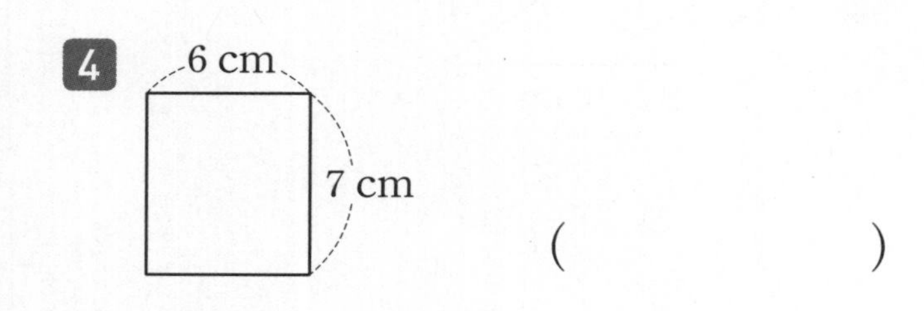

(   )

5
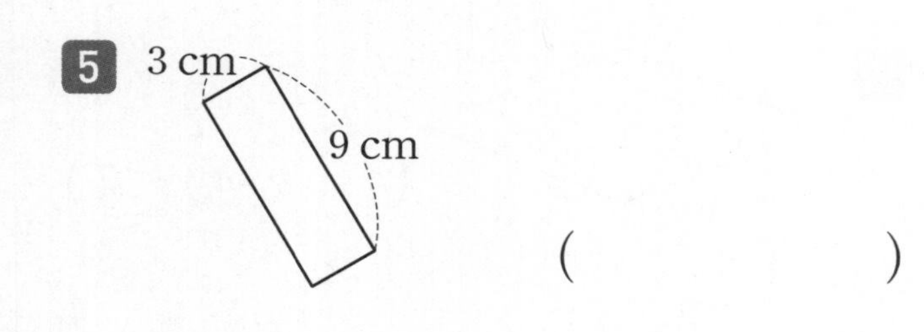

(   )

6
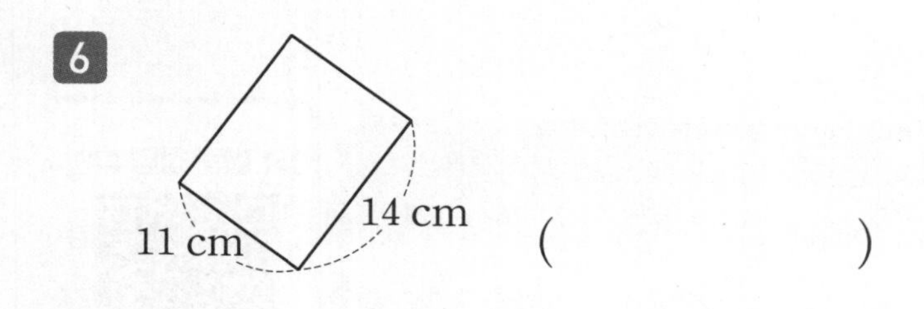

(   )

7
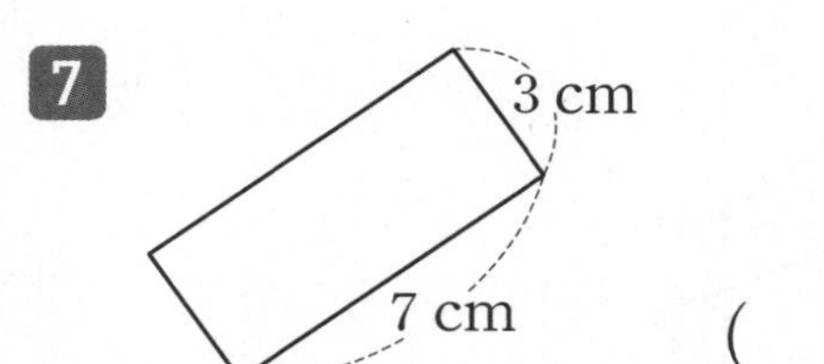

(   )

8
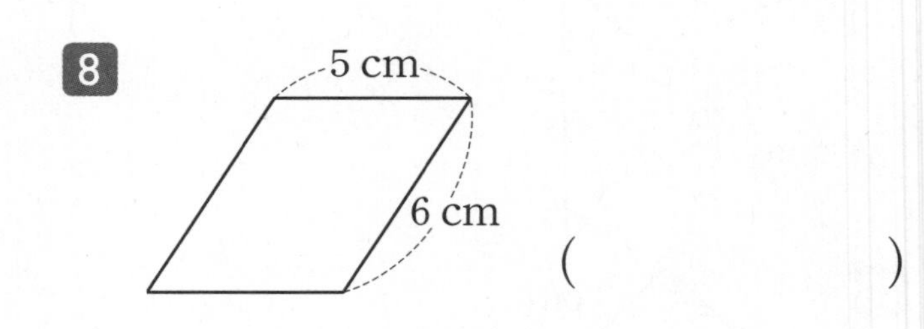

(   )

9
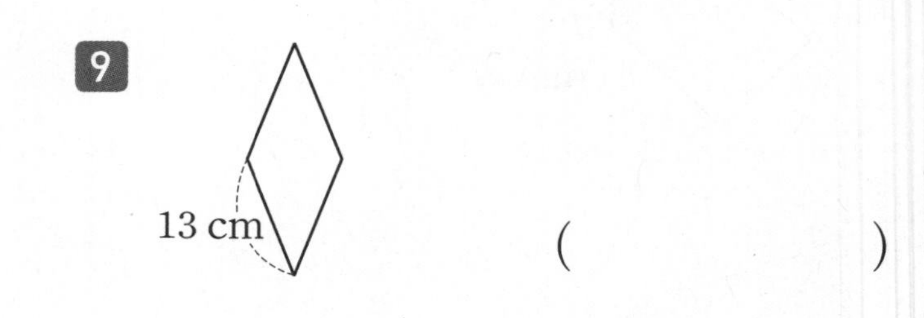

(   )

10
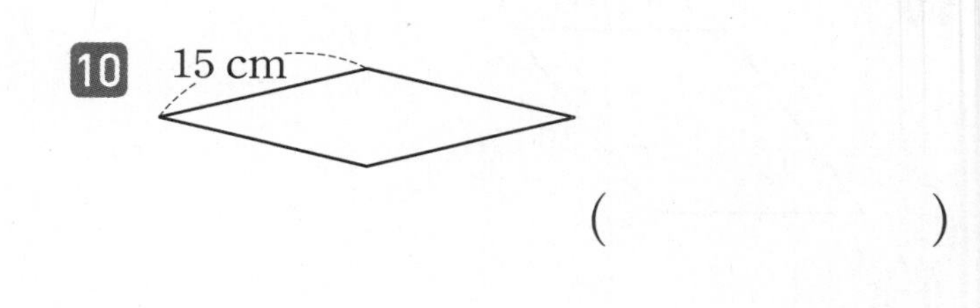

(   )

11
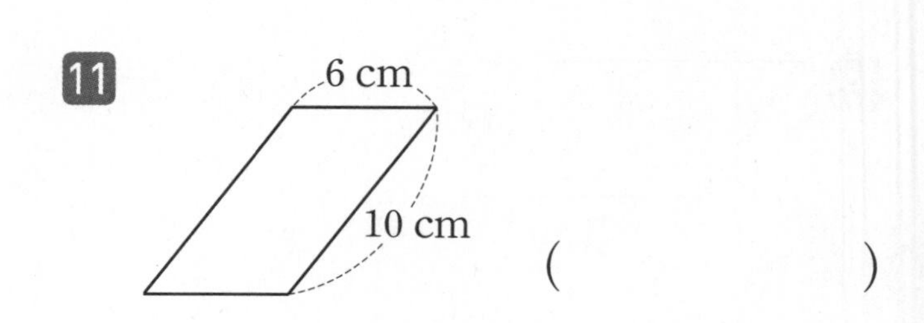

(   )

12
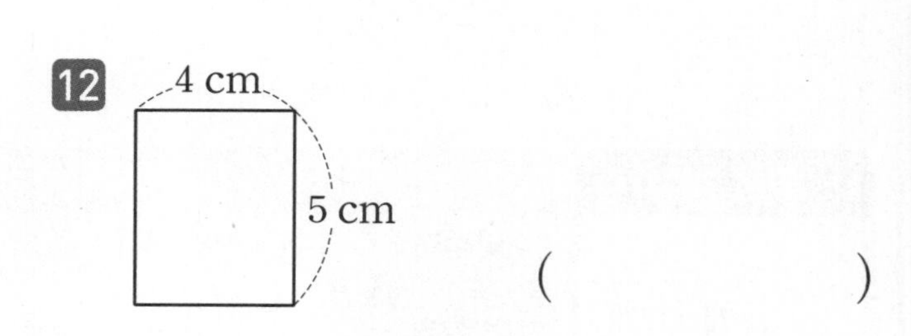

(   )

연산 in 문장제

화면이 직사각형 모양인 휴대 전화가 있습니다. 화면의 가로가 6 cm, 세로가 10 cm라면, 휴대 전화 화면의 둘레는 몇 cm인지 구해 보세요.

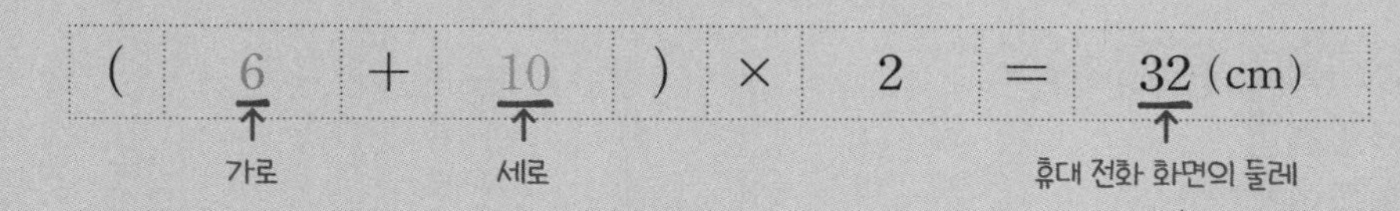

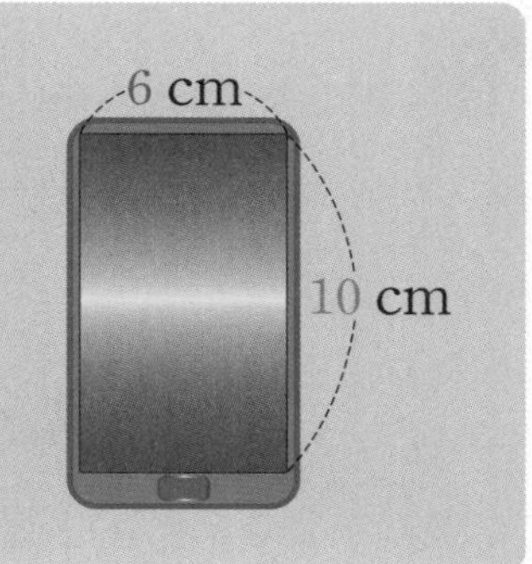

13 가로가 9 cm, 세로가 11 cm인 직사각형 모양의 수첩이 있습니다. 수첩의 둘레는 몇 cm인지 구해 보세요.

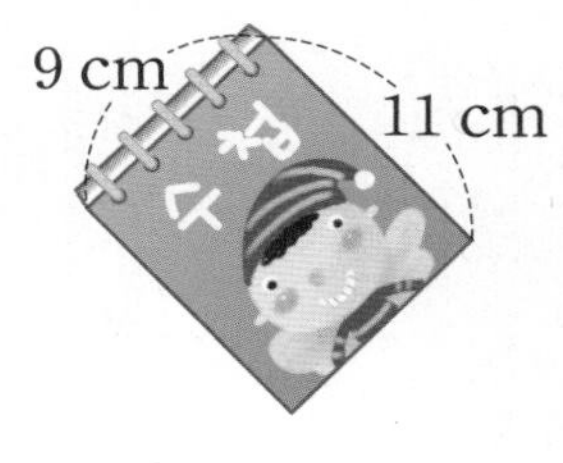

➜

(		+		)	×		=	

답 ____________

14 진우의 어머니가 떡볶이를 만들기 위해 어묵을 한 변의 길이가 9 cm, 다른 한 변의 길이가 4 cm인 평행사변형 모양으로 잘랐습니다. 어묵의 둘레는 몇 cm인지 구해 보세요.

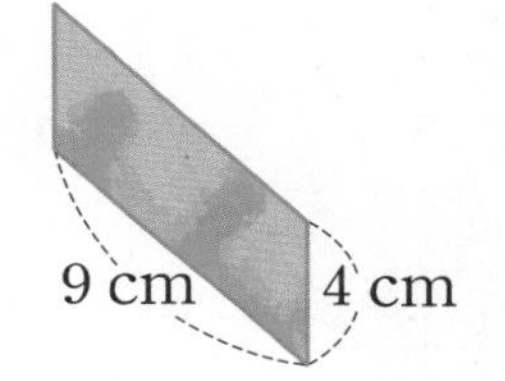

➜ 

답 ____________

15 현정이가 사용하는 이불에는 한 변의 길이가 6 cm인 마름모 모양의 무늬가 있습니다. 마름모 모양 무늬의 둘레는 몇 cm인지 구해 보세요.

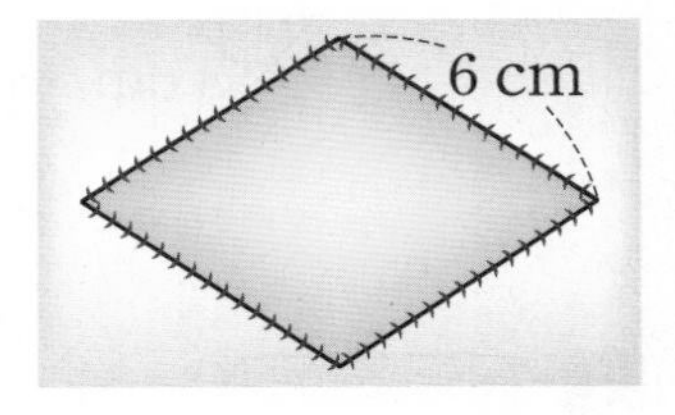

➜ 

답 ____________

맞힌 개수

개 /15개

나의 학습 결과에 ○표 하세요.

맞힌 개수	0~2개	3~8개	9~13개	14~15개
학습 방법	다시 한번 풀어 봐요.	계산 연습이 필요해요.	틀린 문제를 확인해요.	실수하지 않도록 집중해요.

QR 빠른 정답 확인

05일차 3. 직사각형의 넓이

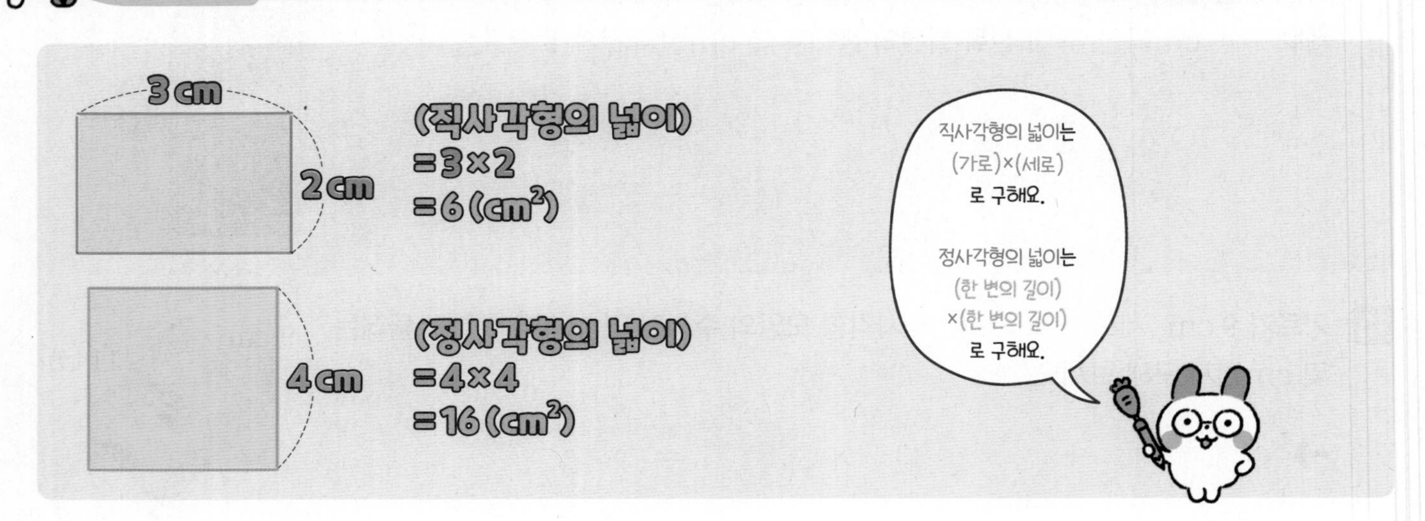

직사각형과 정사각형의 넓이를 구하려고 합니다. ☐ 안에 알맞은 수를 써넣으세요.

1

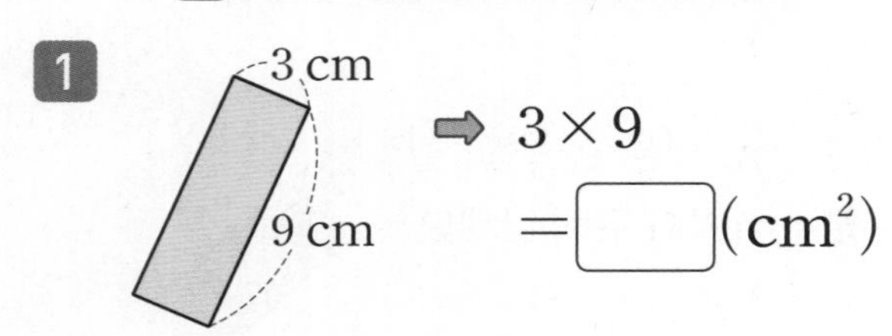

➡ 3×9
$=\square(\text{cm}^2)$

2

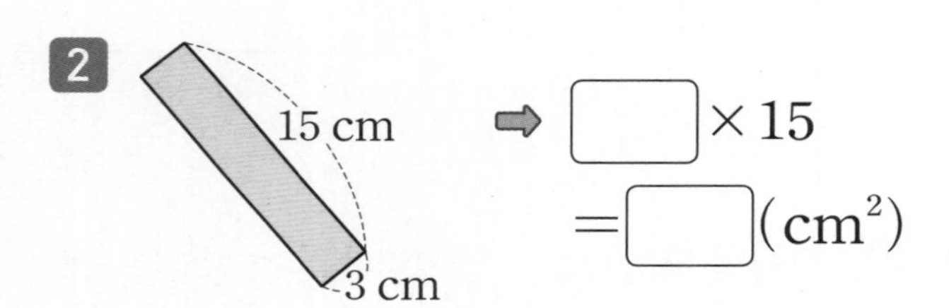

➡ $\square\times15$
$=\square(\text{cm}^2)$

3

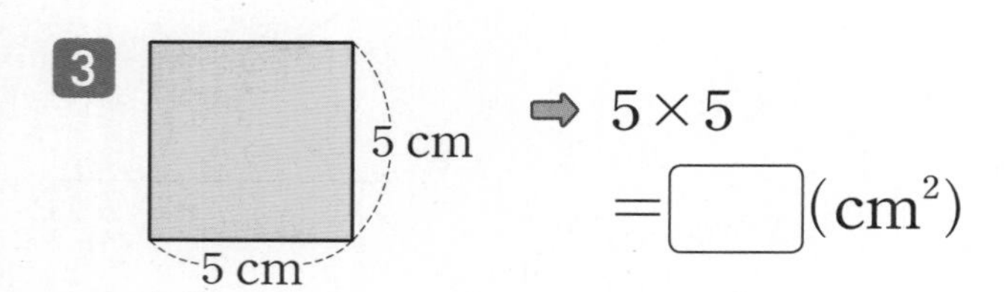

➡ 5×5
$=\square(\text{cm}^2)$

4

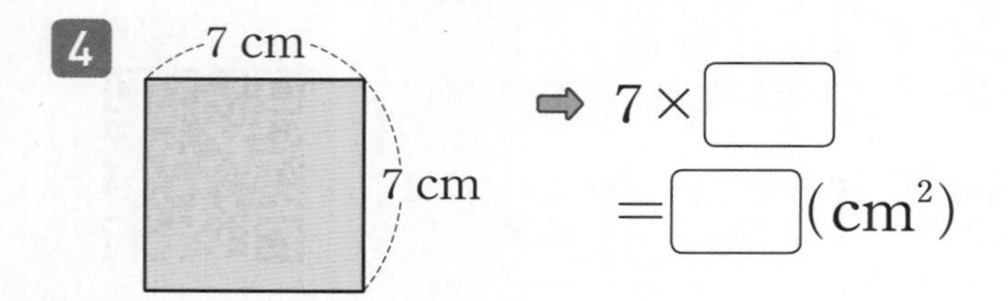

➡ $7\times\square$
$=\square(\text{cm}^2)$

직사각형과 정사각형의 넓이를 구해 보세요.

5

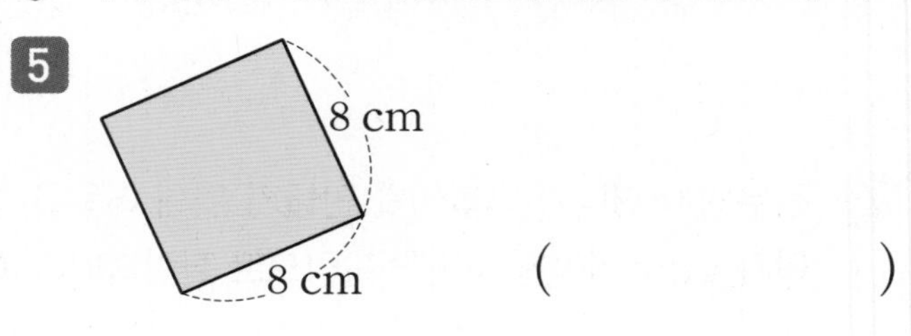

(　　　　　)

6

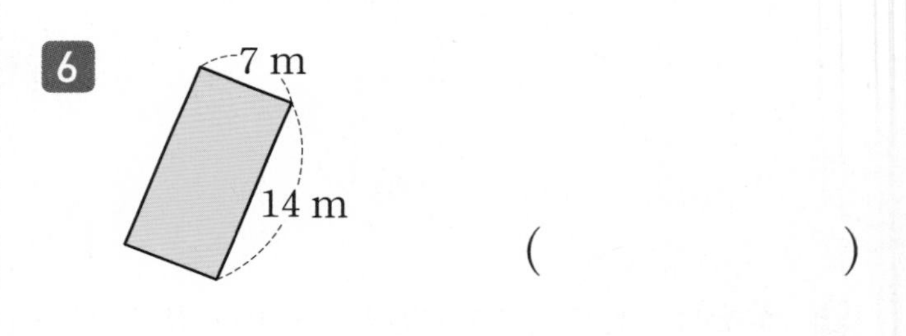

(　　　　　)

7

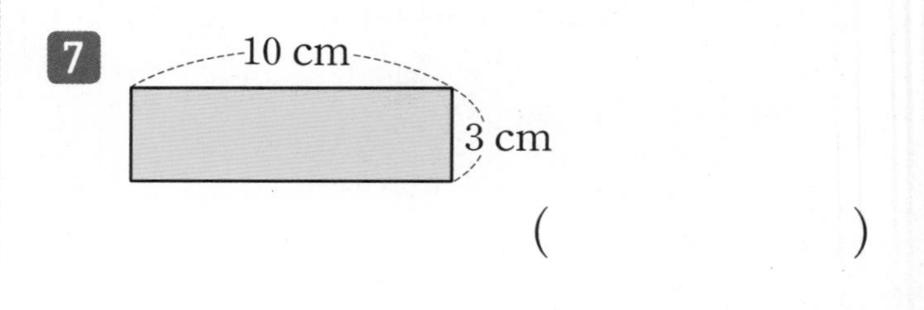

(　　　　　)

8

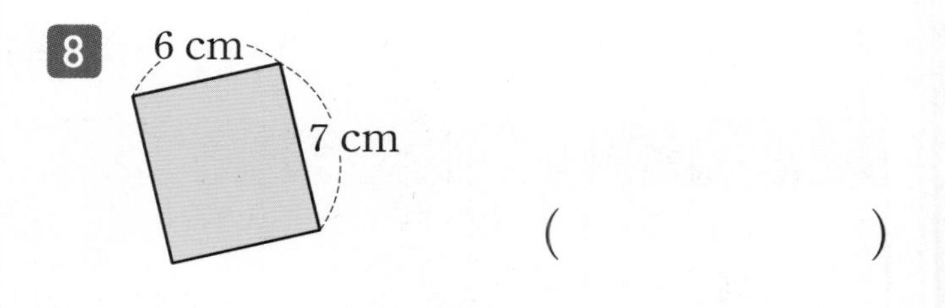

(　　　　　)

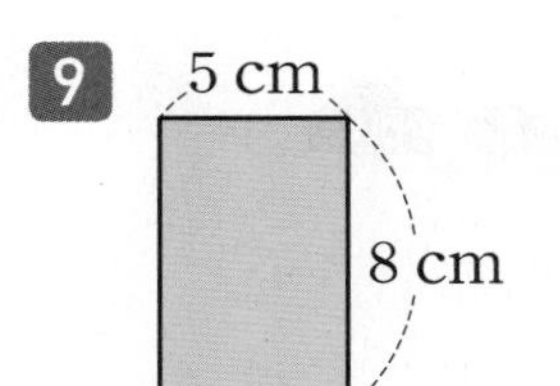

9
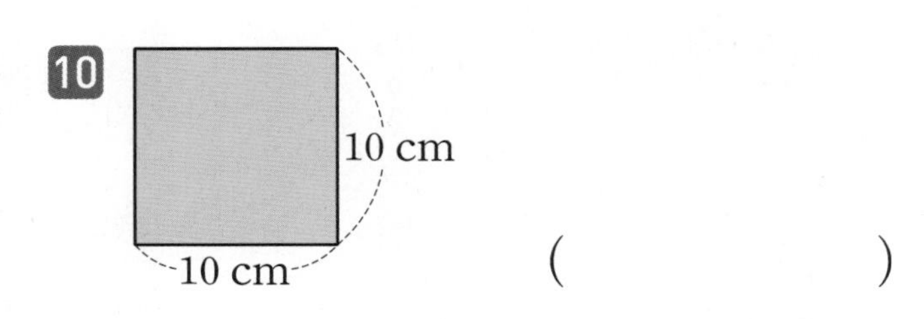

( )

10
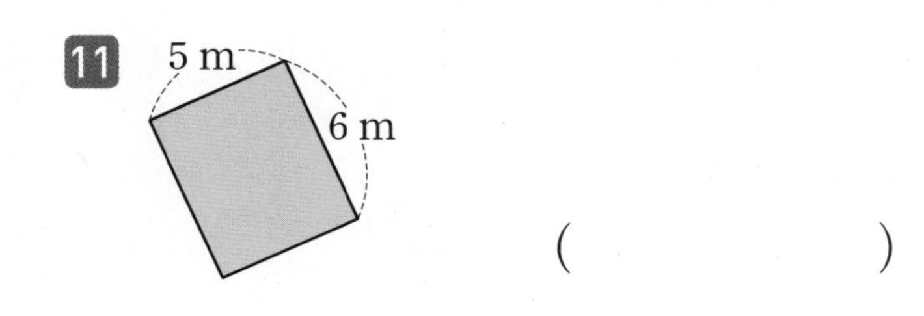

( )

11
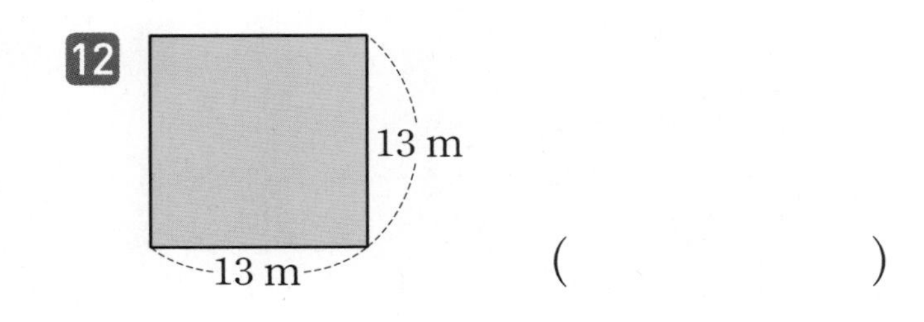

( )

12
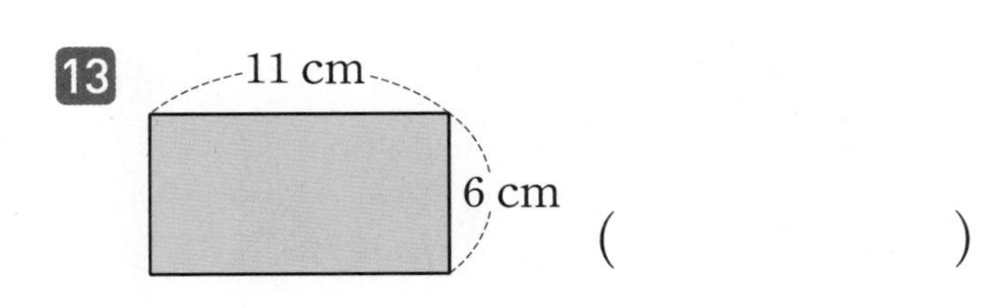

( )

13

( )

14
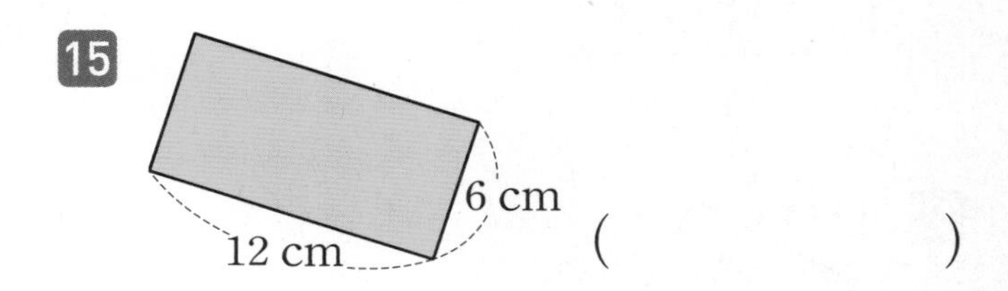

( )

15
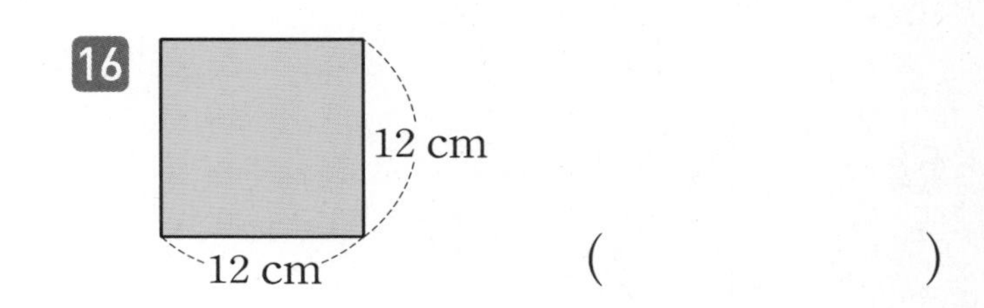

( )

16
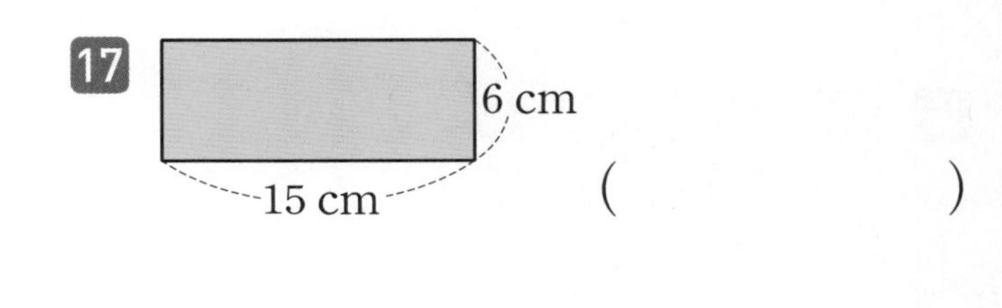

( )

17
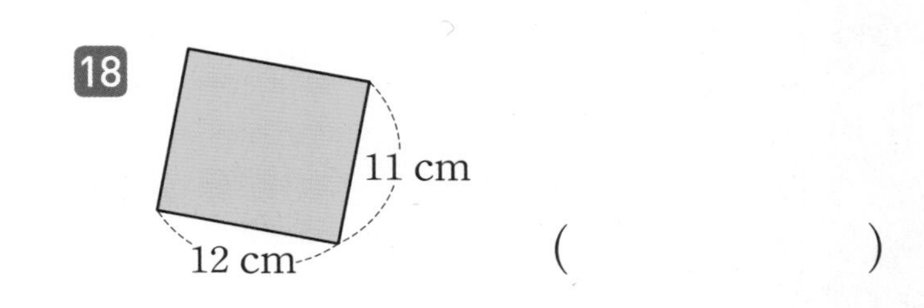

( )

18

( )

맞힌 개수
개 /18개

나의 학습 결과에 ○표 하세요.				
맞힌 개수	0～2개	3～9개	10～16개	17～18개
학습 방법	다시 한번 풀어 봐요.	계산 연습이 필요해요.	틀린 문제를 확인해요.	실수하지 않도록 집중해요.

QR 빠른 정답 확인

3. 직사각형의 넓이

직사각형과 정사각형의 넓이를 구해 보세요.

1

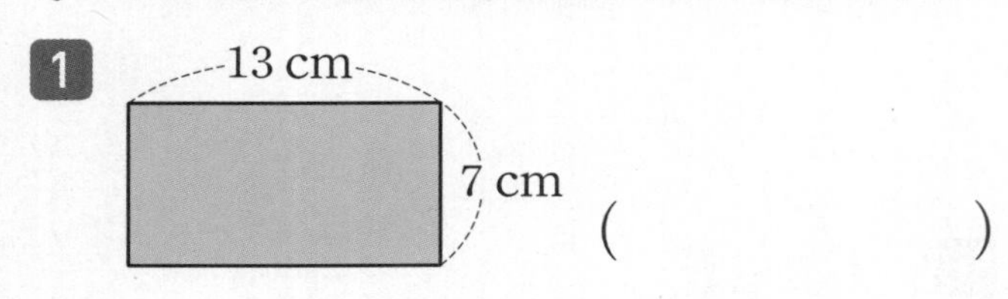

(　　　　　　　)

2

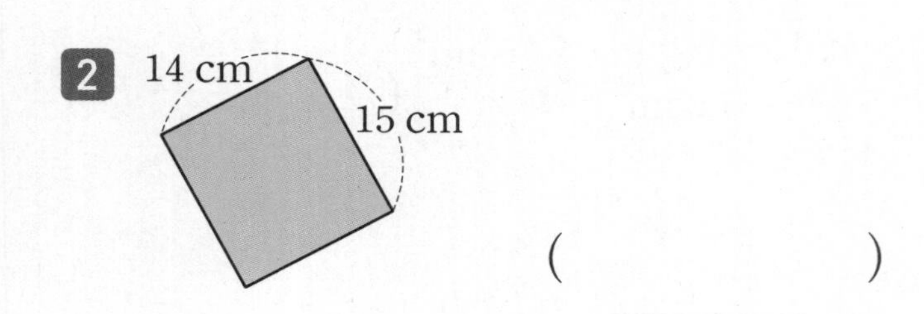

(　　　　　　　)

3

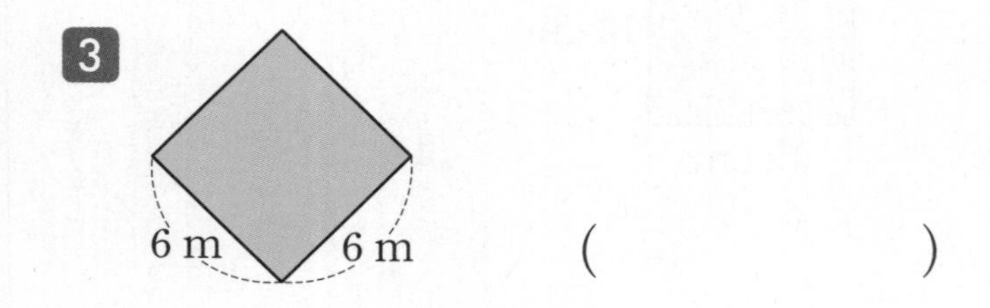

(　　　　　　　)

4

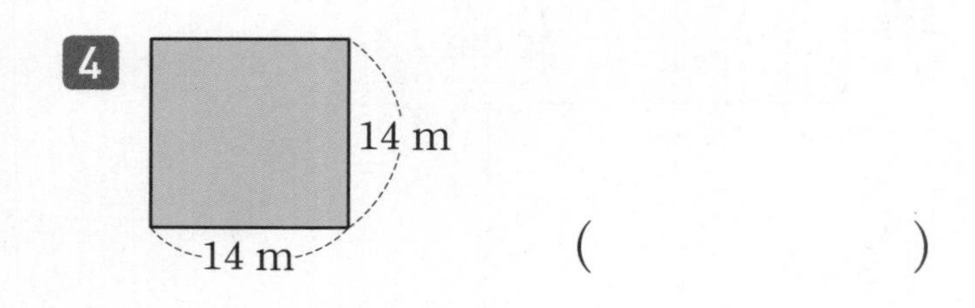

(　　　　　　　)

5

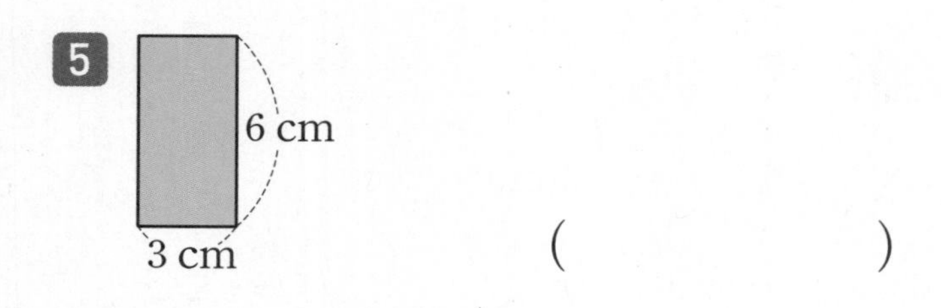

(　　　　　　　)

6

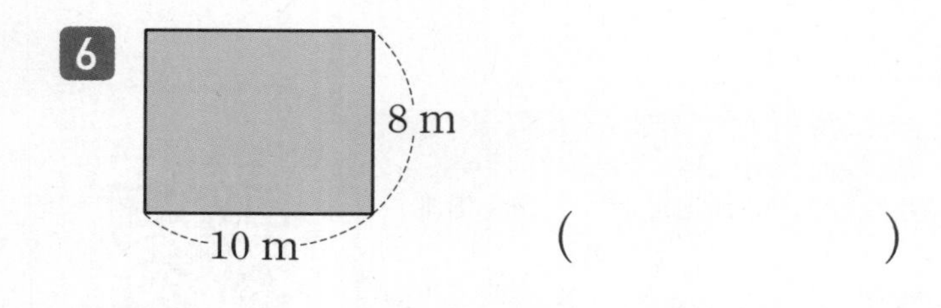

(　　　　　　　)

7

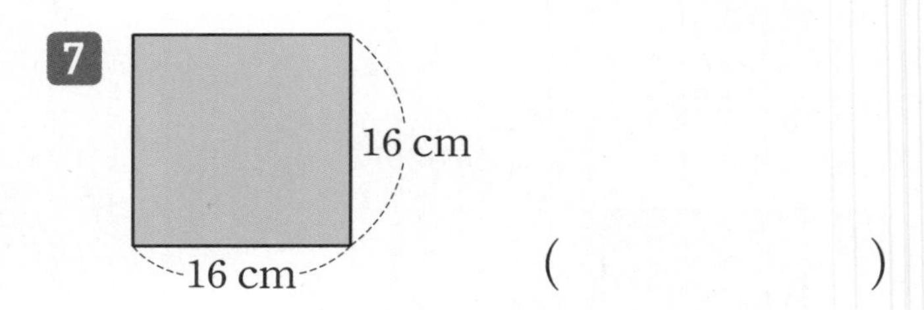

(　　　　　　　)

8

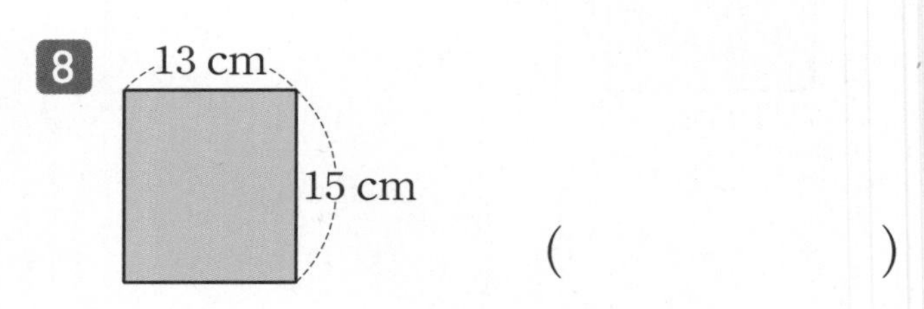

(　　　　　　　)

9

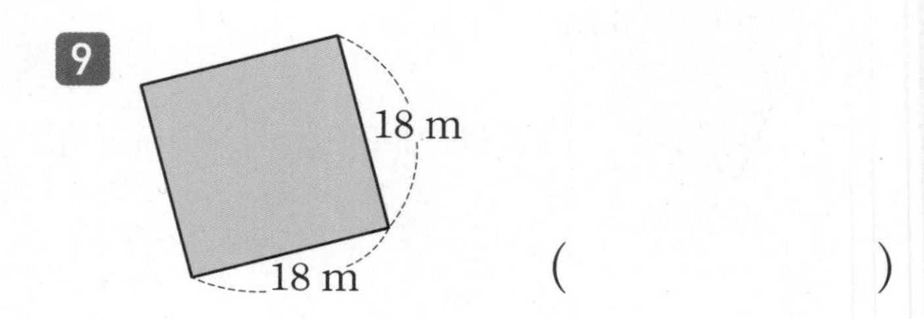

(　　　　　　　)

10

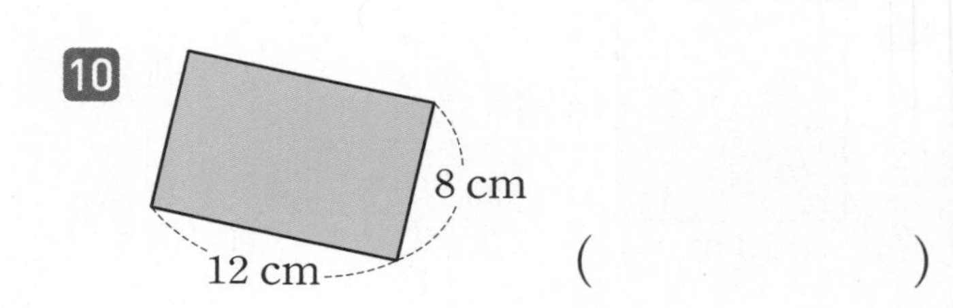

(　　　　　　　)

11

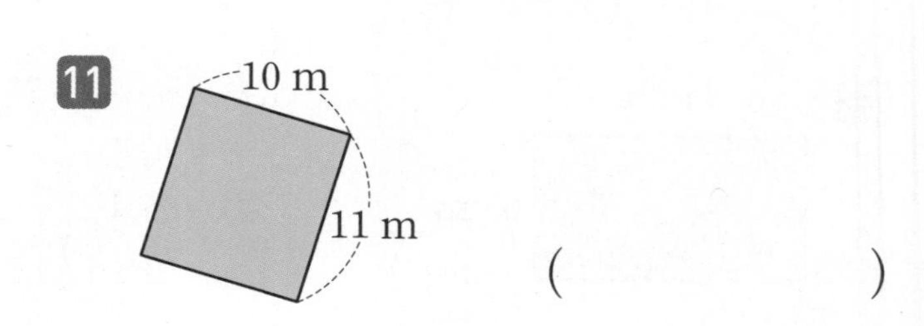

(　　　　　　　)

12

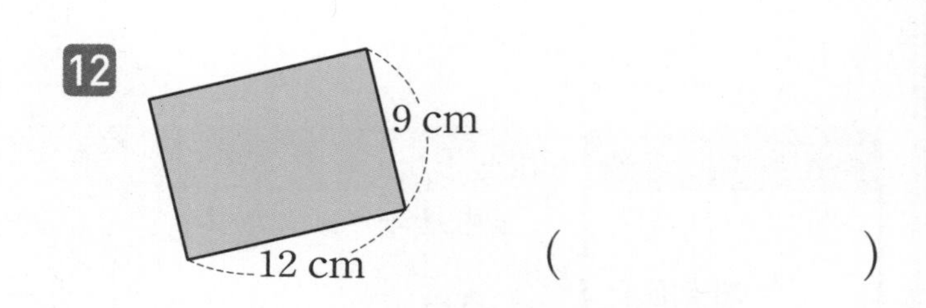

(　　　　　　　)

연산 in 문장제

DVD를 보관하는 정사각형 모양의 DVD 케이스가 있습니다. DVD 케이스 앞면의 한 변의 길이가 12 cm라면, DVD 케이스 앞면의 넓이는 몇 cm^2인지 구해 보세요.

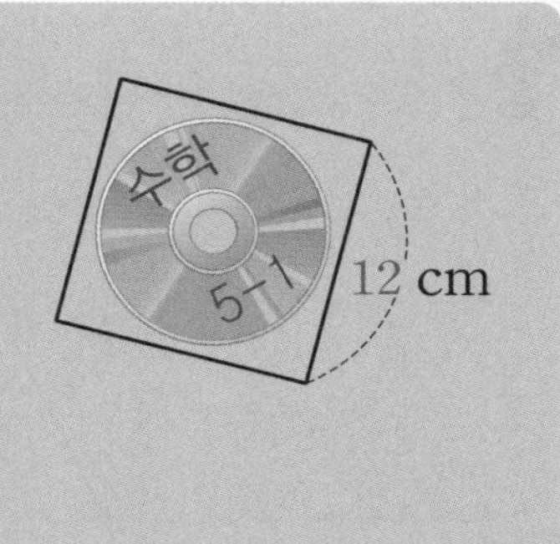

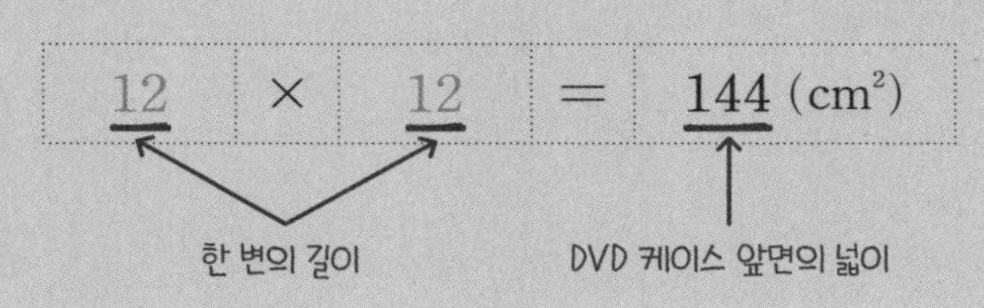

13 진형이네 집 욕실 벽에는 정사각형 모양의 타일이 붙어 있습니다. 타일 한 장의 한 변의 길이가 10 cm라면, 타일 한 장의 넓이는 몇 cm^2인지 구해 보세요.

→ 

답 ______________

14 직사각형 모양의 접착식 메모지가 있습니다. 이 접착식 메모지 한 장의 가로가 8 cm, 세로가 7 cm라면, 넓이는 몇 cm^2인지 구해 보세요.

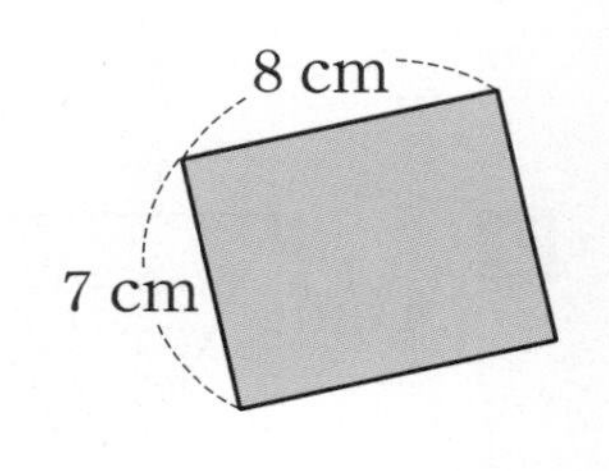

→ 

답 ______________

15 연주의 어머니가 사 온 어린이용 마스크는 직사각형 모양입니다. 마스크 한 장의 가로가 15 cm, 세로가 9 cm라면, 넓이는 몇 cm^2인지 구해 보세요.

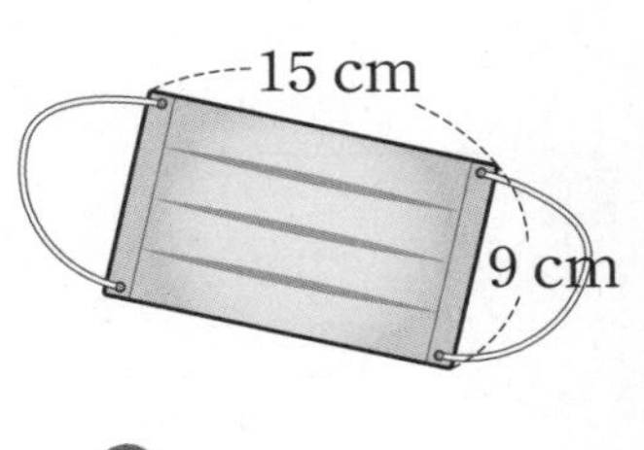

→ 

답 ______________

맞힌 개수

개 /15개

나의 학습 결과에 ○표 하세요.

맞힌 개수	0~2개	3~8개	9~13개	14~15개
학습 방법	다시 한번 풀어 봐요.	계산 연습이 필요해요.	틀린 문제를 확인해요.	실수하지 않도록 집중해요.

QR 빠른 정답 확인

4. 평행사변형의 넓이

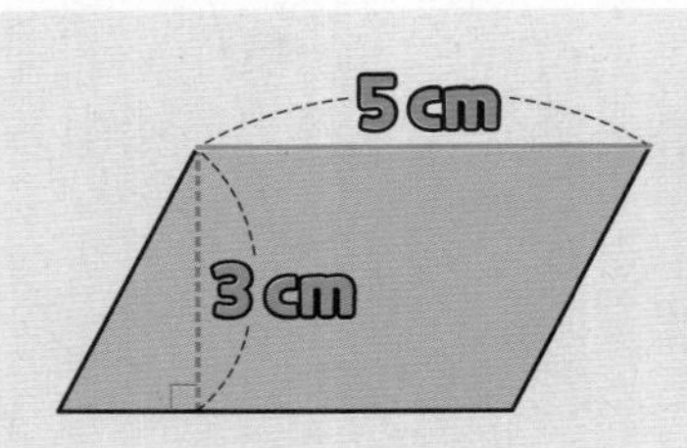

(평행사변형의 넓이)
$=5\times3$
$=15(cm^2)$

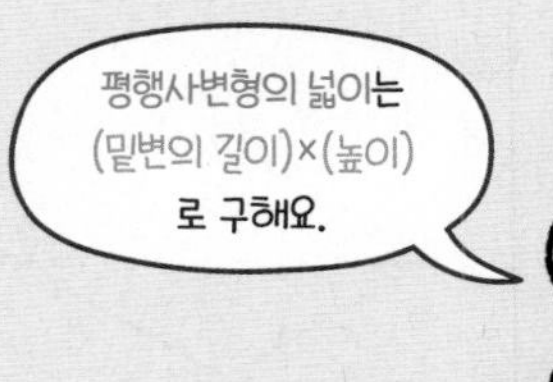

평행사변형의 넓이를 구하려고 합니다. ☐ 안에 알맞은 수를 써넣으세요.

1

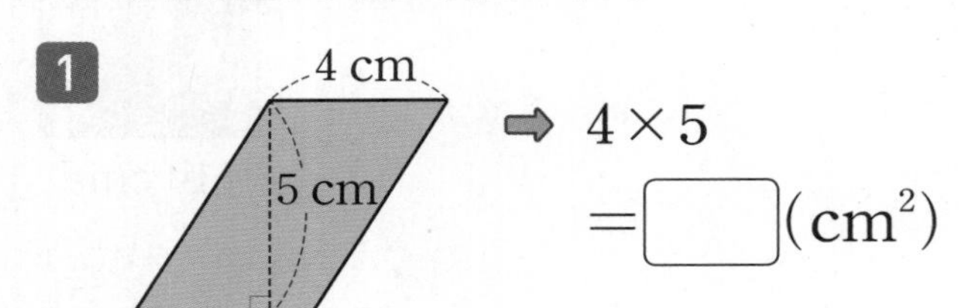

➡ 4×5
$=\square(cm^2)$

2

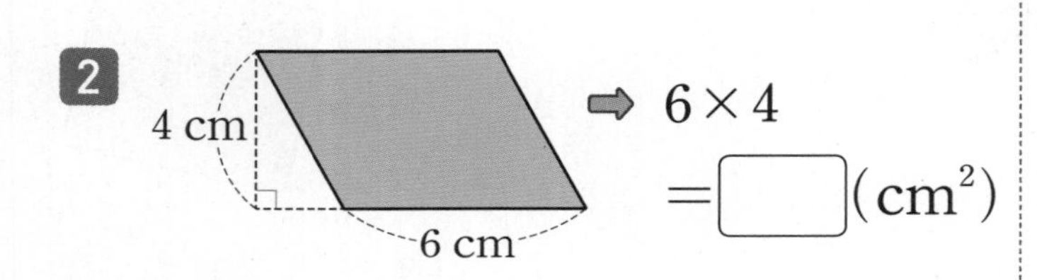

➡ 6×4
$=\square(cm^2)$

3

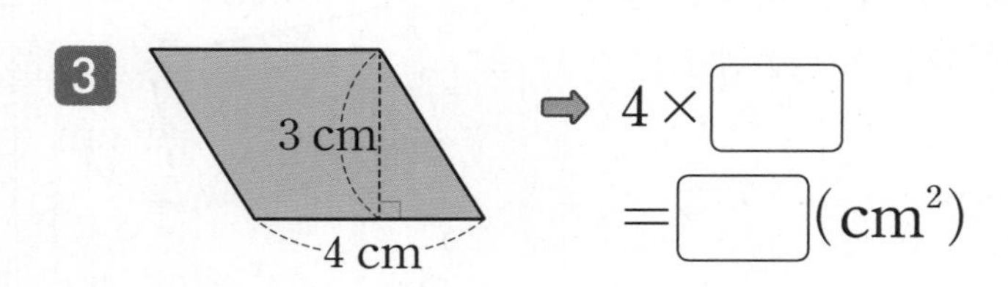

➡ $4\times\square$
$=\square(cm^2)$

4

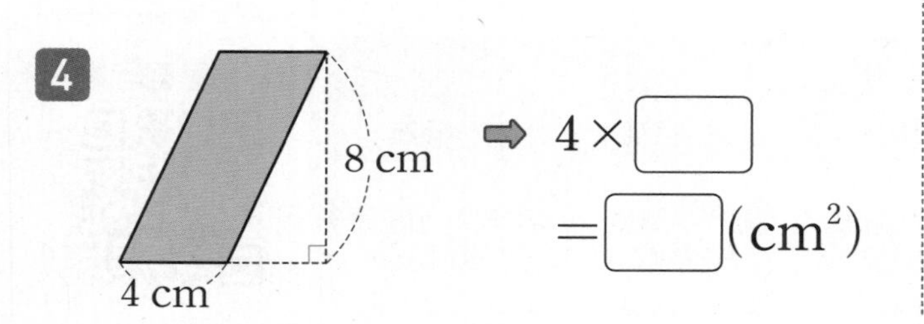

➡ $4\times\square$
$=\square(cm^2)$

평행사변형의 넓이를 구해 보세요.

5

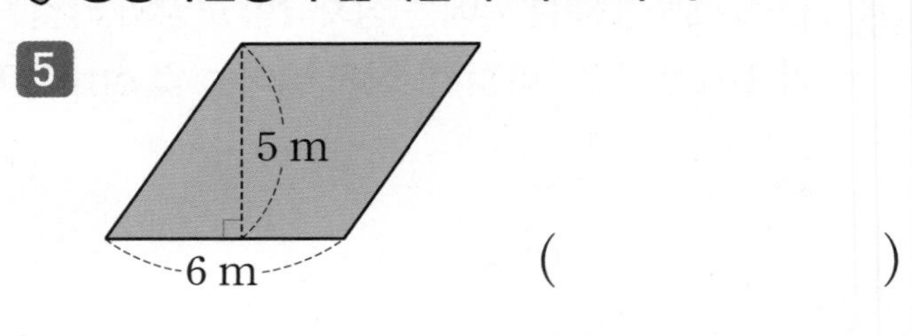

(　　　　　　)

6

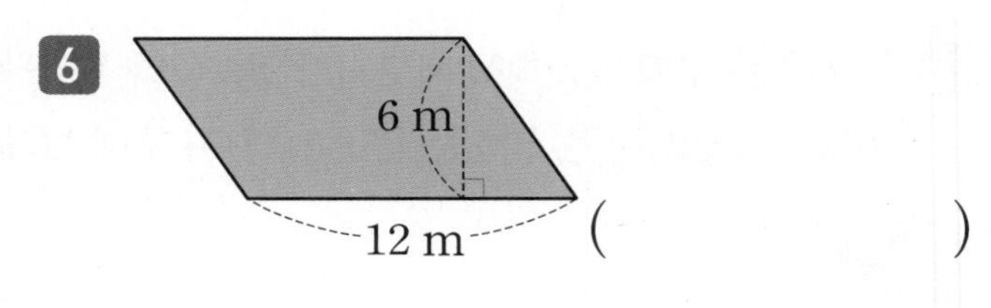

(　　　　　　)

7

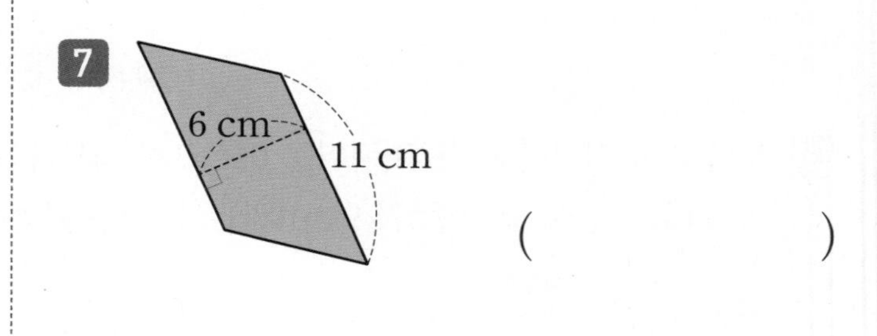

(　　　　　　)

8

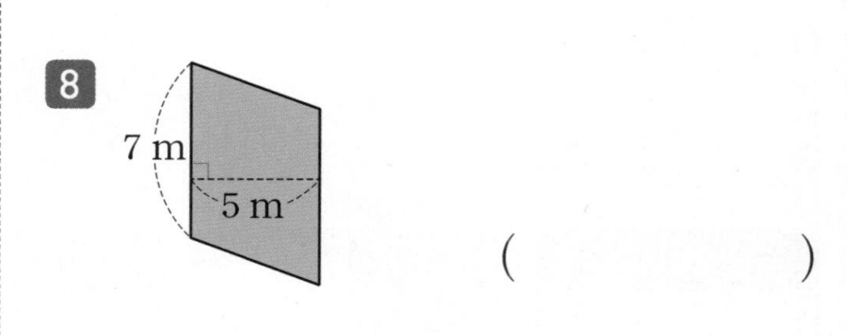

(　　　　　　)

9

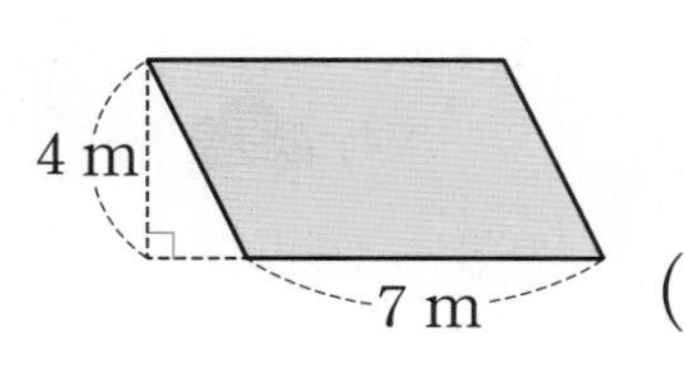

( )

10

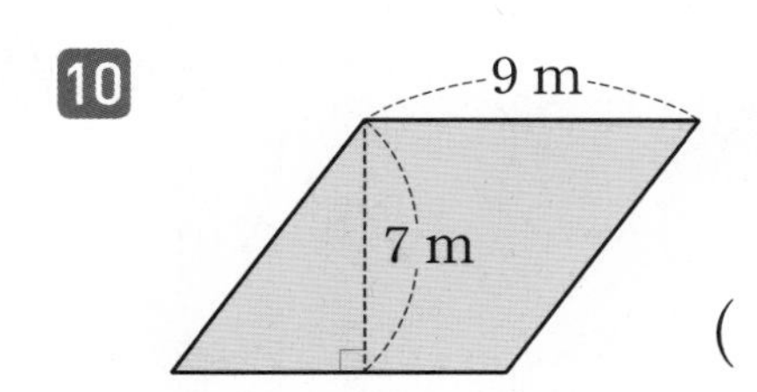

( )

11

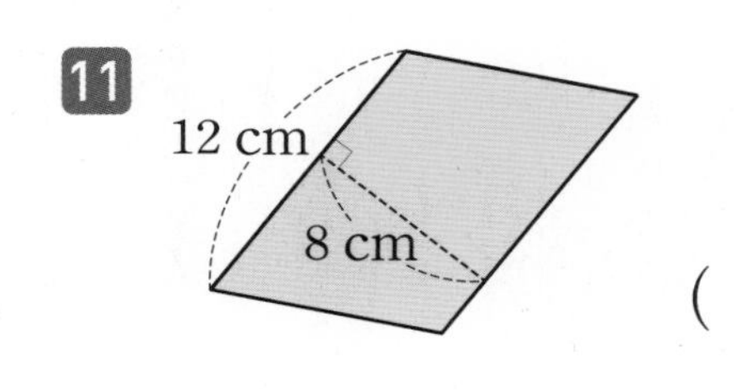

( )

12

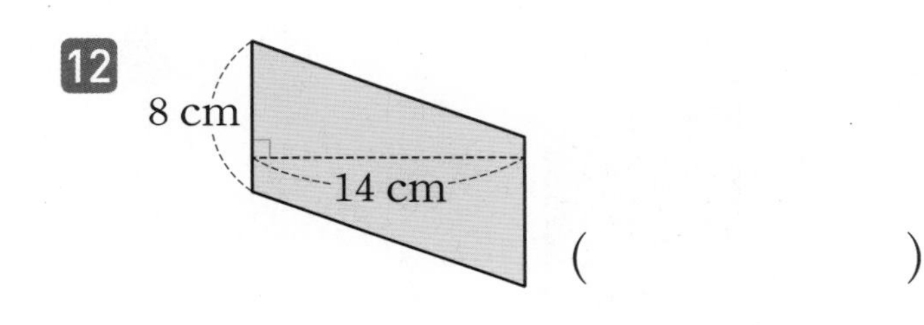

( )

13

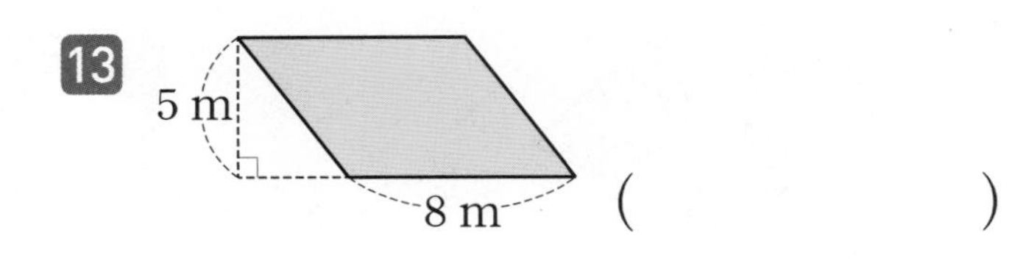

( )

14

15 cm
8 cm

( )

15

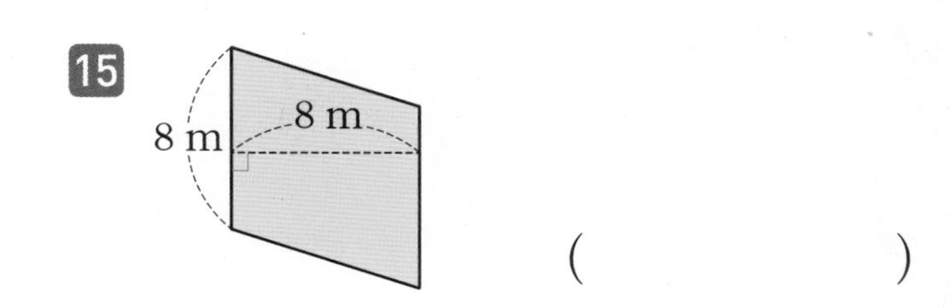

( )

16

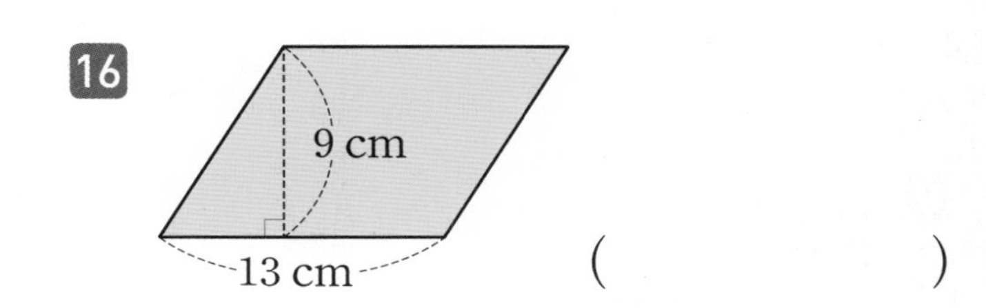

( )

17

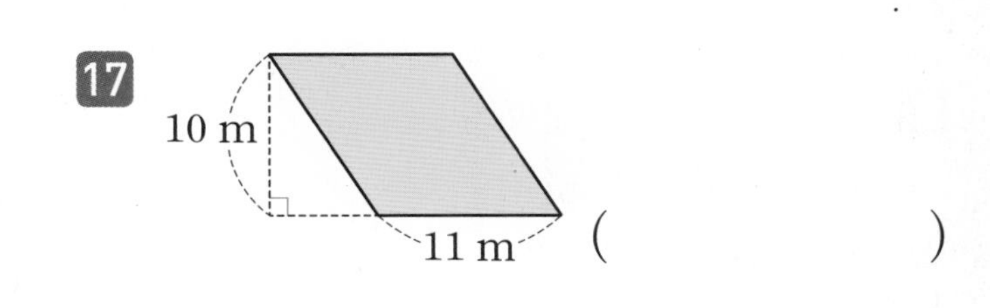

( )

18

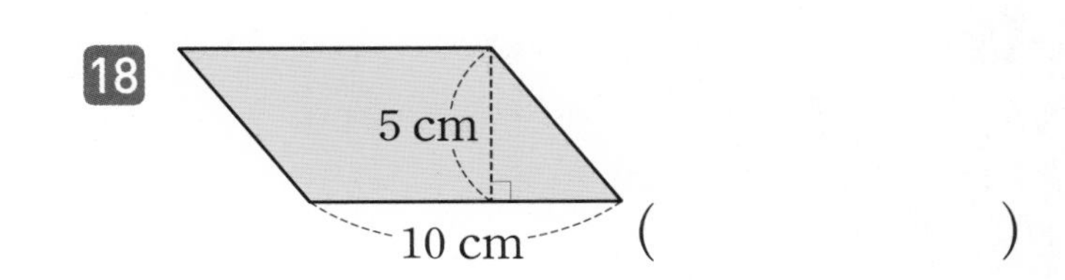

( )

맞힌 개수
개 /18개

나의 학습 결과에 ○표 하세요.

맞힌 개수	0~2개	3~9개	10~16개	17~18개
학습 방법	다시 한번 풀어 봐요.	계산 연습이 필요해요.	틀린 문제를 확인해요.	실수하지 않도록 집중해요.

QR 빠른 정답 확인

4. 평행사변형의 넓이

평행사변형의 넓이를 구해 보세요.

1

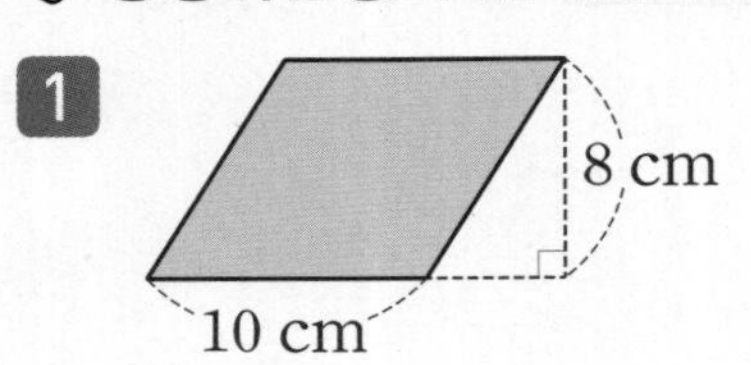

(　　　　　)

2

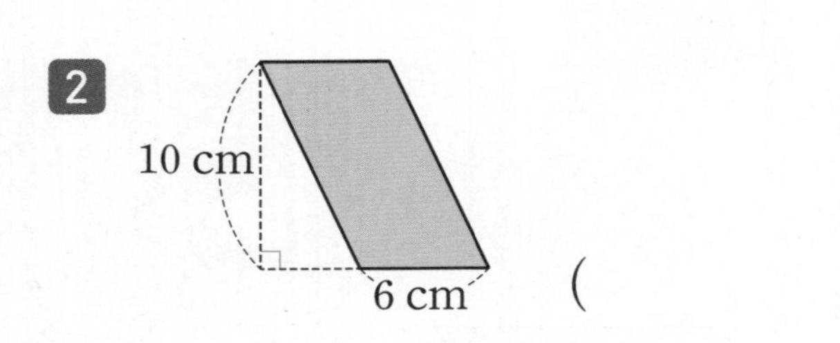

(　　　　　)

3

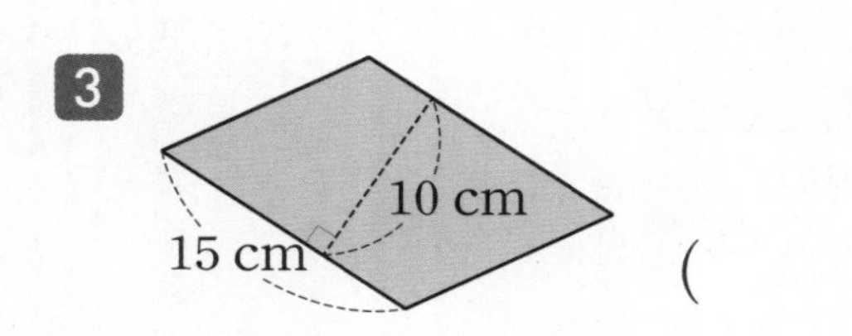

(　　　　　)

4

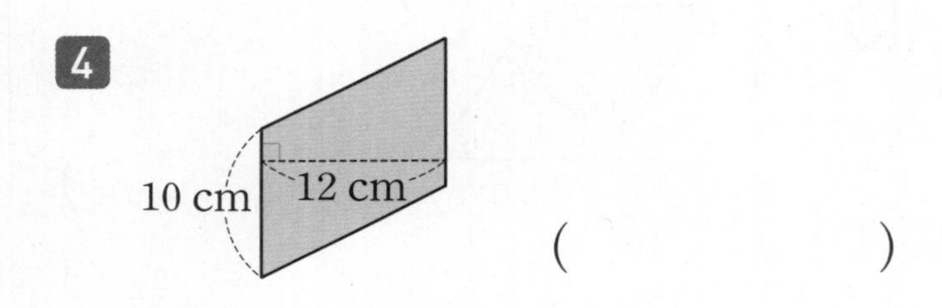

(　　　　　)

5

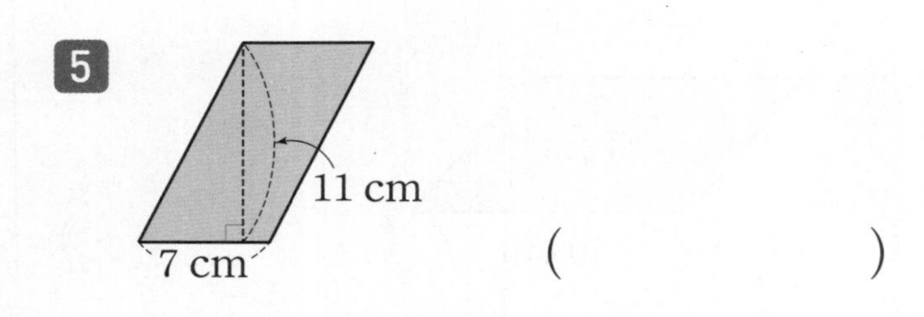

(　　　　　)

6

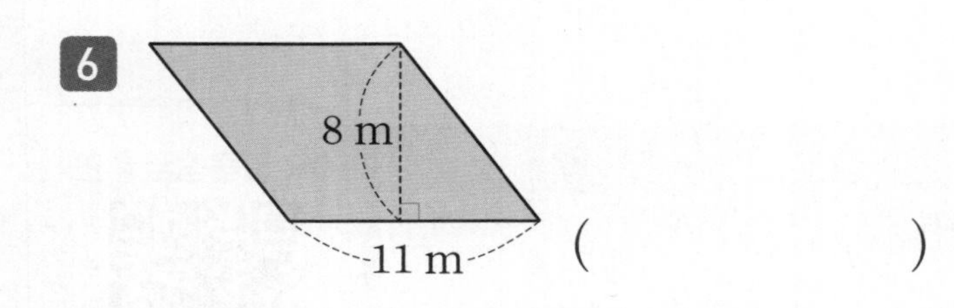

(　　　　　)

7

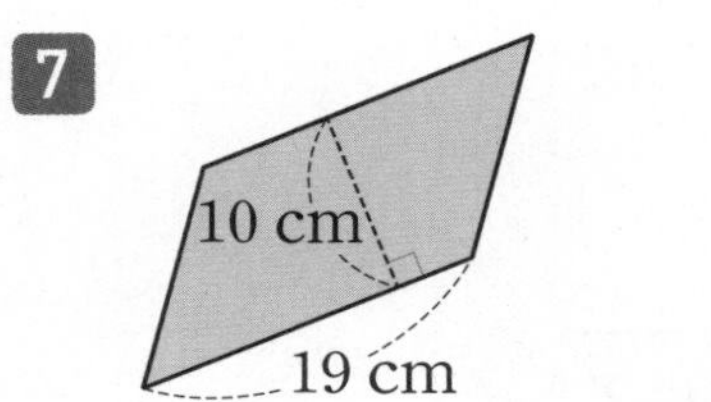

(　　　　　)

8

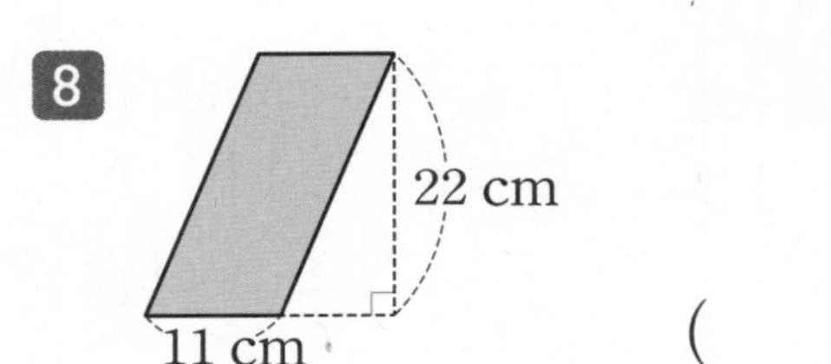

(　　　　　)

9

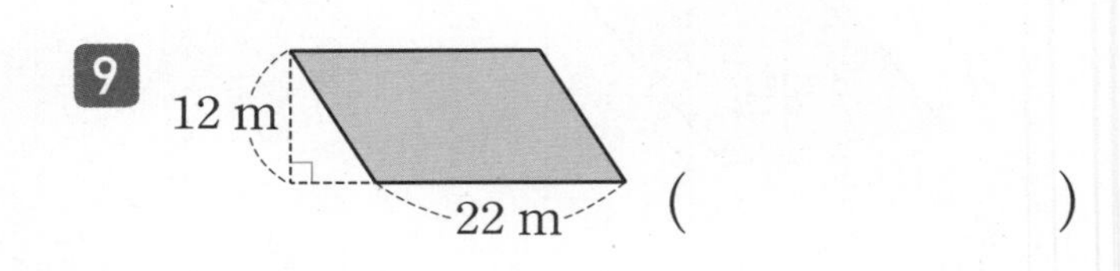

(　　　　　)

10

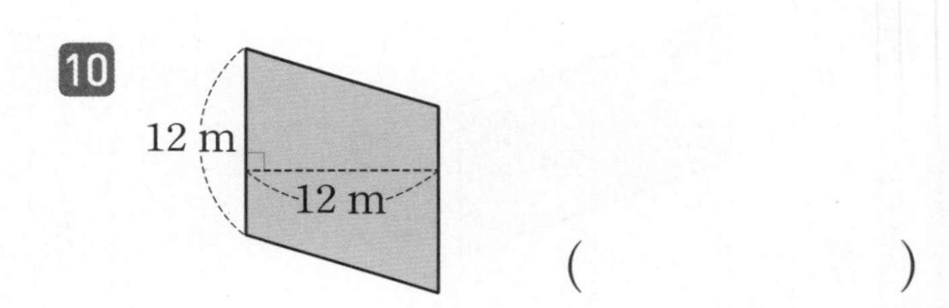

(　　　　　)

11

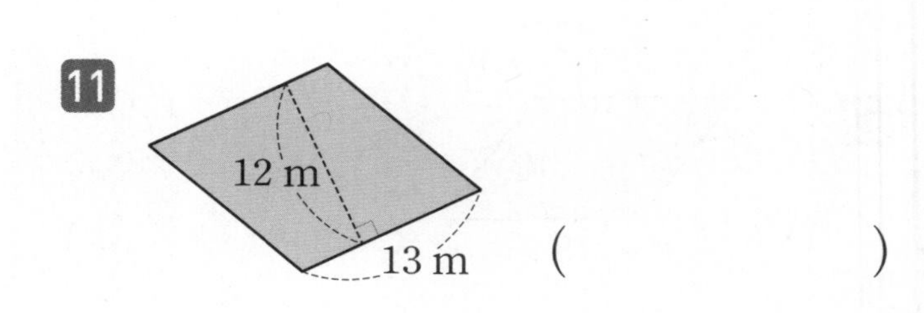

(　　　　　)

12

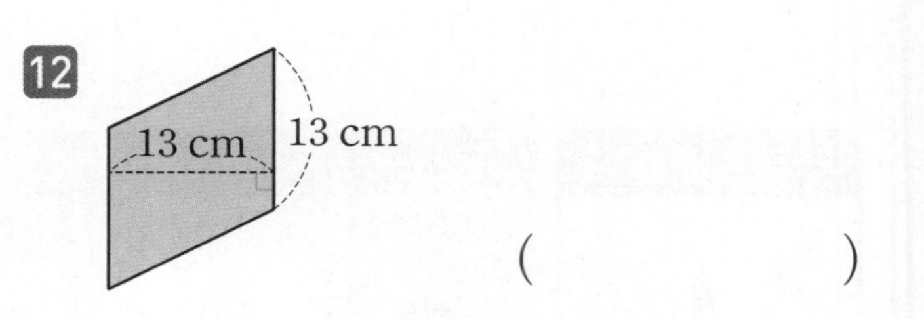

(　　　　　)

연산 in 문장제

색종이를 잘라 평행사변형 모양의 색종이를 만들었습니다. 자른 색종이의 밑변의 길이가 6 cm, 높이가 7 cm라면, 자른 색종이의 넓이는 몇 cm^2인지 구해 보세요.

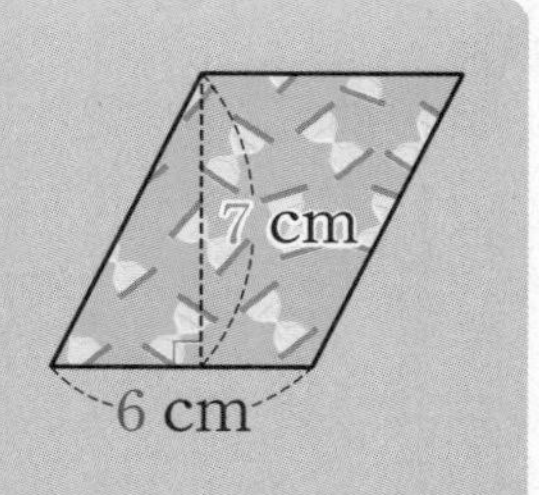

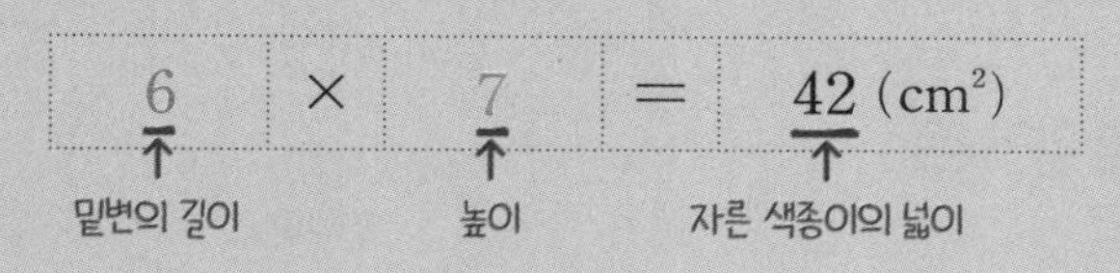

13 민규네 집 마당에는 평행사변형 모양의 꽃밭이 있습니다. 꽃밭의 밑변의 길이가 8 m, 높이가 7 m라면, 꽃밭의 넓이는 몇 m^2인지 구해 보세요.

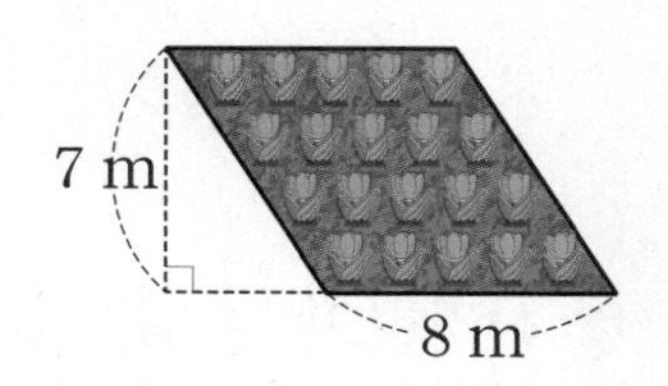

➜ 

답 ____________

14 원민이의 어머니가 평행사변형 모양인 절편을 사 오셨습니다. 절편의 밑변의 길이가 9 cm, 높이가 5 cm라면, 넓이는 몇 cm^2인지 구해 보세요.

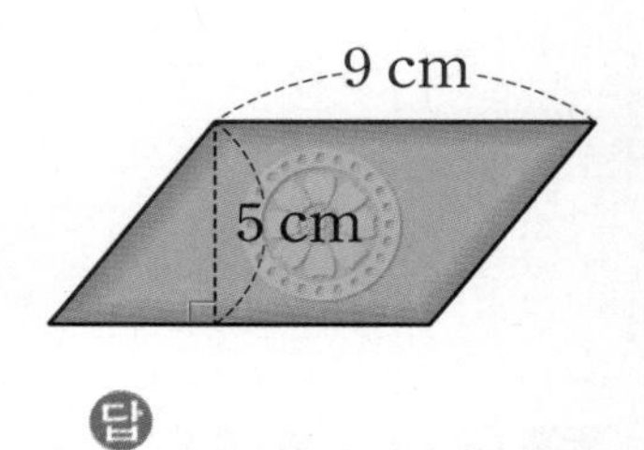

➜ □ × □ = □

답 ____________

15 성원이는 철사와 색종이로 비행기의 날개를 만들고 있습니다. 밑변의 길이가 15 cm, 높이가 10 cm인 평행사변형 모양의 날개를 완성하기 위해 필요한 색종이의 넓이는 몇 cm^2인지 구해 보세요.

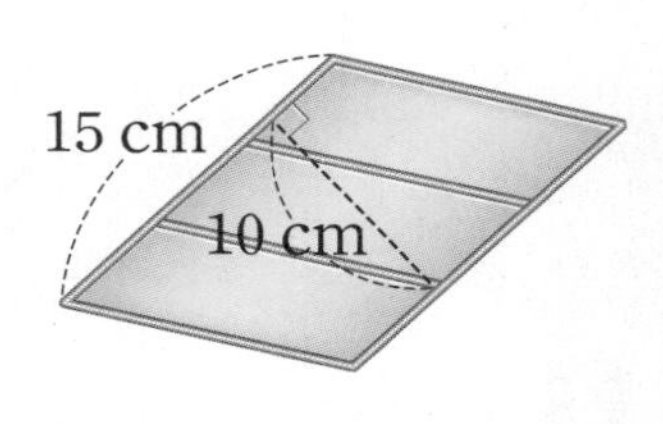

➜ 

답 ____________

맞힌 개수

개 /15개

나의 학습 결과에 ○표 하세요.

맞힌 개수	0～2개	3～8개	9～13개	14～15개
학습 방법	다시 한번 풀어 봐요.	계산 연습이 필요해요.	틀린 문제를 확인해요.	실수하지 않도록 집중해요.

QR 빠른 정답 확인

09 일차 5. 삼각형의 넓이

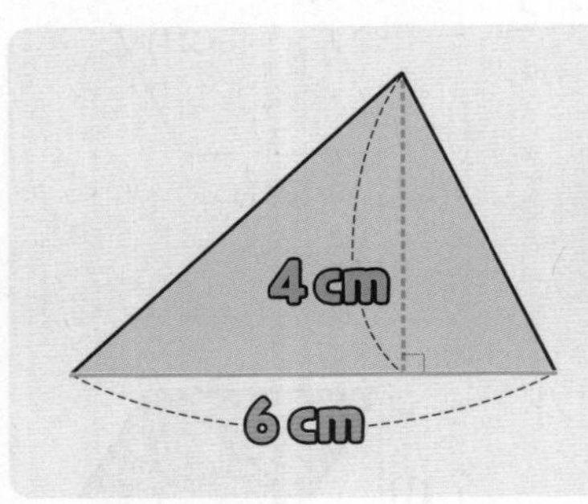

(삼각형의 넓이)
$=6\times4\div2$
$=12(cm^2)$

삼각형의 넓이를 구하려고 합니다. □ 안에 알맞은 수를 써넣으세요.

1

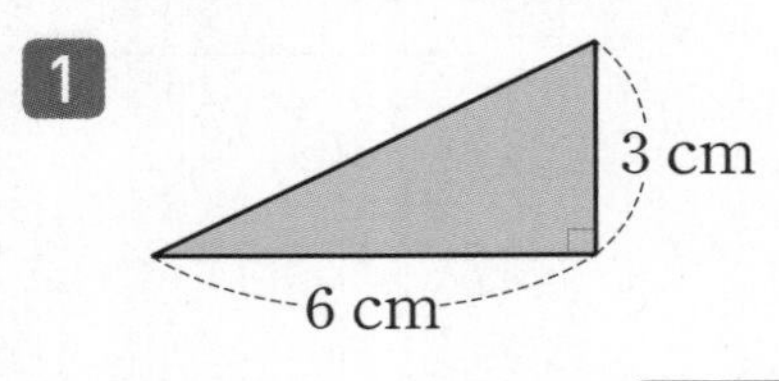

➡ $6\times3\div2=\square(cm^2)$

2

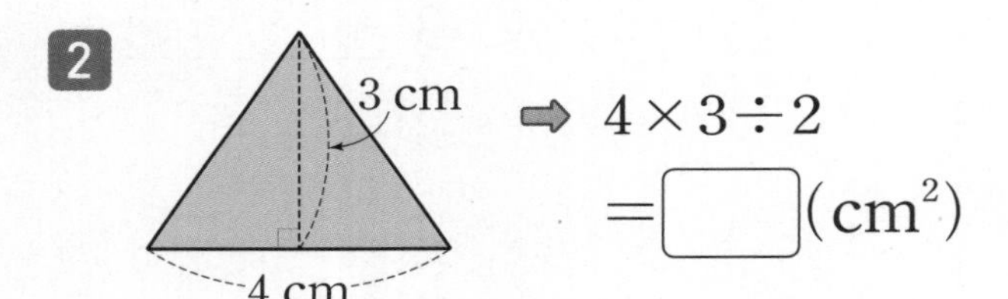

➡ $4\times3\div2$
$=\square(cm^2)$

3

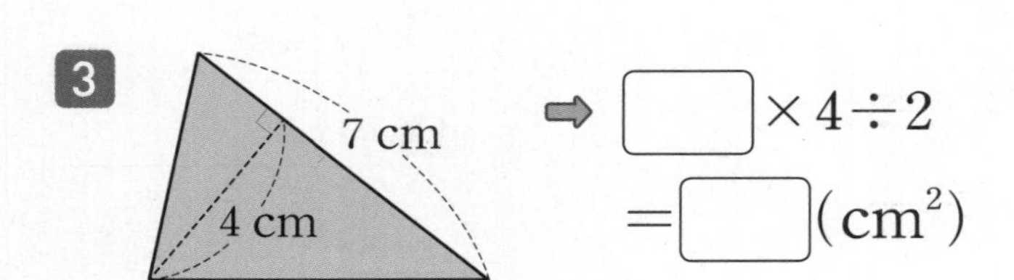

➡ $\square\times4\div2$
$=\square(cm^2)$

4

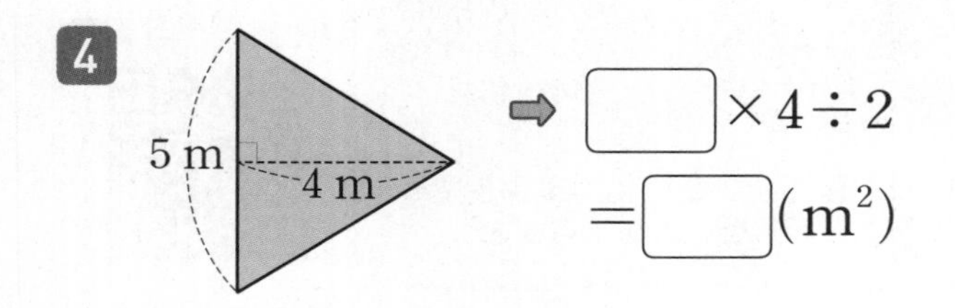

➡ $\square\times4\div2$
$=\square(m^2)$

삼각형의 넓이를 구해 보세요.

5

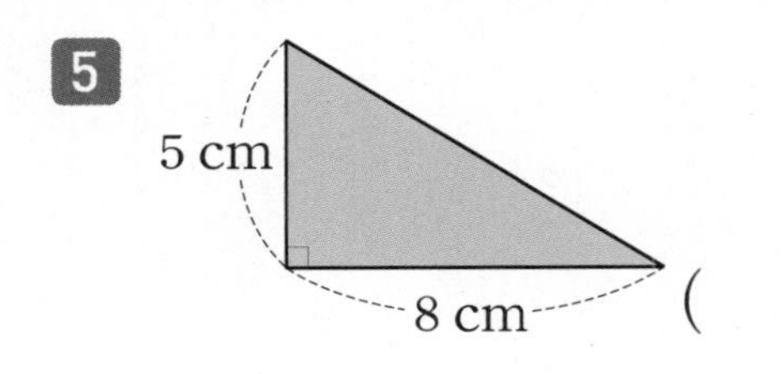

(　　　　　)

6

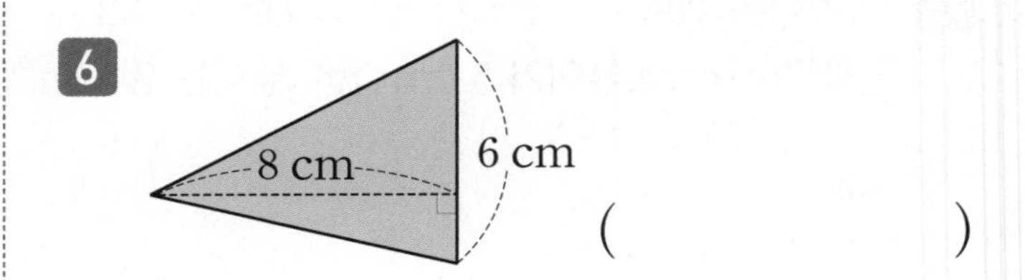

(　　　　　)

7

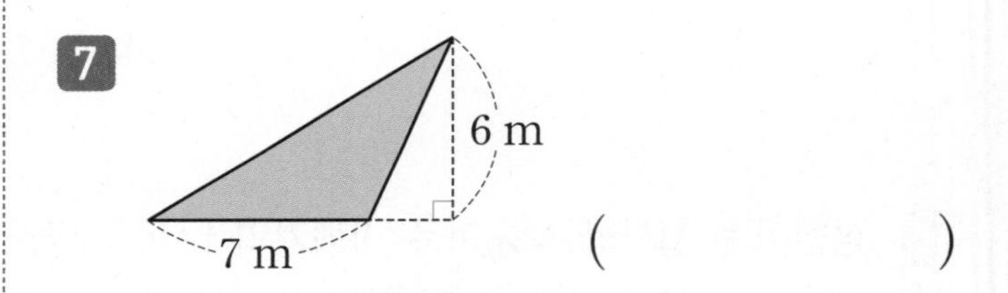

(　　　　　)

8

6 m

6 m

(　　　　　)

9

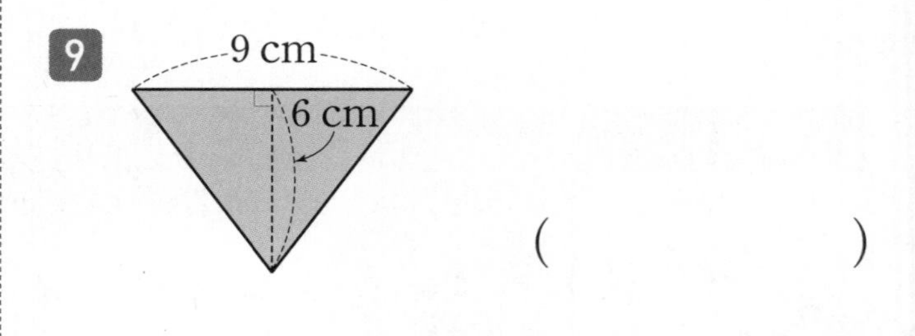

(　　　　　)

10

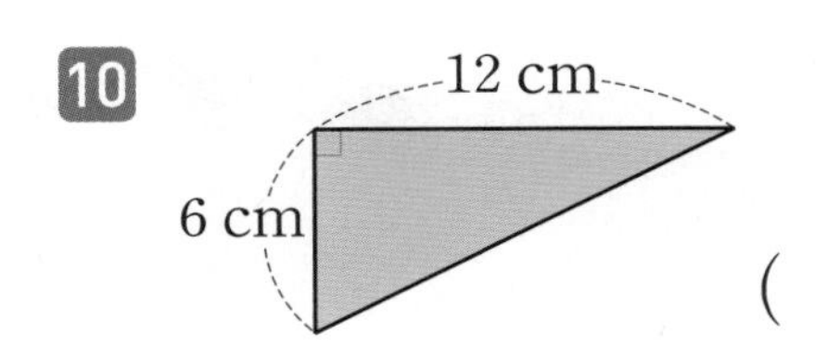

(   )

11

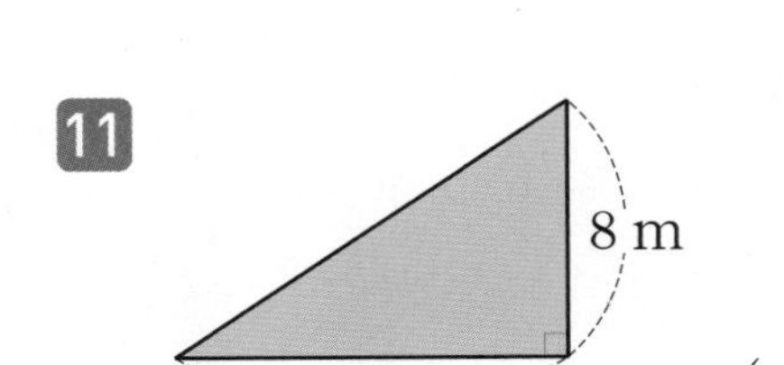

(   )

12

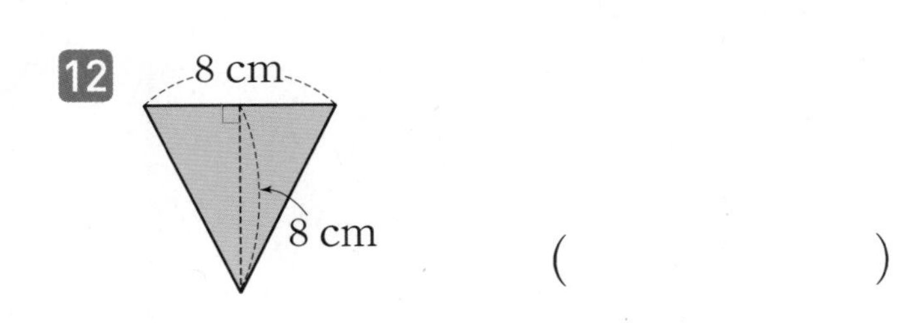

(   )

13

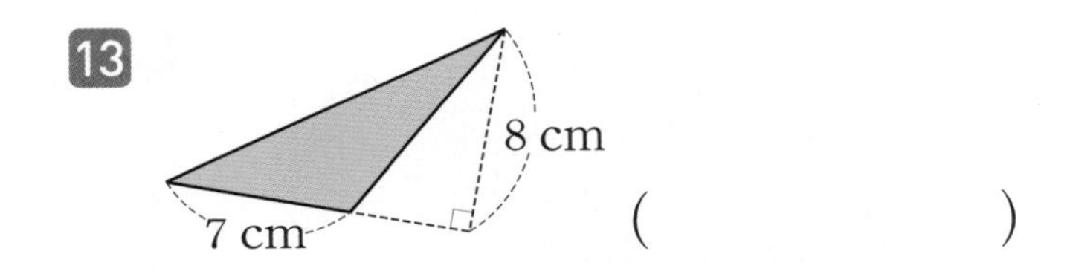

(   )

14

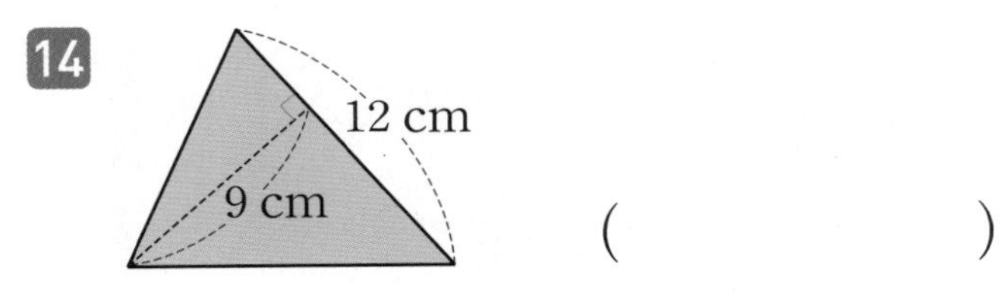

(   )

15

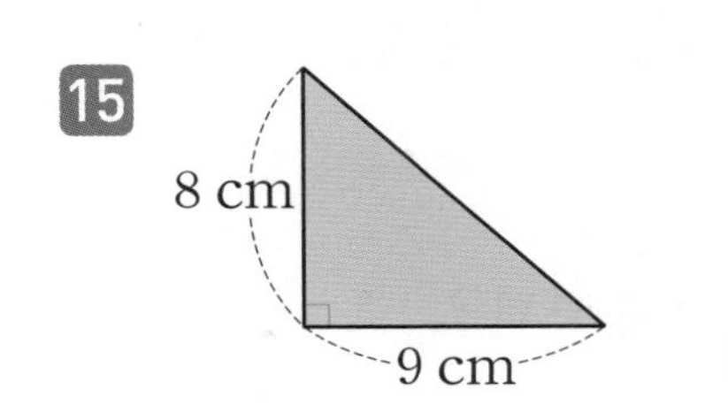

(   )

16

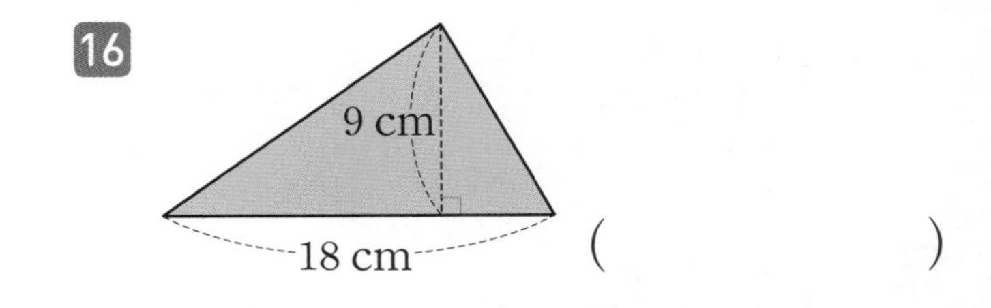

(   )

17

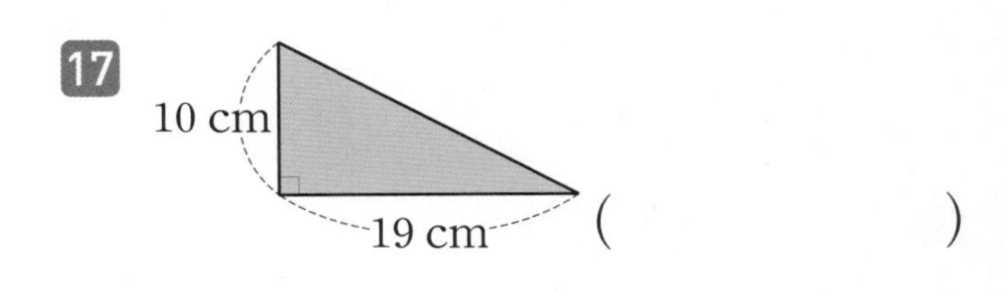

(   )

18

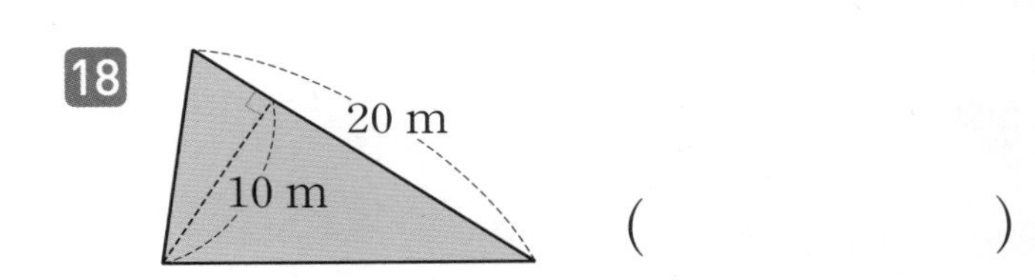

(   )

19

9 m
10 m

(   )

맞힌 개수
개 /19개

나의 학습 결과에 ○표 하세요.

맞힌 개수	0～2개	3～10개	11～17개	18～19개
학습 방법	다시 한번 풀어 봐요.	계산 연습이 필요해요.	틀린 문제를 확인해요.	실수하지 않도록 집중해요.

QR 빠른 정답 확인

10 일차 5. 삼각형의 넓이

삼각형의 넓이를 구해 보세요.

1

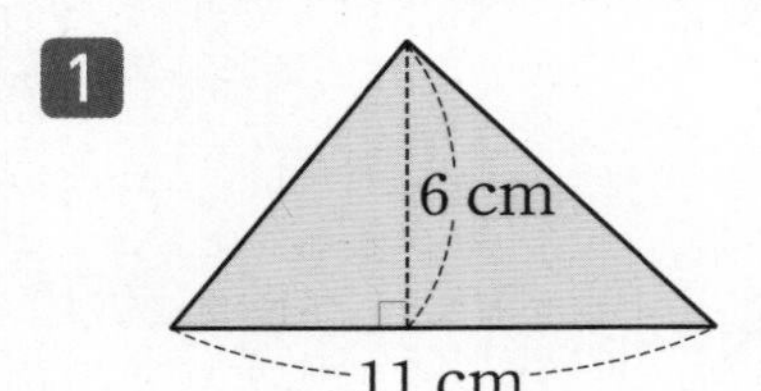

(　　　　　　)

2

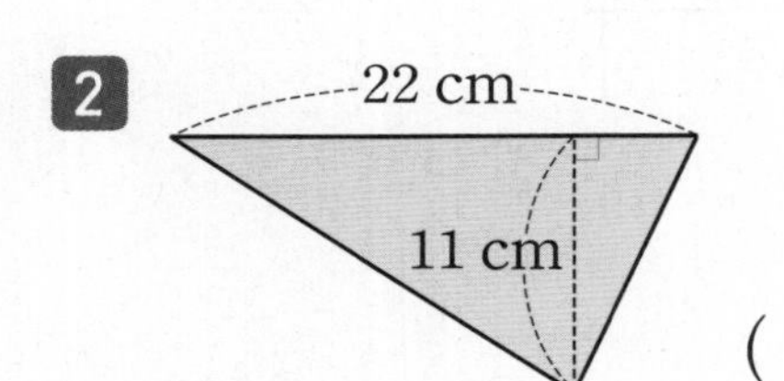

(　　　　　　)

3

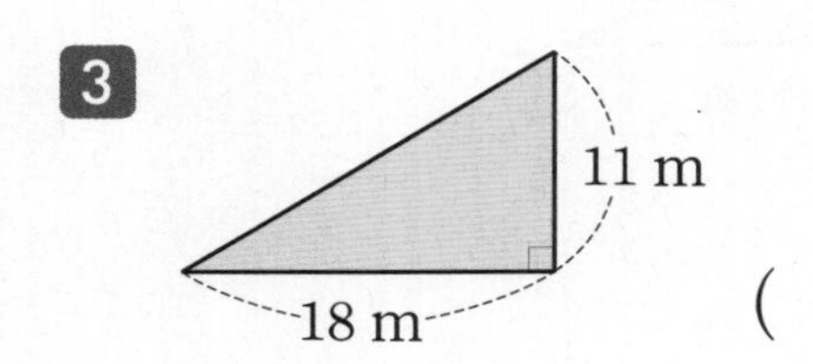

(　　　　　　)

4

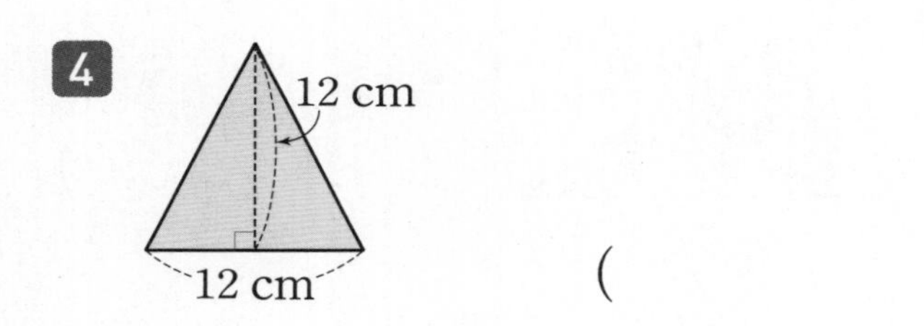

(　　　　　　)

5

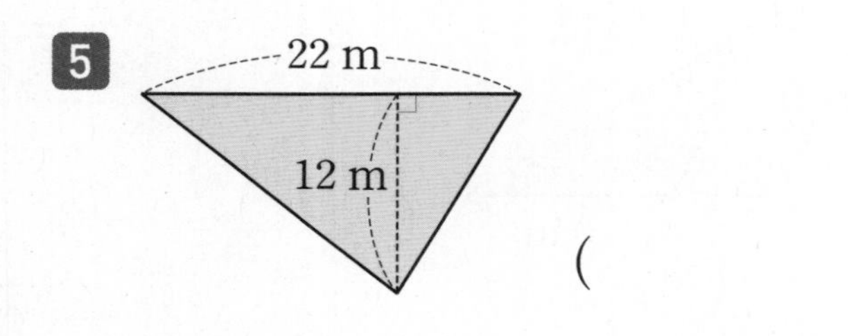

(　　　　　　)

6

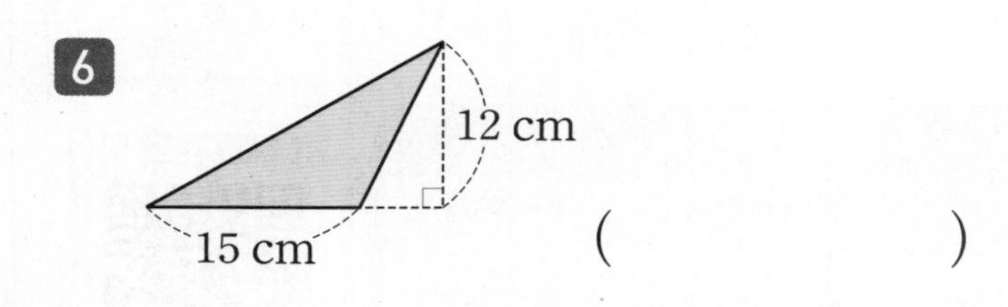

(　　　　　　)

7

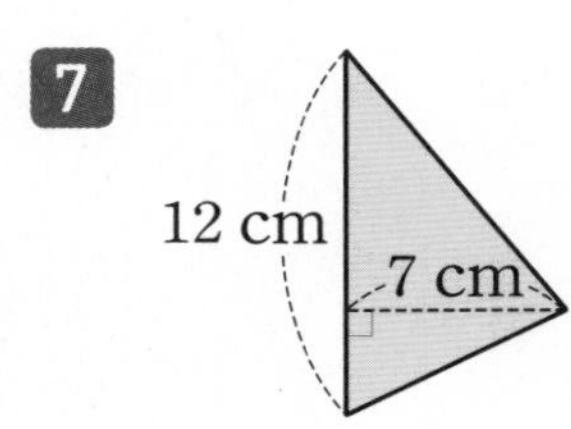

(　　　　　　)

8

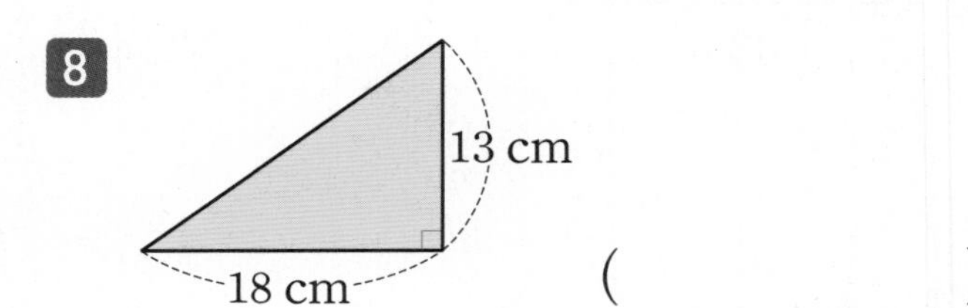

(　　　　　　)

9

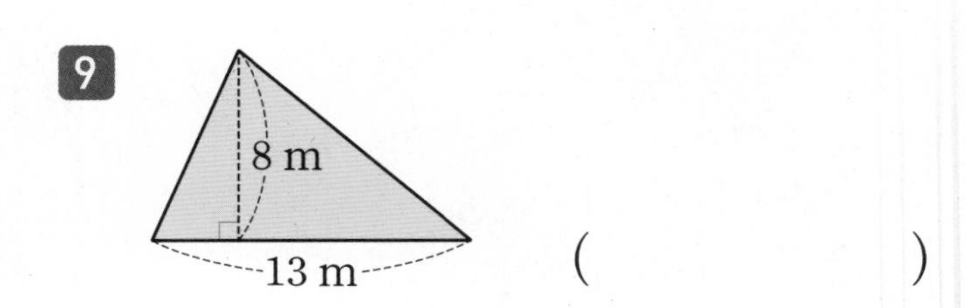

(　　　　　　)

10

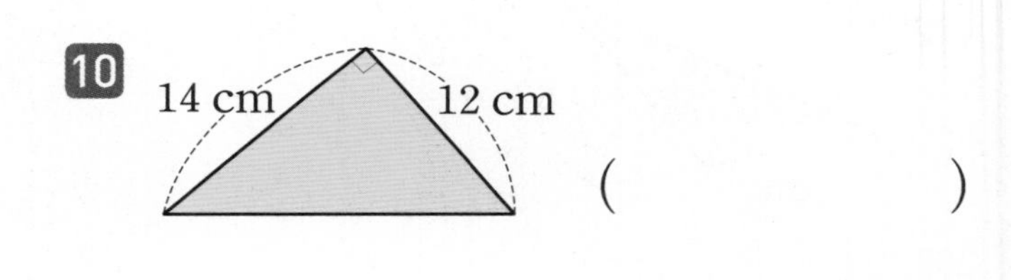

(　　　　　　)

11

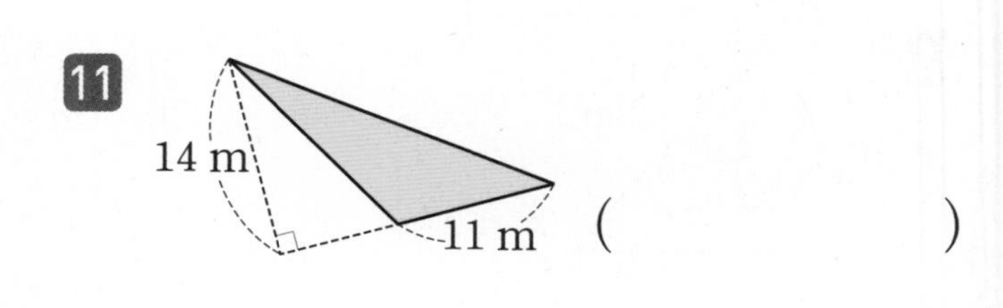

(　　　　　　)

12

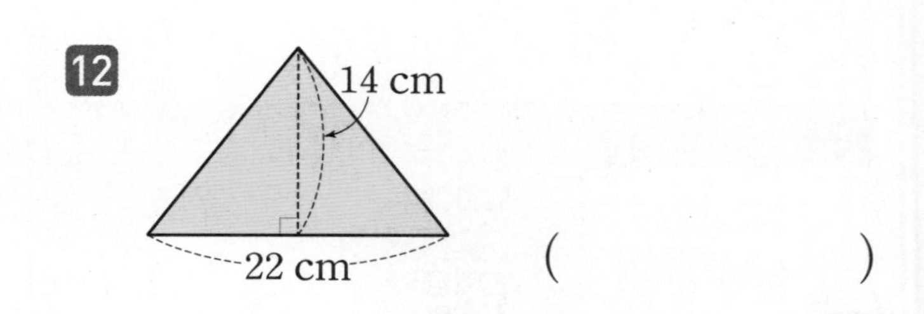

(　　　　　　)

연산 in 문장제

상현이네 집의 마당에 삼각형 모양의 텃밭이 있습니다. 텃밭의 밑변의 길이가 12 m이고 높이가 7 m일 때, 텃밭의 넓이는 몇 m^2인지 구해 보세요.

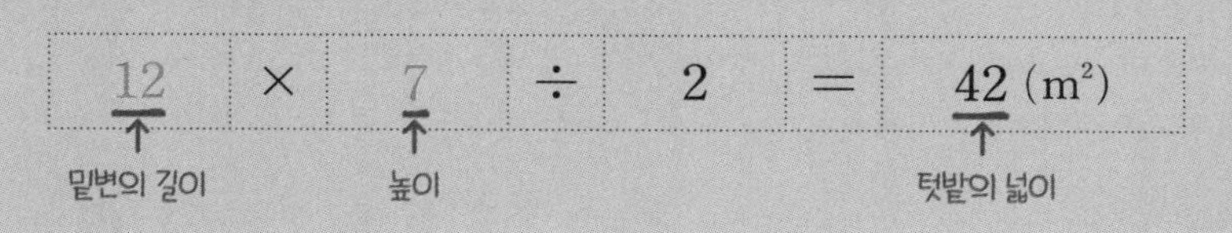

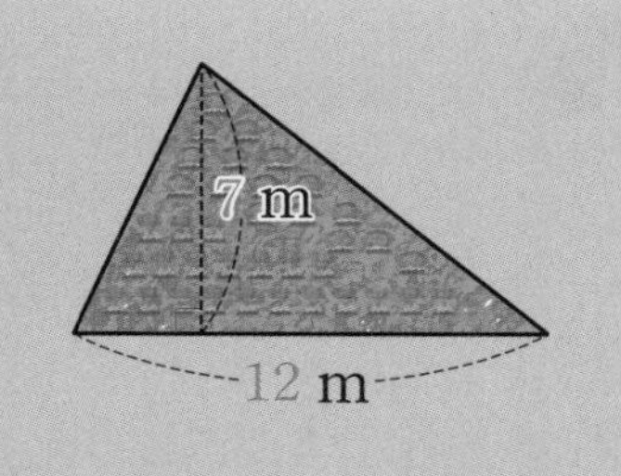

13 남우가 사는 동네에는 삼각형 모양의 안전지대가 있습니다. 삼각형 모양의 안전지대의 밑변의 길이가 13 m이고 높이가 8 m일 때, 안전지대의 넓이는 몇 m^2인지 구해 보세요.

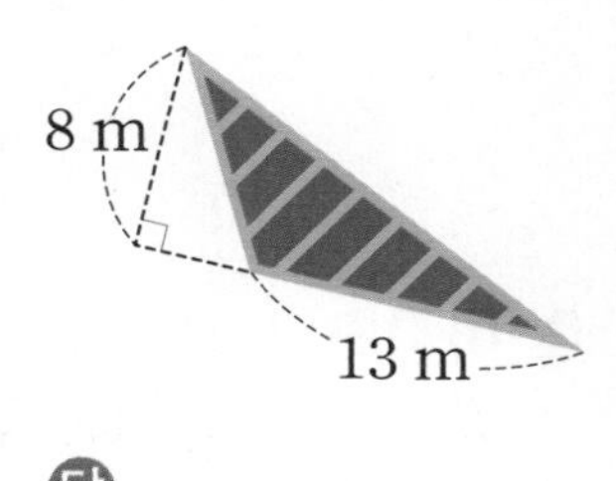

➜ 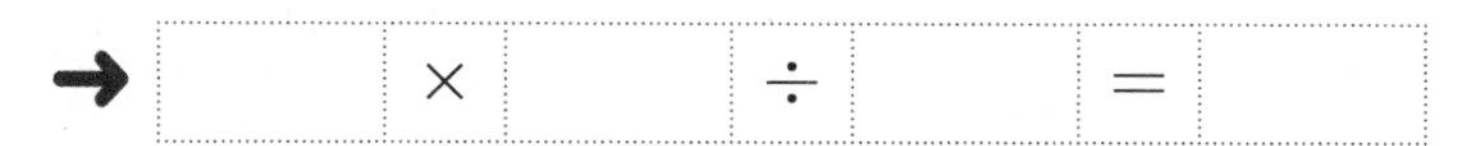

답 ____________

14 색종이를 잘라 삼각형 모양의 색종이 조각을 만들었습니다. 삼각형 모양의 색종이 조각의 밑변의 길이가 10 cm, 높이가 7 cm라면, 색종이 조각의 넓이는 몇 cm^2인지 구해 보세요.

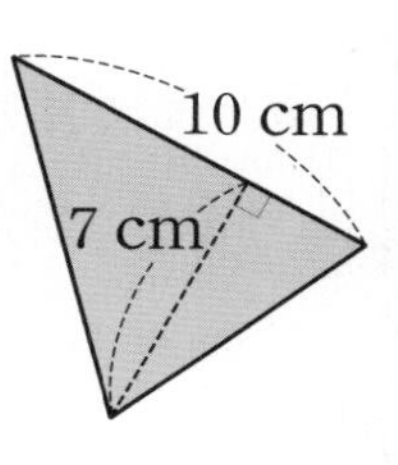

➜ 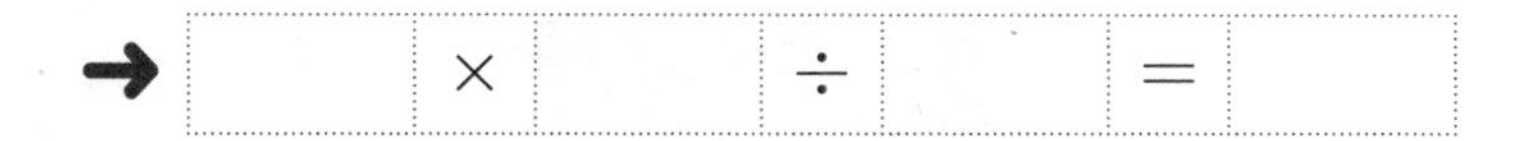

답 ____________

15 성희가 다니는 학교에는 삼각형 모양의 연못이 있습니다. 삼각형 모양의 연못의 밑변의 길이가 18 m, 높이가 12 m라면, 연못의 넓이는 몇 m^2인지 구해 보세요.

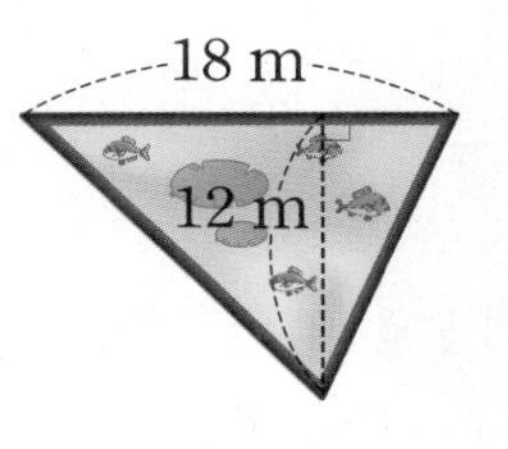

➜ ☐ × ☐ ÷ ☐ = ☐

답 ____________

맞힌 개수: 개 /15개

나의 학습 결과에 ○표 하세요.

맞힌 개수	0～2개	3～8개	9～13개	14～15개
학습 방법	다시 한번 풀어 봐요.	계산 연습이 필요해요.	틀린 문제를 확인해요.	실수하지 않도록 집중해요.

QR 빠른정답 확인

11 일차 6. 마름모의 넓이

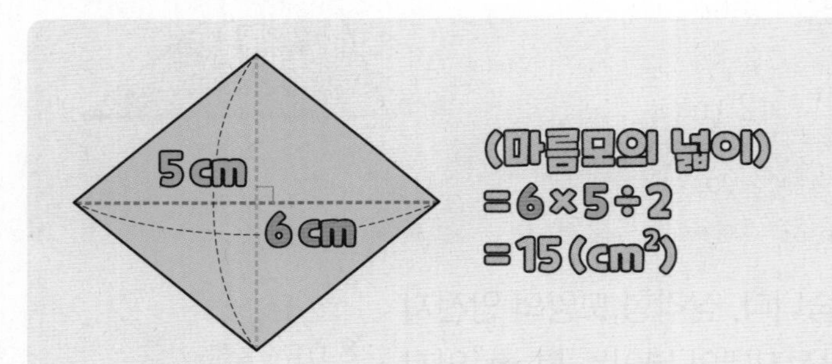

마름모의 넓이를 구하려고 합니다. □ 안에 알맞은 수를 써넣으세요.

1

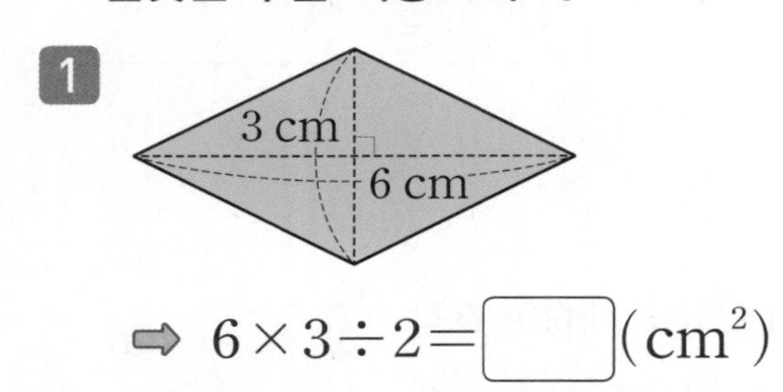

➡ $6\times3\div2=\square(\text{cm}^2)$

2

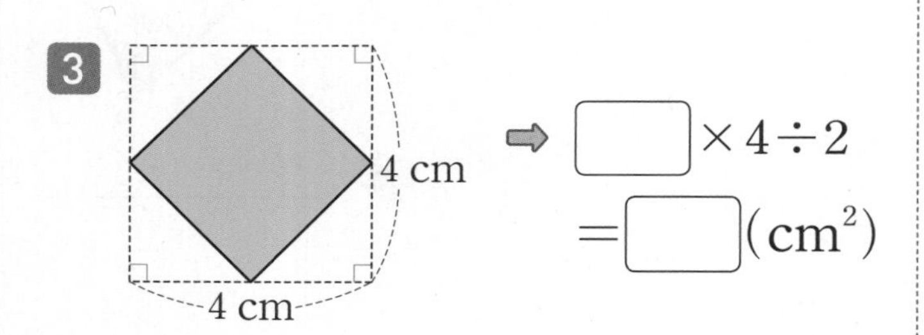

➡ $7\times4\div2=\square(\text{cm}^2)$

3

➡ $\square\times4\div2$
$=\square(\text{cm}^2)$

4

➡ $4\times\square\div2$
$=\square(\text{cm}^2)$

마름모의 넓이를 구해 보세요.

5

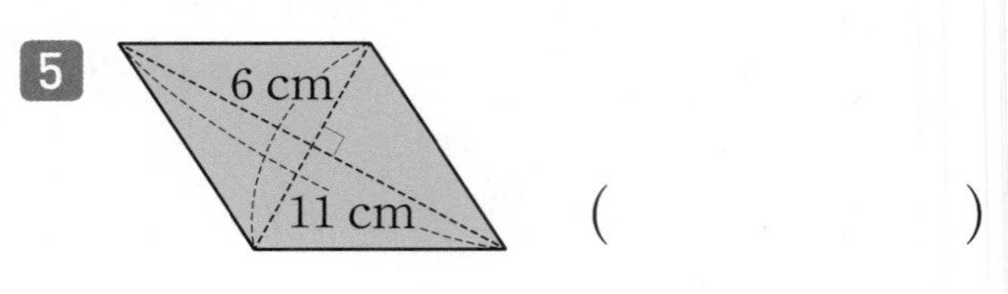

( )

6

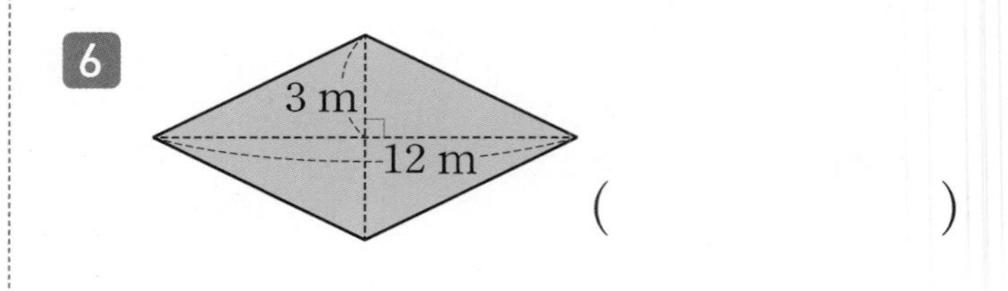

( )

7

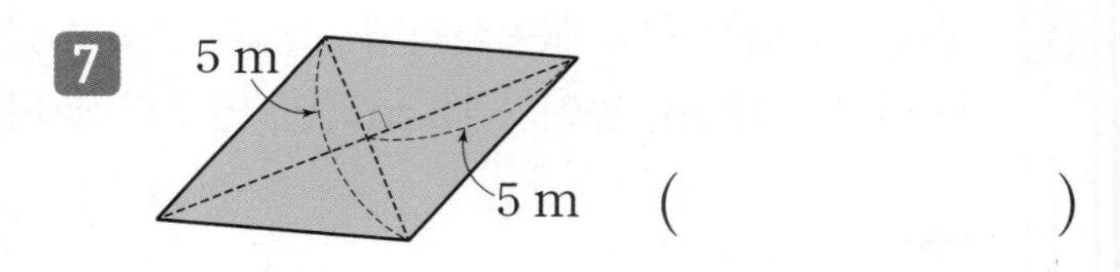

( )

8

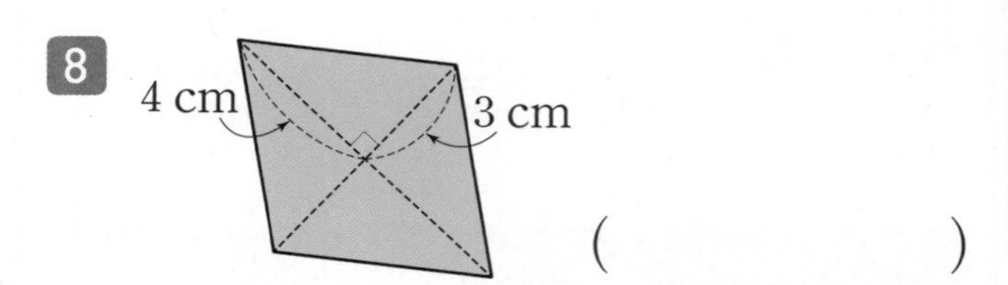

( )

9 10 m, 7 m ( )

10 7 m, 12 m ( )

11 10 m, 8 m ( )

12 8 cm, 9 cm ( )

13 8 m, 12 m ( )

14

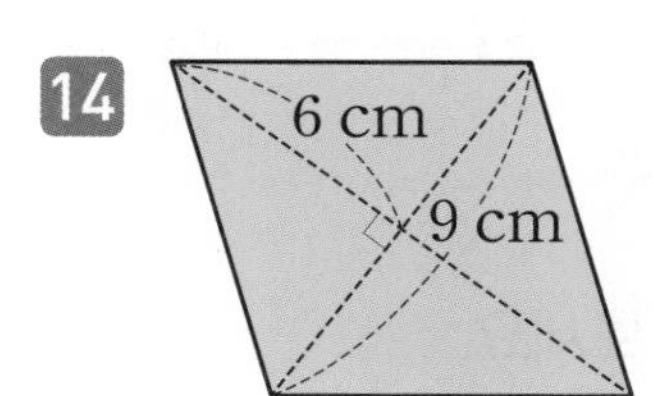

( )

15 9 cm, 5 cm ( )

16 9 cm, 14 cm ( )

17 10 cm, 10 cm ( )

18

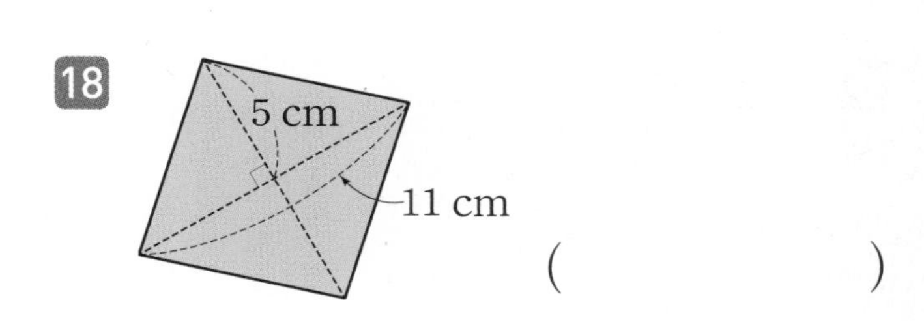

( )

맞힌 개수
개 /18개

나의 학습 결과에 ○표 하세요.

맞힌 개수	0～2개	3～9개	10～16개	17～18개
학습 방법	다시 한번 풀어 봐요.	계산 연습이 필요해요.	틀린 문제를 확인해요.	실수하지 않도록 집중해요.

QR 빠른 정답 확인

6. 마름모의 넓이

마름모의 넓이를 구해 보세요.

1
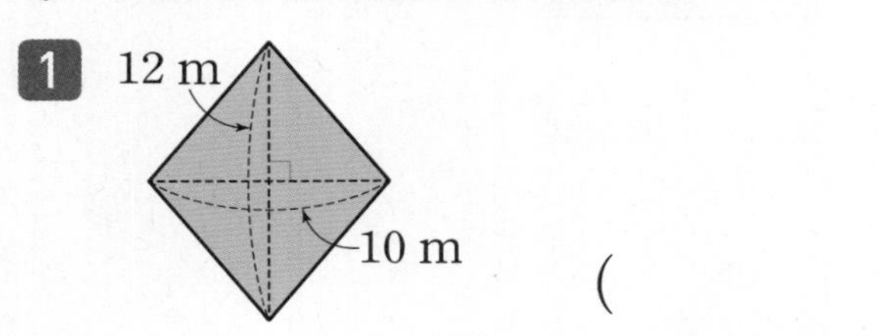

(　　　　　　)

2
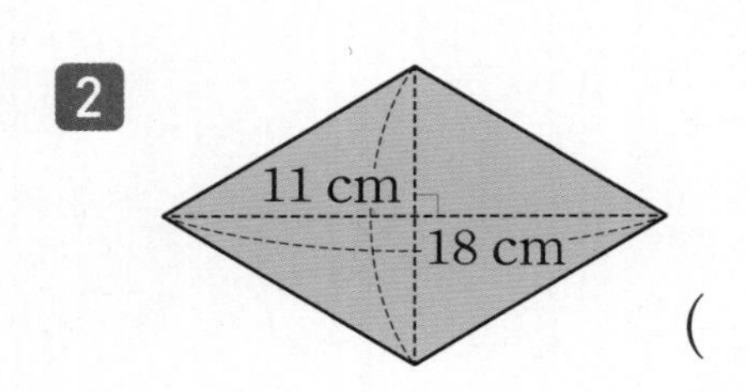

(　　　　　　)

3
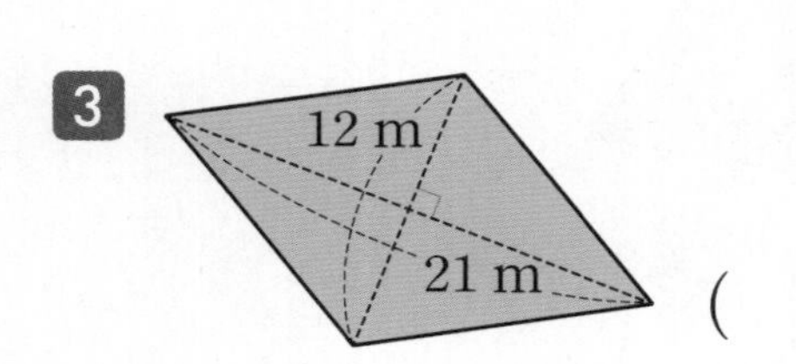

(　　　　　　)

4
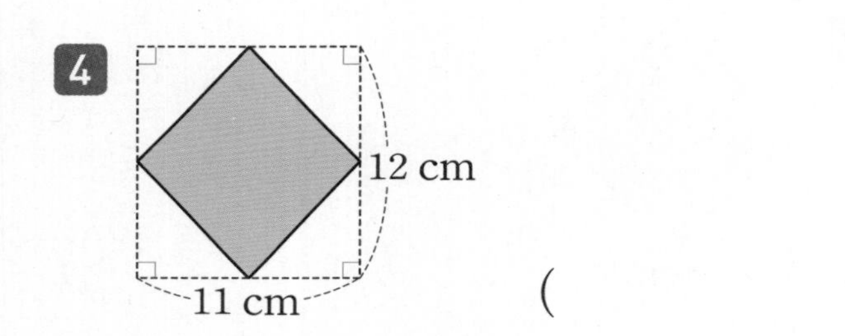

(　　　　　　)

5
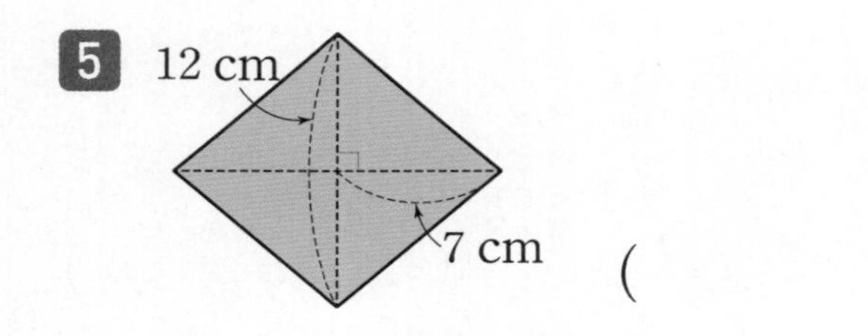

(　　　　　　)

6
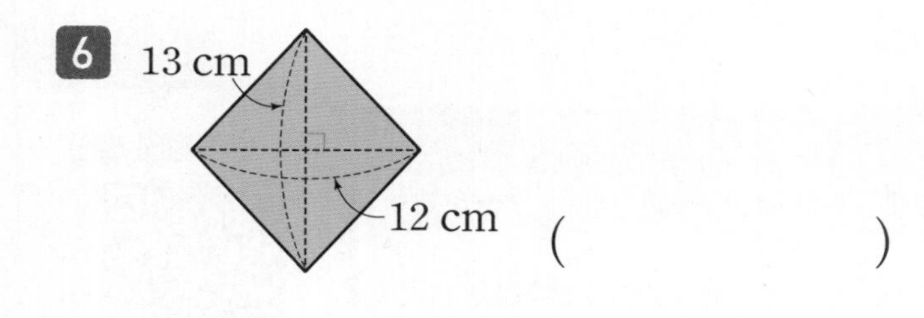

(　　　　　　)

7
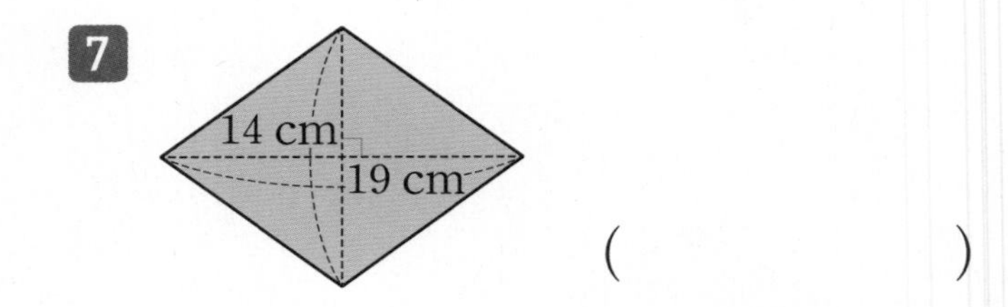

(　　　　　　)

8
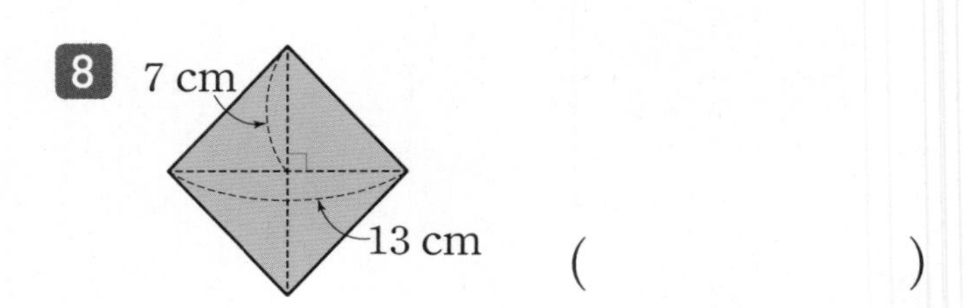

(　　　　　　)

9
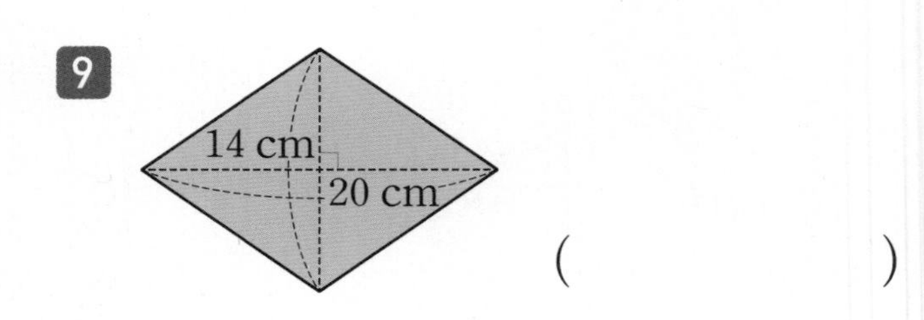

(　　　　　　)

10
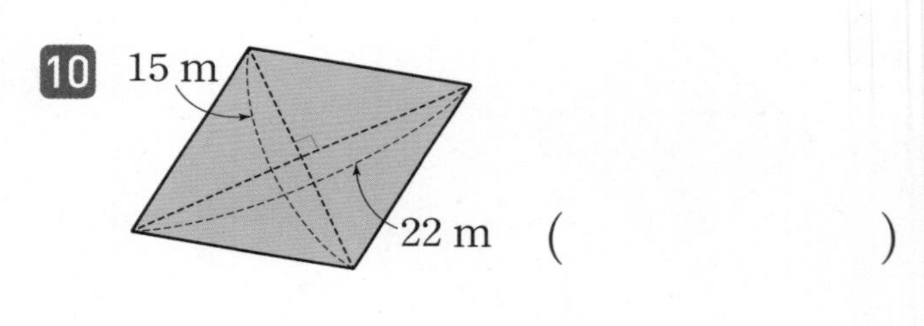

(　　　　　　)

11
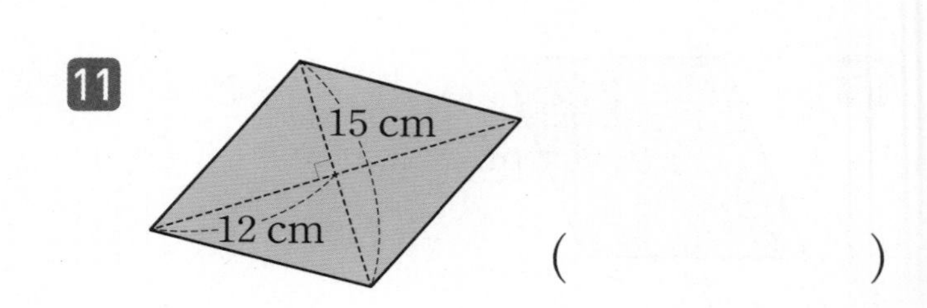

(　　　　　　)

12
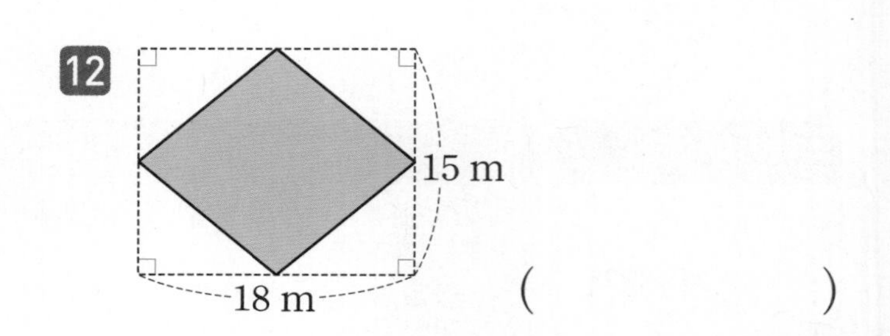

(　　　　　　)

연산 in 문장제

학급 게시판을 꾸미기 위해 색종이를 잘라 마름모 모양의 색종이 조각을 만들었습니다. 마름모 모양 색종이 조각의 한 대각선의 길이가 4 cm, 다른 대각선의 길이가 7 cm일 때, 색종이 조각의 넓이는 몇 cm^2인지 구해 보세요.

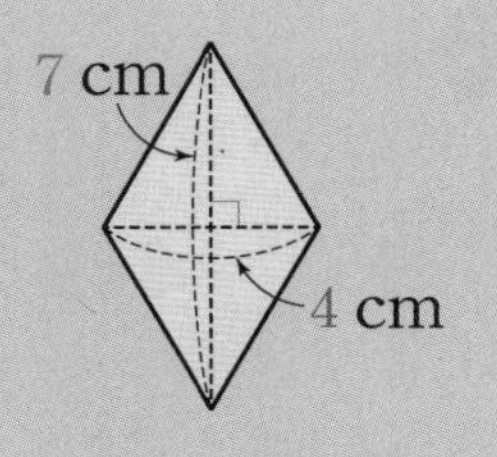

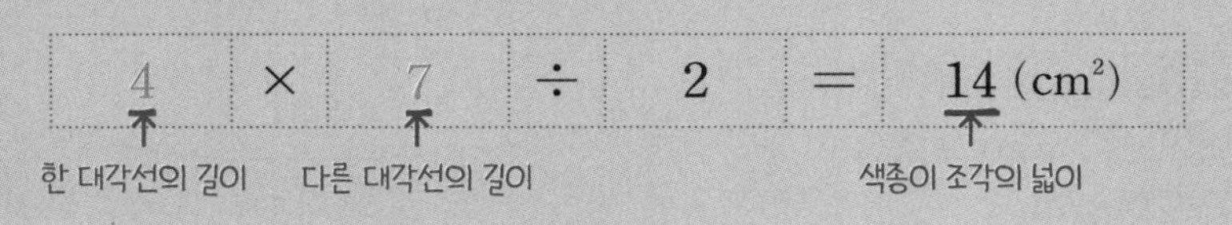

13 어느 공원에 마름모 모양의 분수대가 있습니다. 마름모 모양 분수대의 한 대각선의 길이가 12 m이고 다른 대각선의 길이가 6 m일 때, 분수대의 넓이는 몇 m^2인지 구해 보세요.

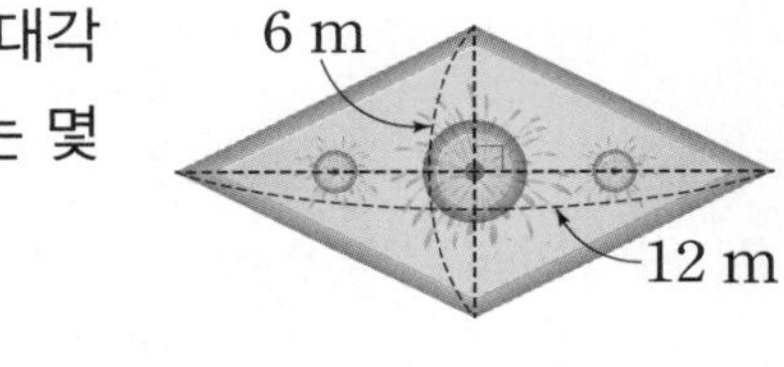

➜ | | × | | ÷ | | = | |

답 ________

14 은영이네 집 욕실 벽에 붙어 있는 타일에는 마름모 모양의 무늬가 있습니다. 마름모 모양 무늬의 한 대각선의 길이가 8 cm이고 다른 대각선의 길이가 10 cm일 때, 마름모 모양 무늬의 넓이는 몇 cm^2인지 구해 보세요.

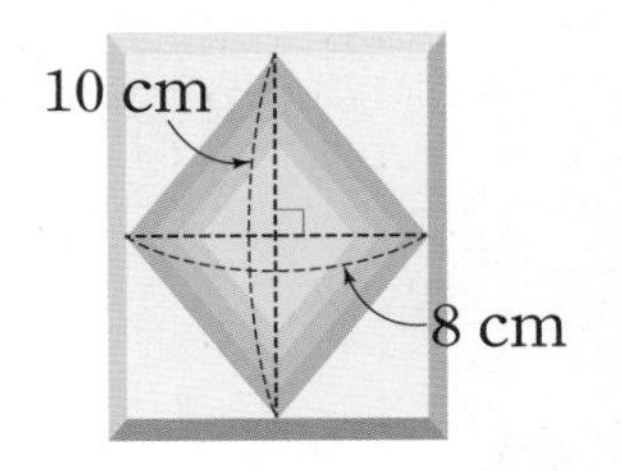

➜ | | × | | ÷ | | = | |

답 

15 마름모 모양의 연이 있습니다. 마름모 모양 연의 한 대각선의 길이가 40 cm이고 다른 대각선의 길이가 42 cm일 때, 마름모 모양의 연의 넓이는 몇 cm^2인지 구해 보세요.

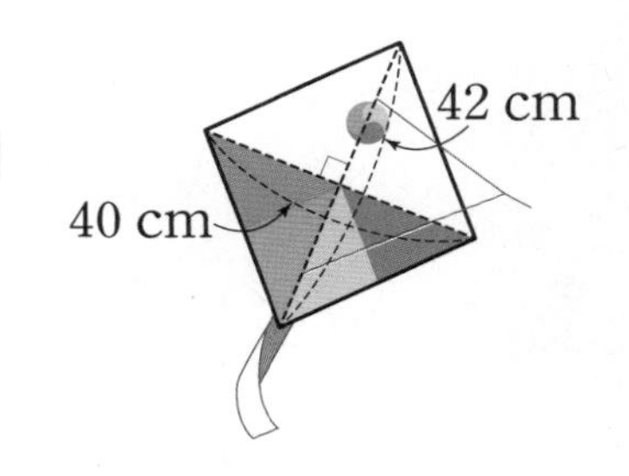

➜ | | × | | ÷ | | = | |

답 

맞힌 개수

개 /15개

나의 학습 결과에 ○표 하세요.

맞힌 개수	0~2개	3~8개	9~13개	14~15개
학습 방법	다시 한번 풀어 봐요.	계산 연습이 필요해요.	틀린 문제를 확인해요.	실수하지 않도록 집중해요.

QR 빠른정답 확인

7. 사다리꼴의 넓이

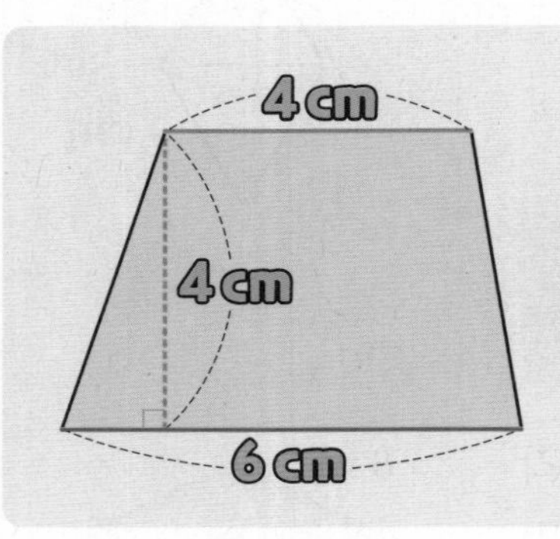

(사다리꼴의 넓이)
$=(4+6)\times4\div2$
$=20(cm^2)$

사다리꼴의 넓이를 구하려고 합니다. □ 안에 알맞은 수를 써넣으세요.

1

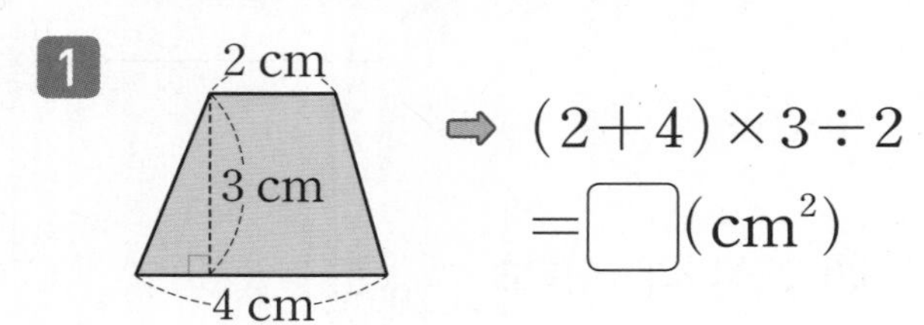

➡ $(2+4)\times3\div2$
$=\square(cm^2)$

2

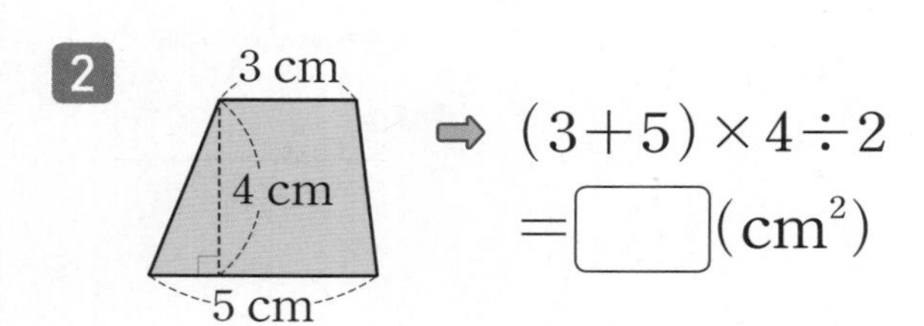

➡ $(3+5)\times4\div2$
$=\square(cm^2)$

3

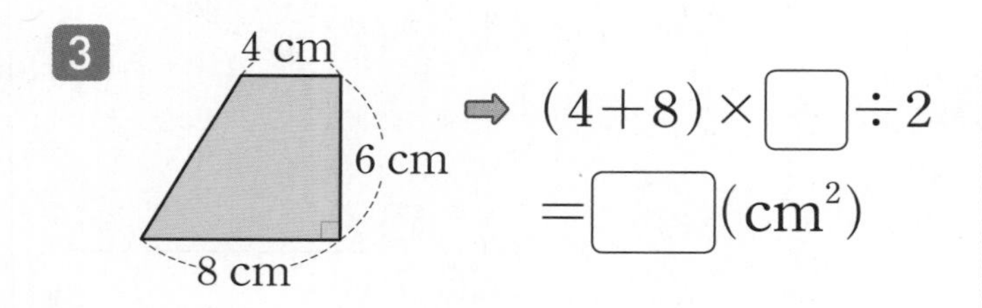

➡ $(4+8)\times\square\div2$
$=\square(cm^2)$

4

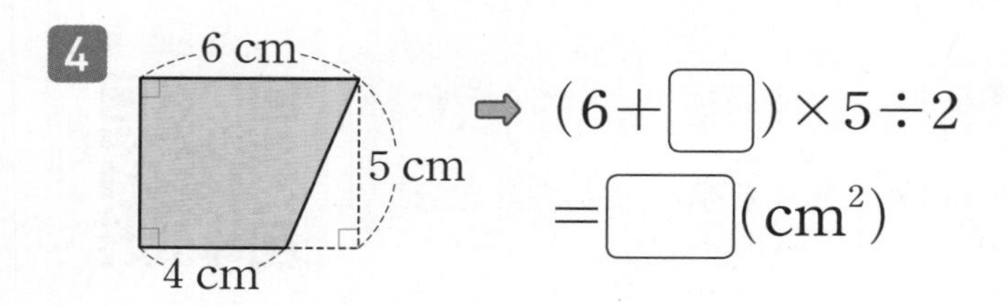

➡ $(6+\square)\times5\div2$
$=\square(cm^2)$

사다리꼴의 넓이를 구해 보세요.

5

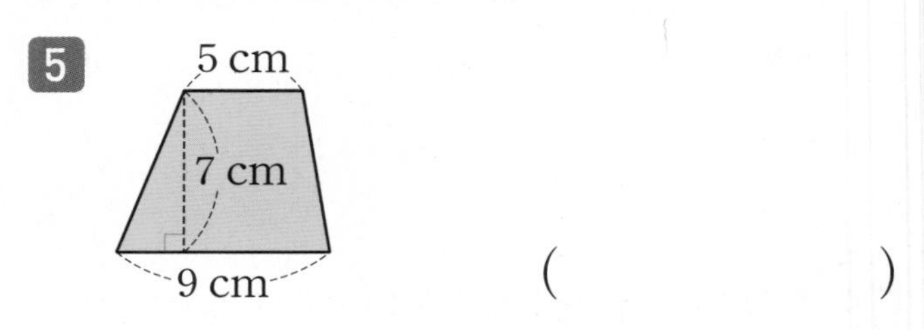

(　　　　　　)

6

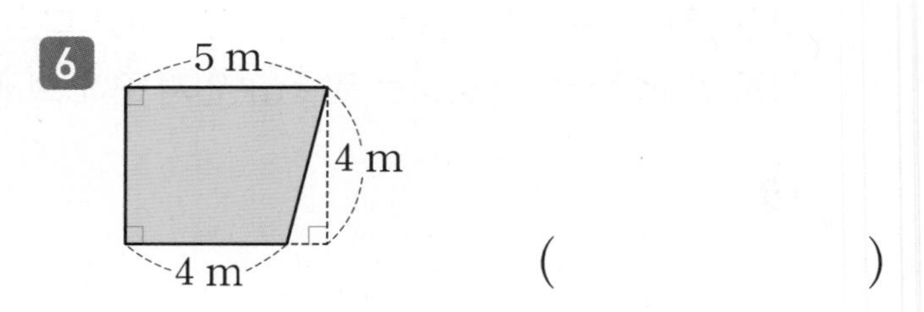

(　　　　　　)

7

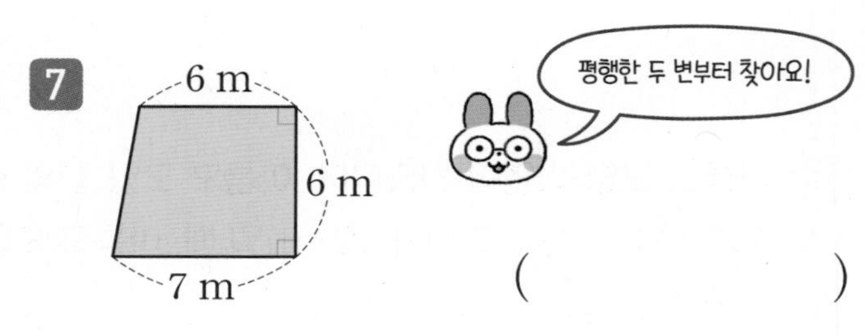

(　　　　　　)

8

(　　　　　　)

9

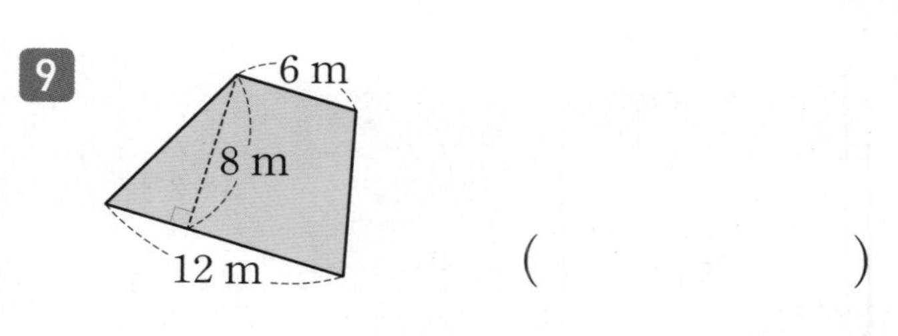

(　　　　　　)

10

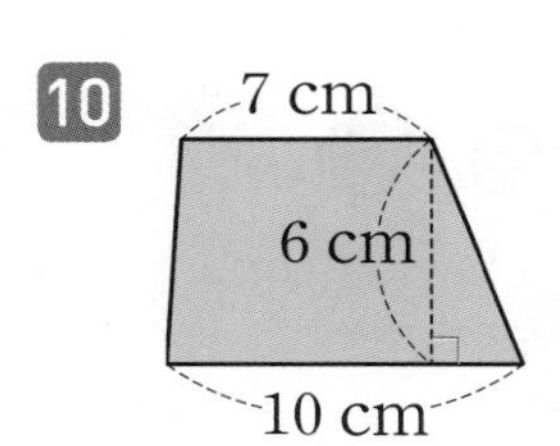

( )

11

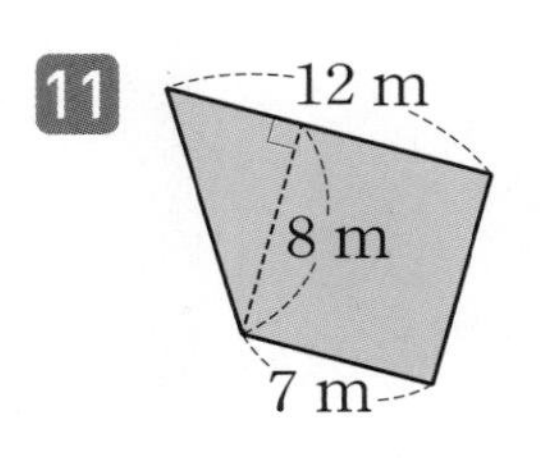

( )

12

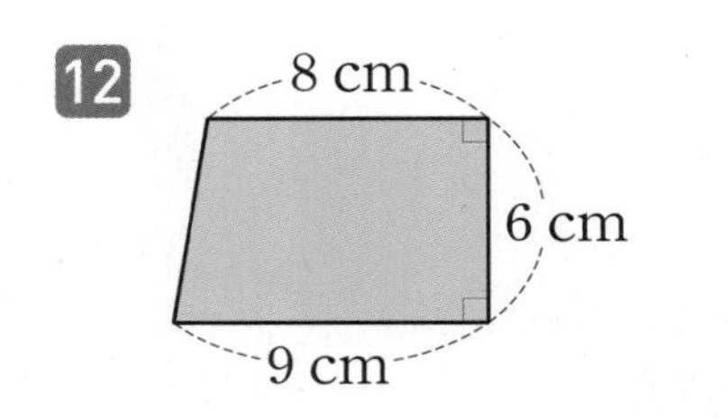

( )

13

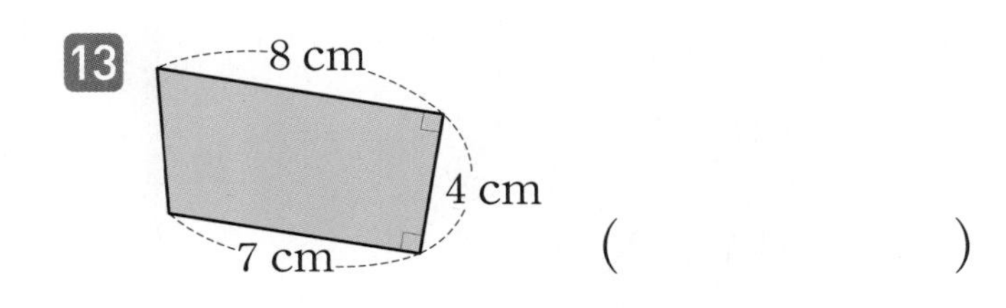

( )

14

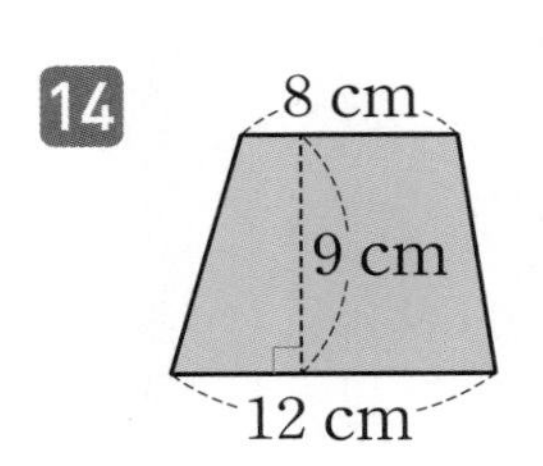

( )

15

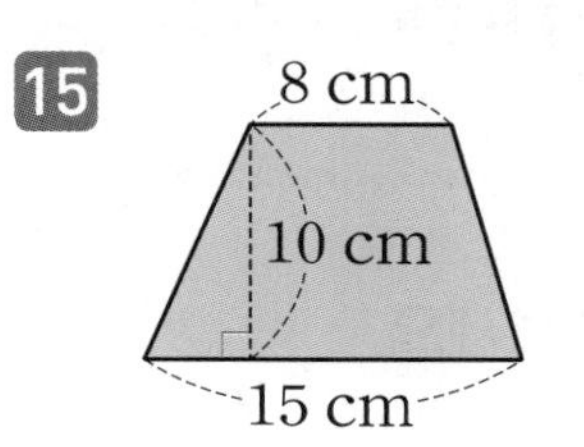

( )

16

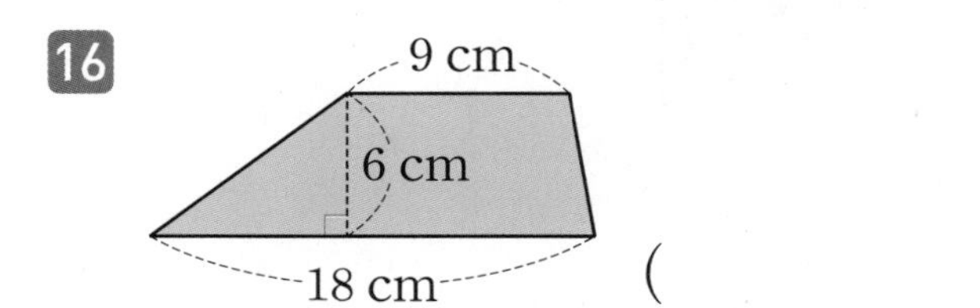

( )

17

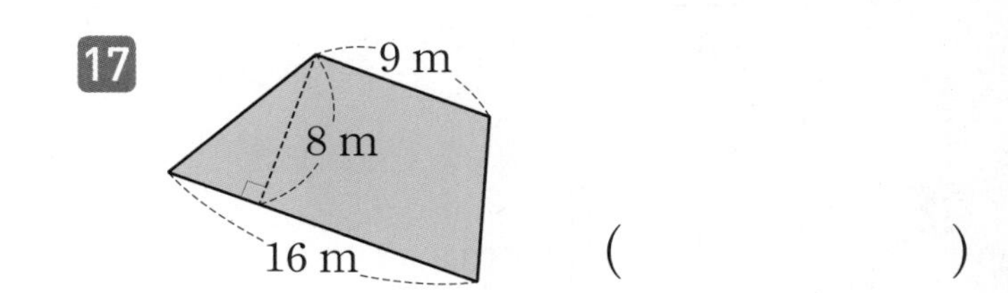

( )

18

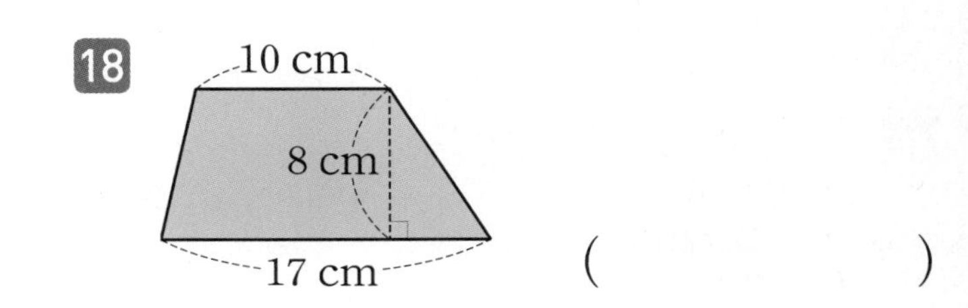

( )

19

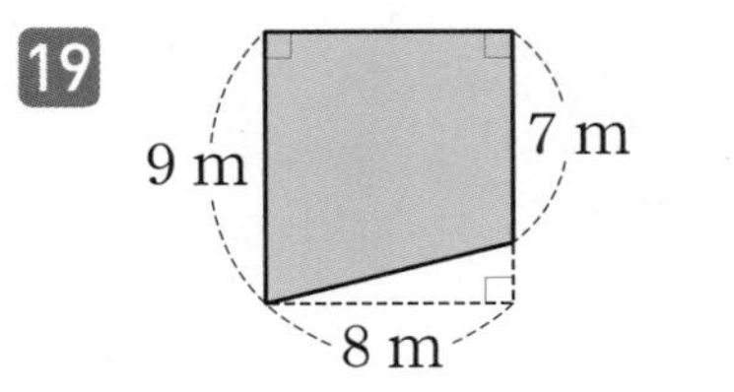

( )

맞힌 개수

개 /19개

나의 학습 결과에 ○표 하세요.

맞힌 개수	0～2개	3～10개	11～17개	18～19개
학습 방법	다시 한번 풀어 봐요.	계산 연습이 필요해요.	틀린 문제를 확인해요.	실수하지 않도록 집중해요.

QR 빠른 정답 확인

7. 사다리꼴의 넓이

사다리꼴의 넓이를 구해 보세요.

1

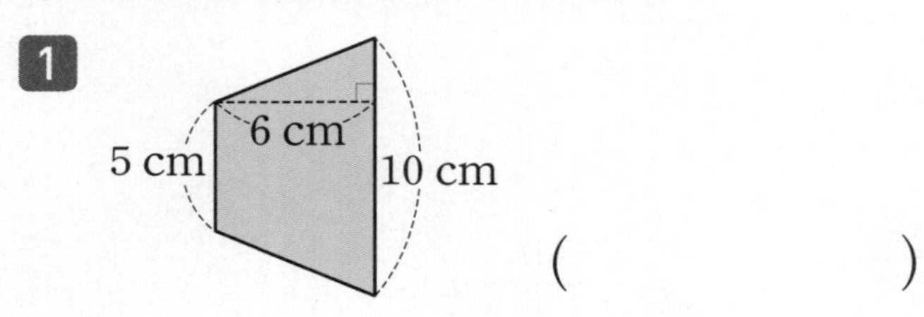

( )

2

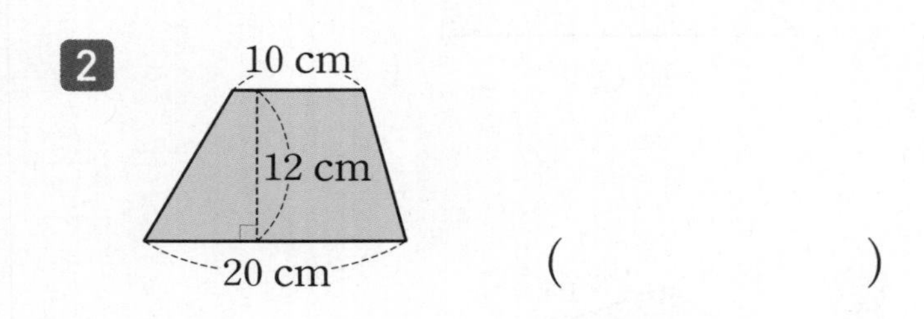

( )

3

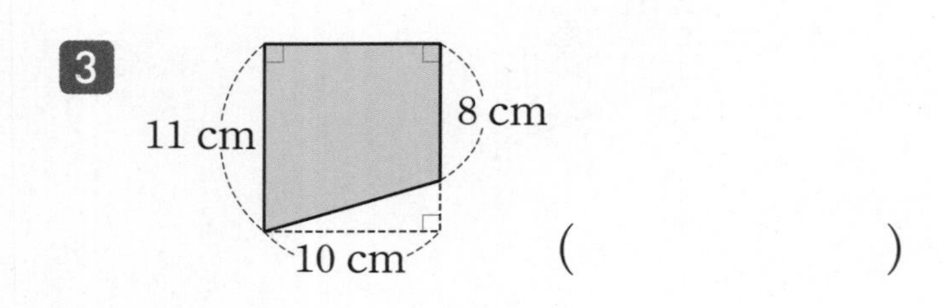

( )

4

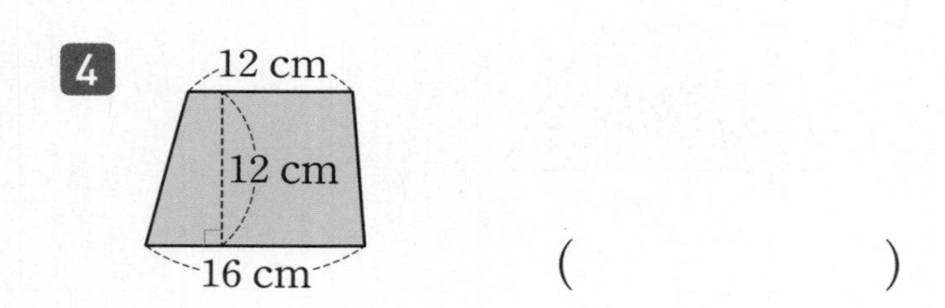

( )

5

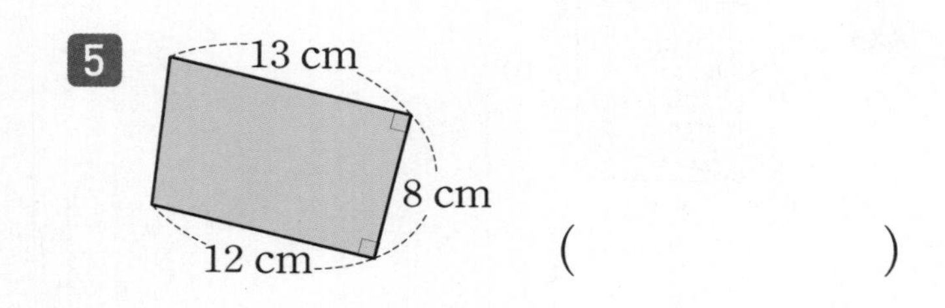

( )

6

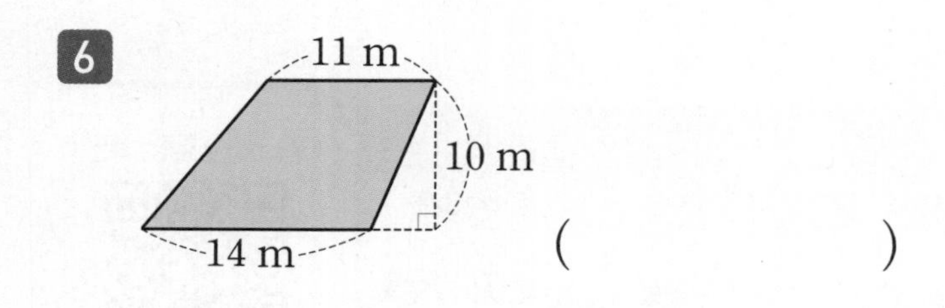

( )

7

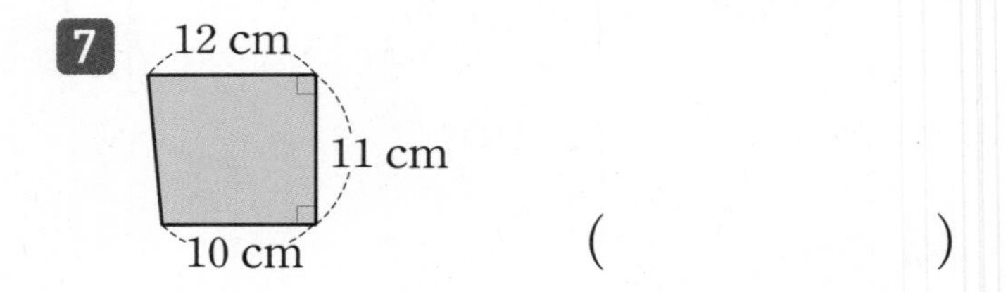

( )

8

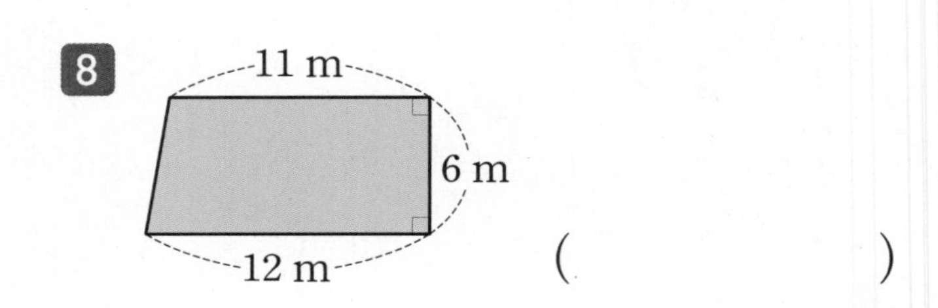

( )

9

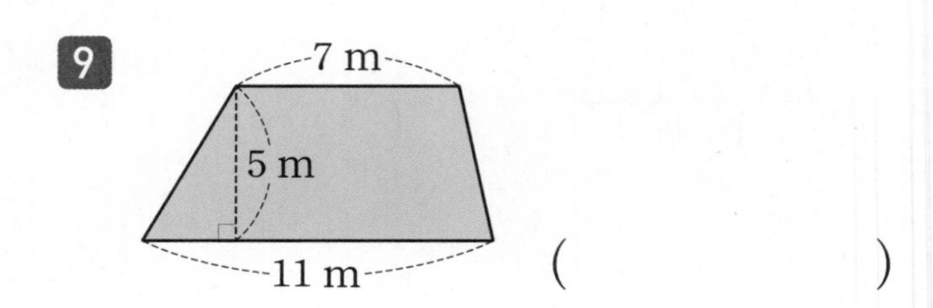

( )

10

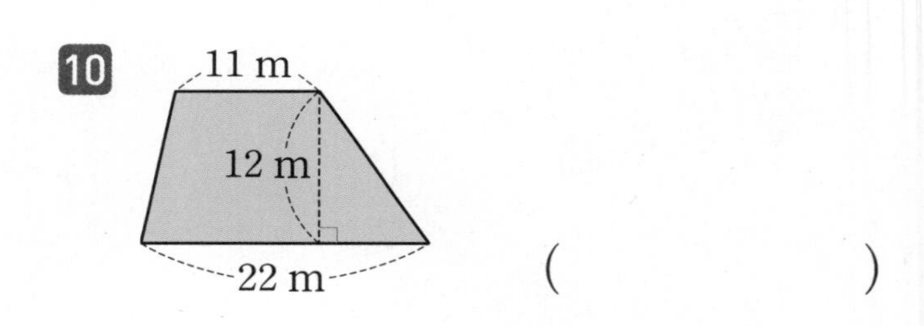

( )

11

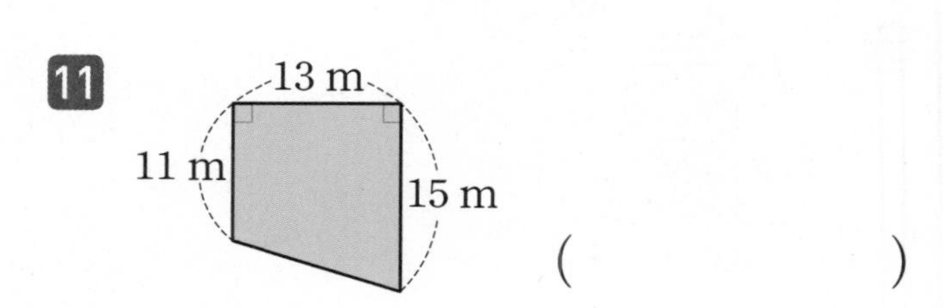

( )

12

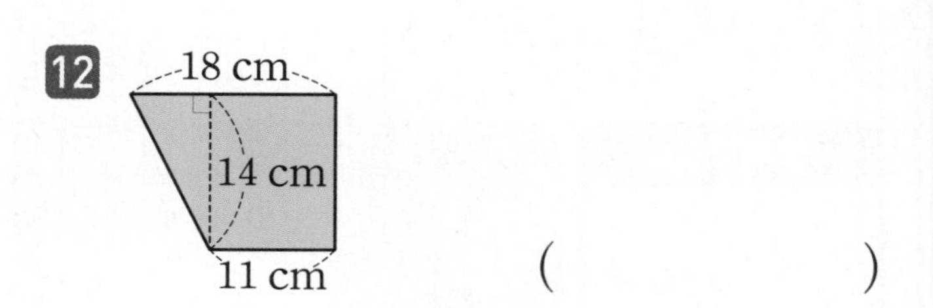

( )

연산 in 문장제

모형 자동차의 창문을 만들기 위해 아크릴판을 잘라 사다리꼴 모양의 아크릴판을 만들었습니다. 사다리꼴 모양 아크릴판의 윗변의 길이가 5 cm, 아랫변의 길이가 9 cm, 높이가 6 cm일 때, 자른 아크릴판의 넓이는 몇 cm^2인지 구해 보세요.

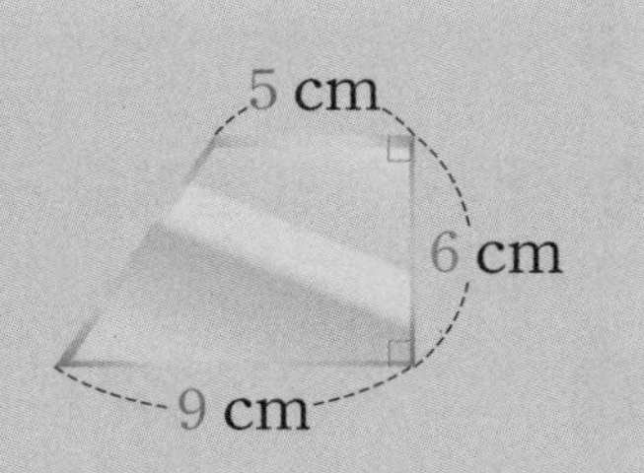

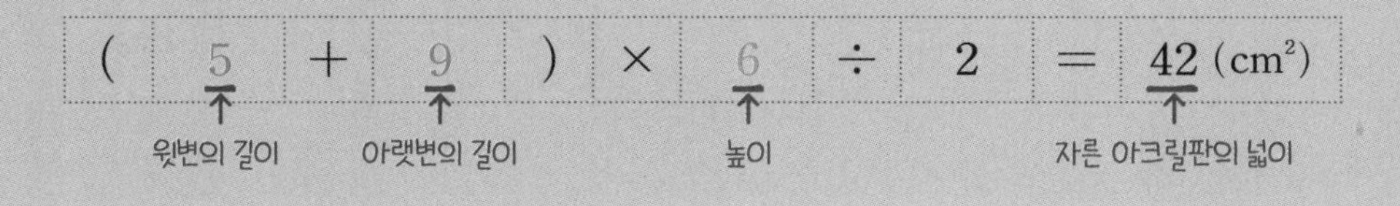

13 정희가 사는 동네에 사다리꼴 모양의 안전지대가 있습니다. 사다리꼴 모양 안전지대의 윗변의 길이가 5 m, 아랫변의 길이가 6 m, 높이가 4 m일 때, 안전지대의 넓이는 몇 m^2인지 구해 보세요.

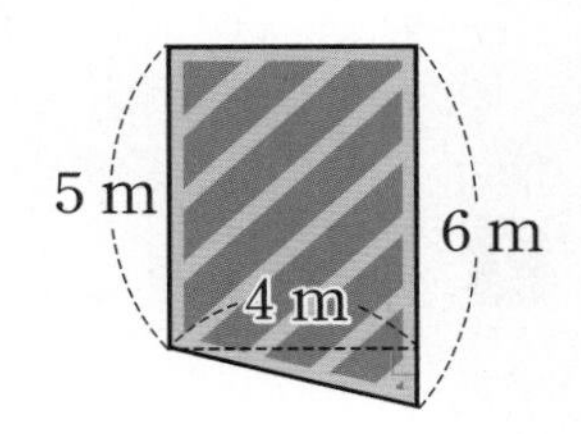

➜ (☐ + ☐) × ☐ ÷ ☐ = ☐

답

14 학급 시간표를 꾸미기 위해 색종이를 잘라 사다리꼴 모양의 과목 조각을 만들었습니다. 사다리꼴 모양 과목 조각의 윗변의 길이가 4 cm, 아랫변의 길이가 6 cm, 높이가 5 cm일 때, 과목 조각의 넓이는 몇 cm^2인지 구해 보세요.

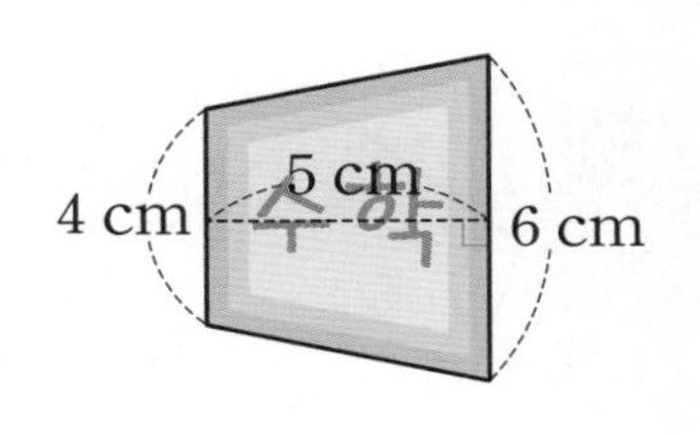

➜ (☐ + ☐) × ☐ ÷ ☐ = ☐

답

15 실과 시간에 연필꽂이를 만들기 위해 나무판자를 잘라 사다리꼴 모양의 나무판자를 만들었습니다. 사다리꼴 모양 나무판자의 윗변의 길이가 9 cm, 아랫변의 길이가 11 cm, 높이가 8 cm일 때, 나무판자의 넓이는 몇 cm^2인지 구해 보세요.

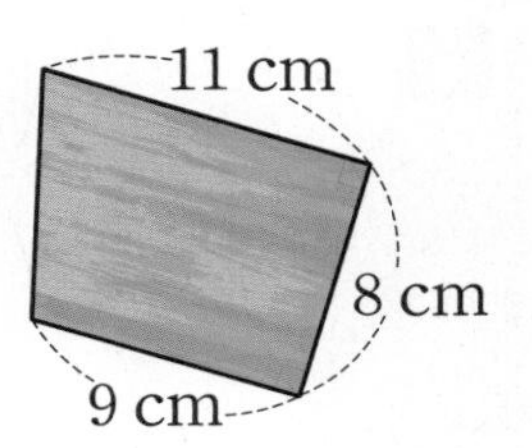

➜ (☐ + ☐) × ☐ ÷ ☐ = ☐

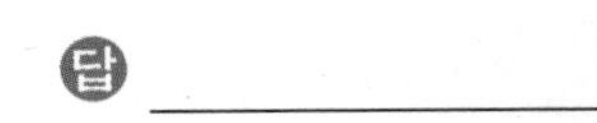
답

맞힌 개수

개 /15개

나의 학습 결과에 ○표 하세요.

맞힌 개수	0~2개	3~8개	9~13개	14~15개
학습 방법	다시 한번 풀어 봐요.	계산 연습이 필요해요.	틀린 문제를 확인해요.	실수하지 않도록 집중해요.

QR 빠른 정답 확인

연산&문장제 마무리

정다각형의 둘레를 구해 보세요.

1

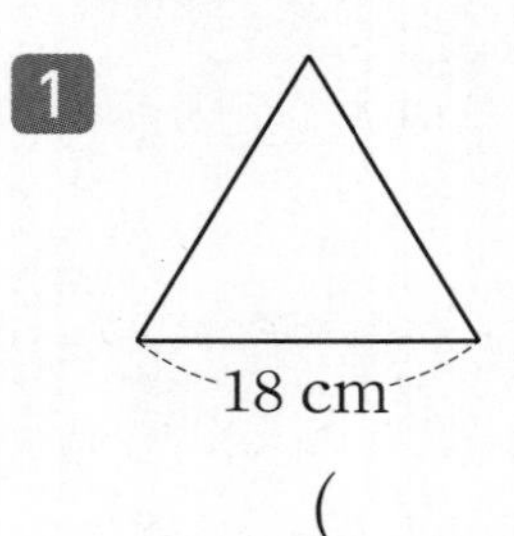

(   )

2

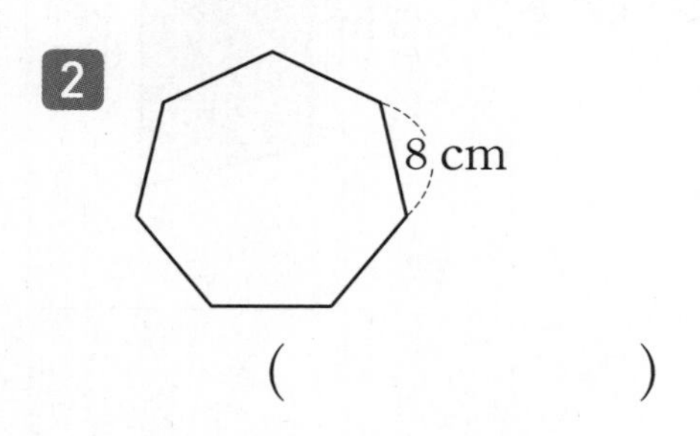

(   )

3

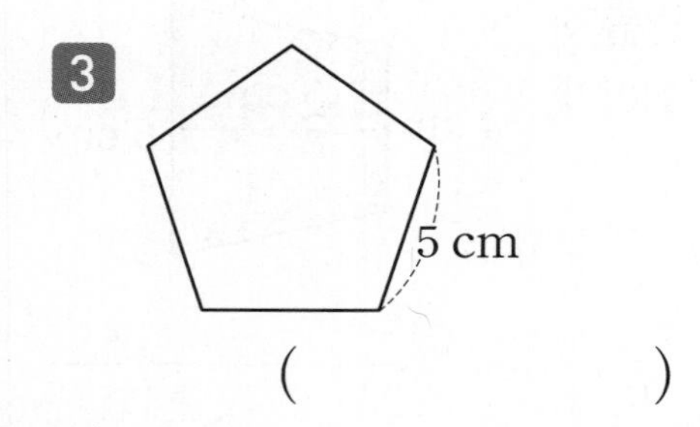

(   )

4

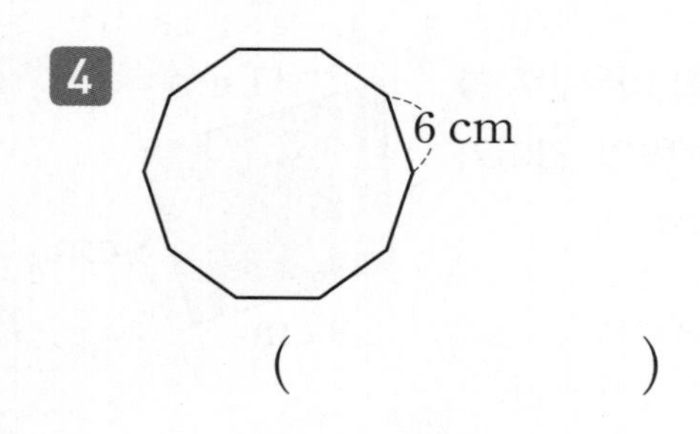

(   )

5

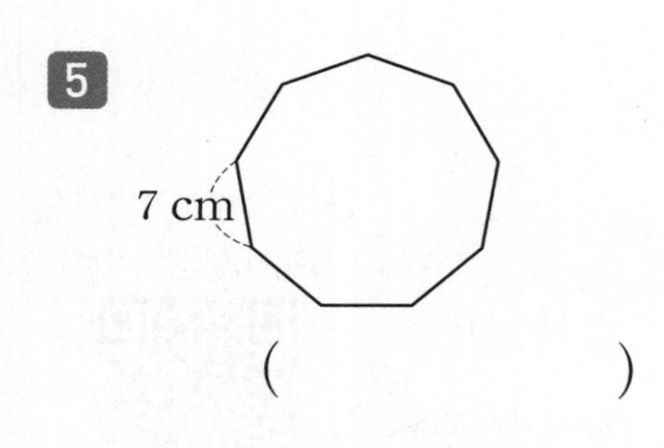

(   )

직사각형, 평행사변형, 마름모의 둘레를 구해 보세요.

6

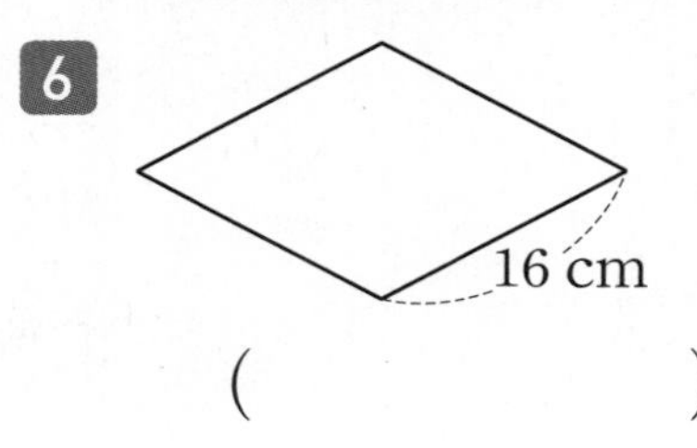

(   )

7

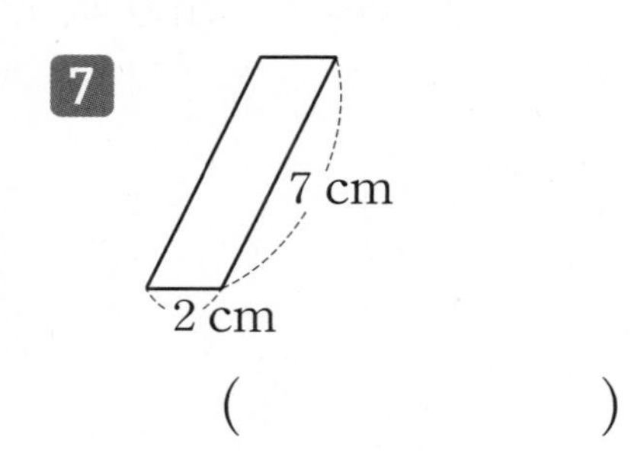

(   )

8

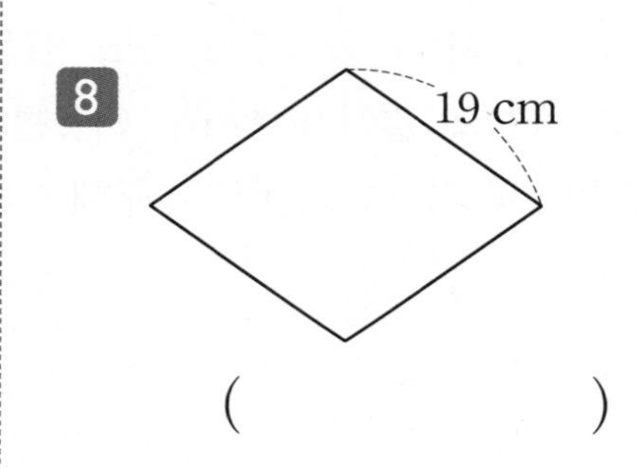

(   )

9

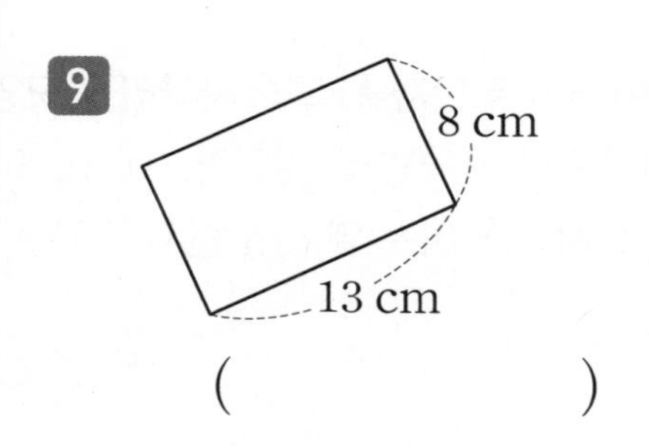

(   )

10

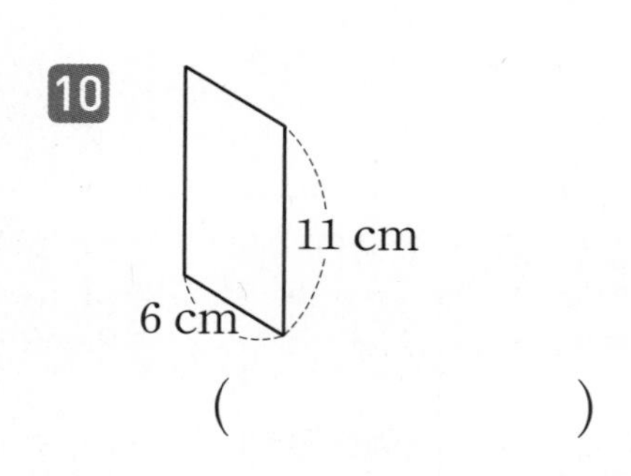

(   )

직사각형과 정사각형의 넓이를 구해 보세요.

11

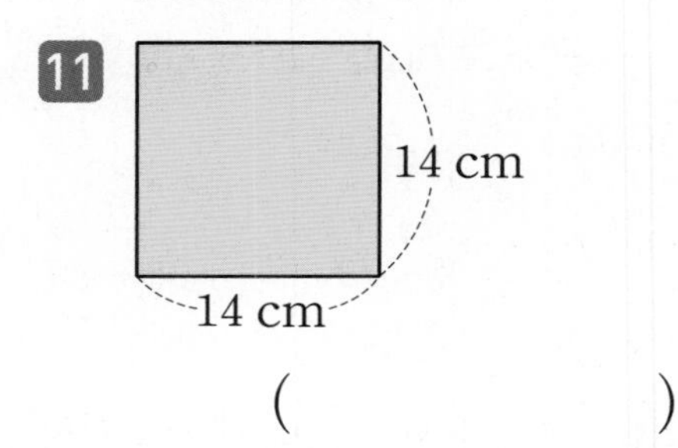

(   )

12

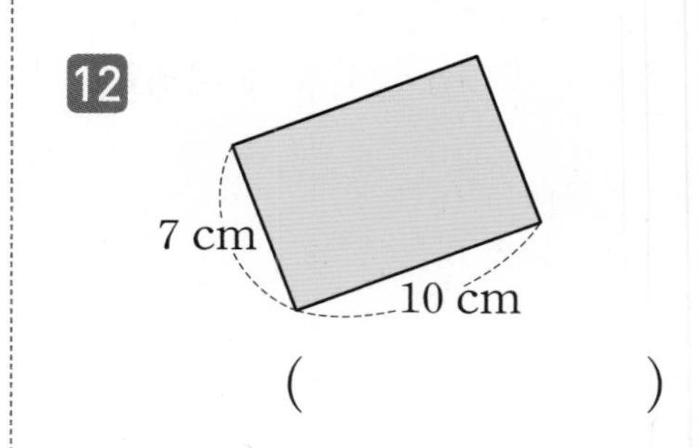

(   )

13

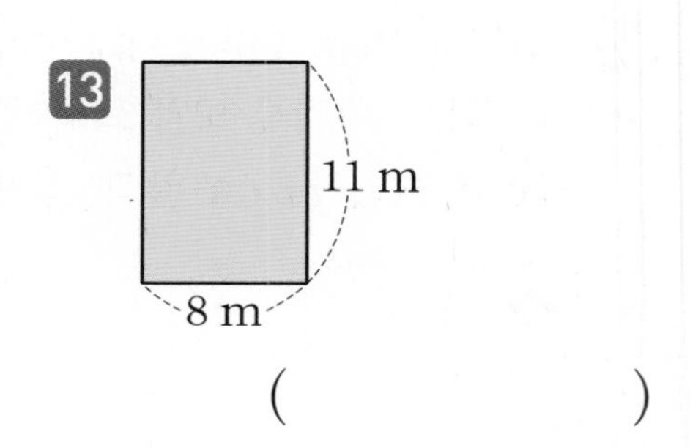

(   )

14

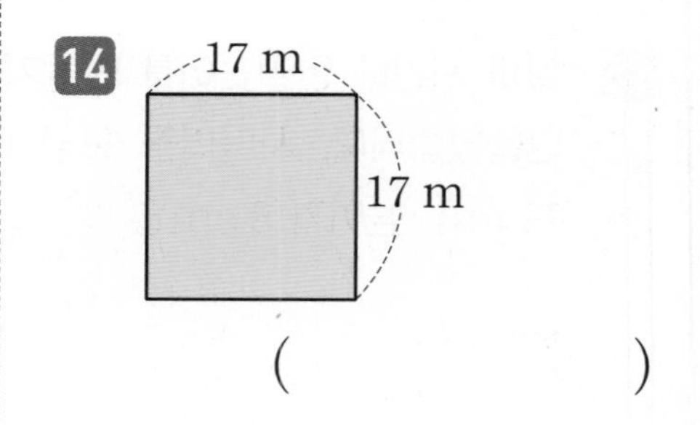

(   )

15

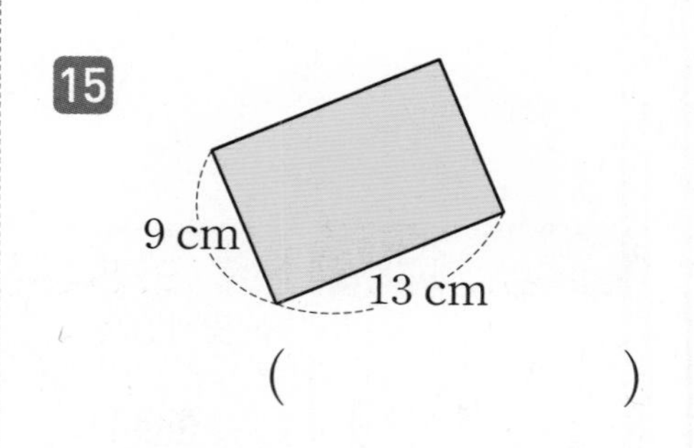

(   )

16

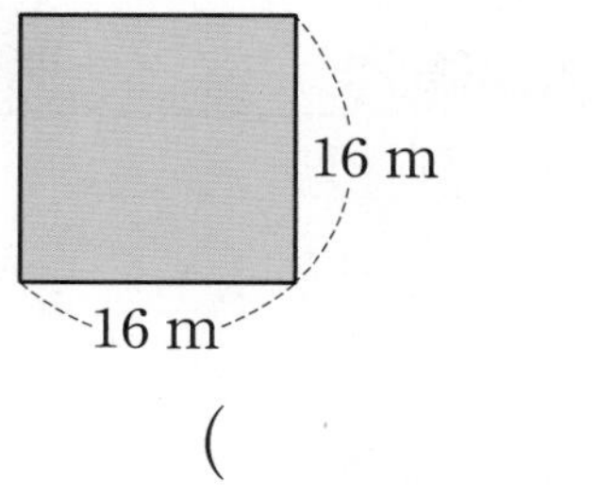

( )

17

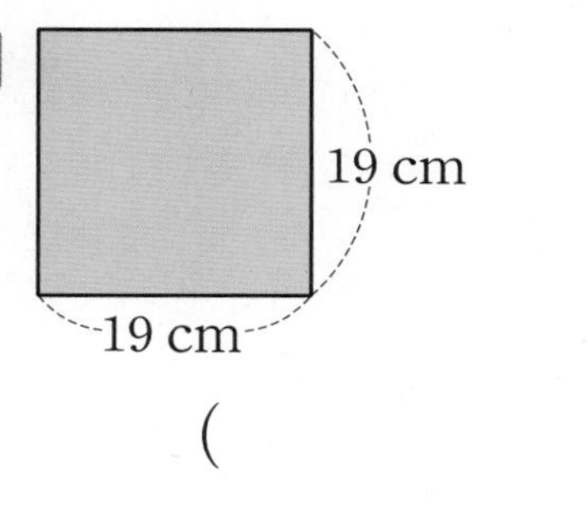

( )

18

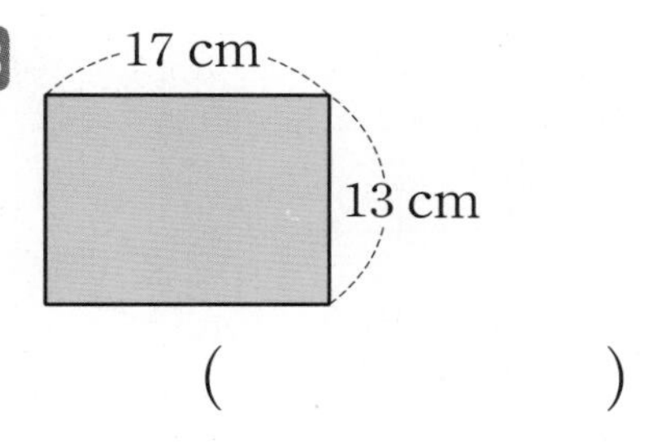

( )

19

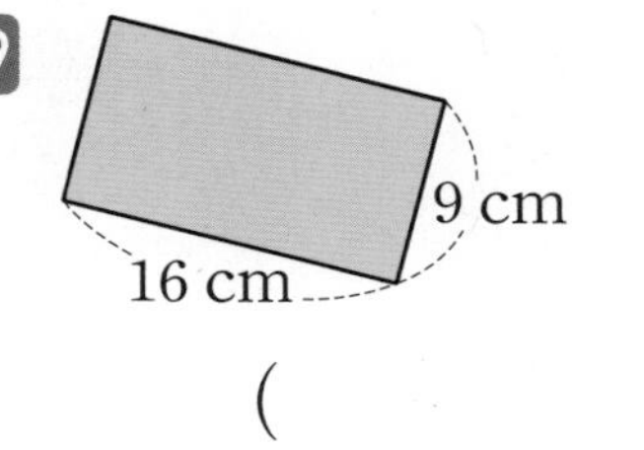

( )

20

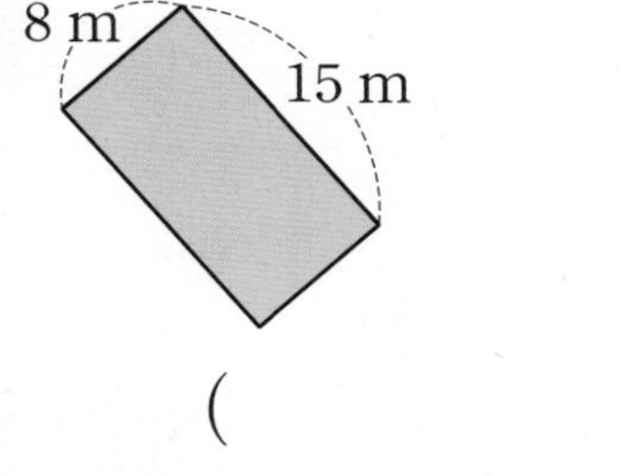

( )

평행사변형과 삼각형의 넓이를 구해 보세요.

21

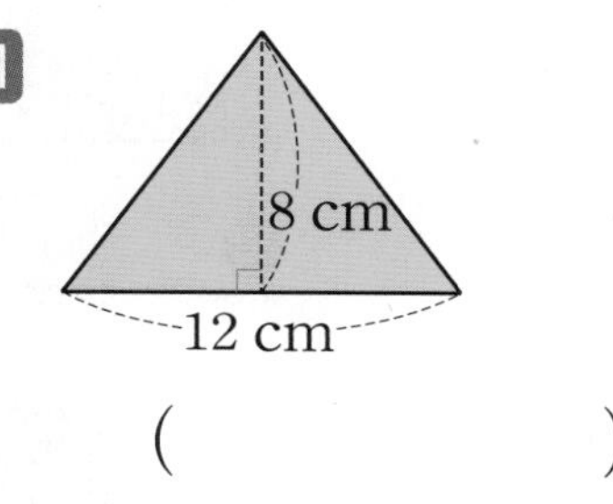

( )

22

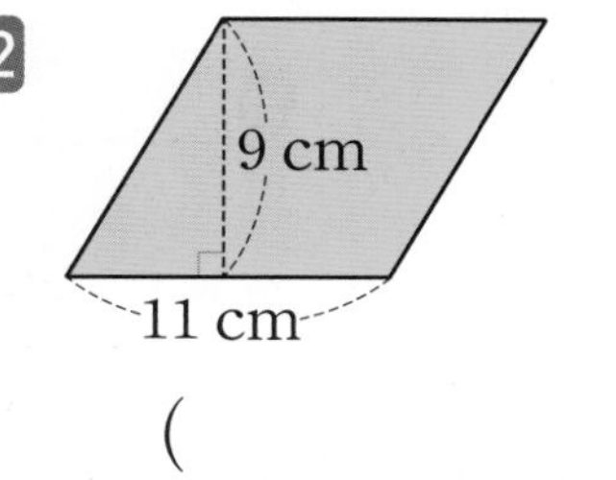

( )

23

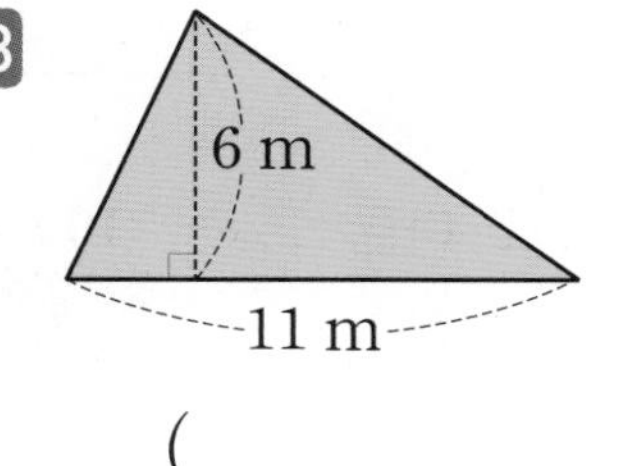

( )

24

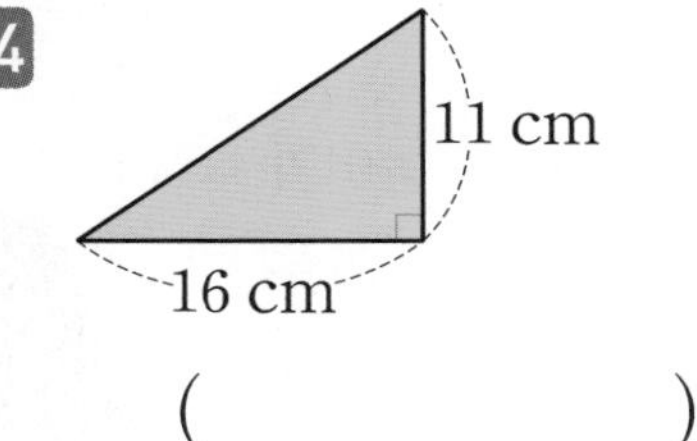

( )

25

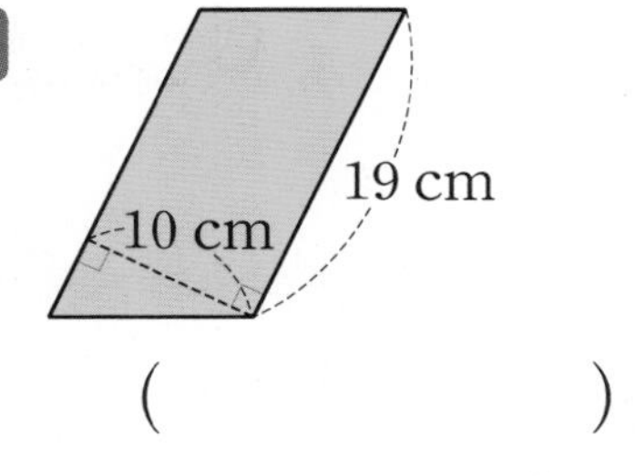

( )

마름모와 사다리꼴의 넓이를 구해 보세요.

26

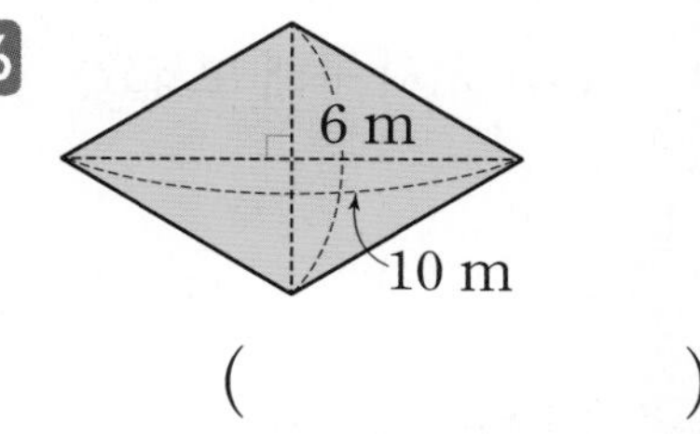

( )

27

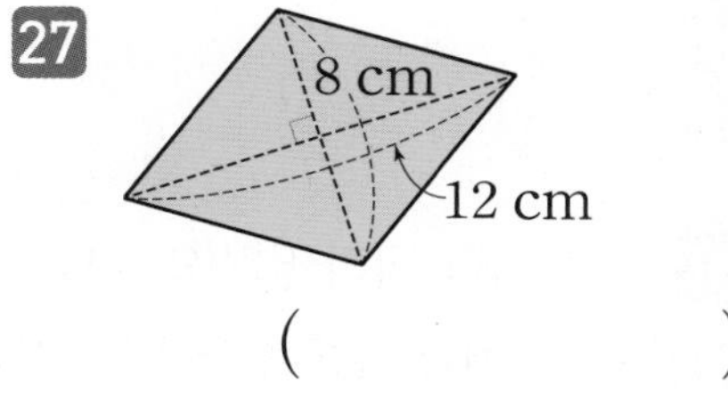

( )

28

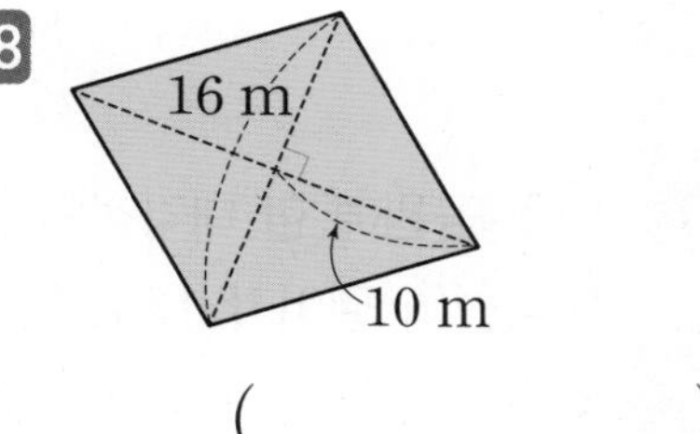

( )

29

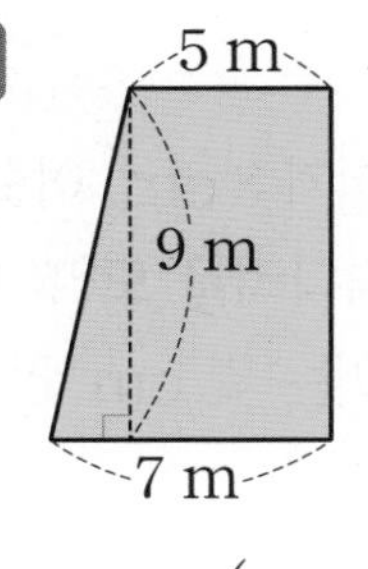

( )

30

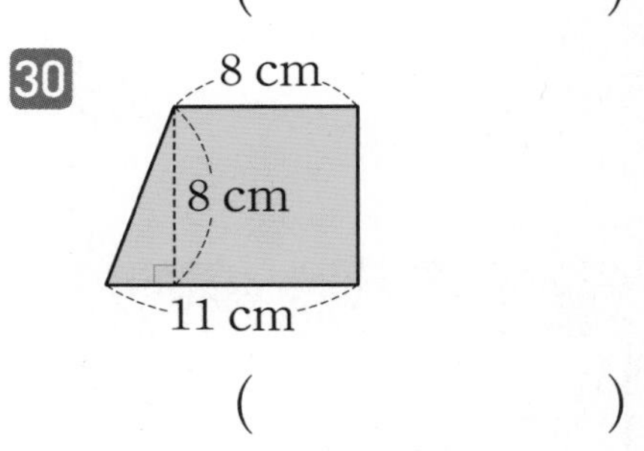

( )

정답 40쪽

31 한 변의 길이가 20 cm인 정사각형 모양의 접착식 메모지가 있습니다. 접착식 메모지의 넓이는 몇 cm^2인지 구해 보세요.

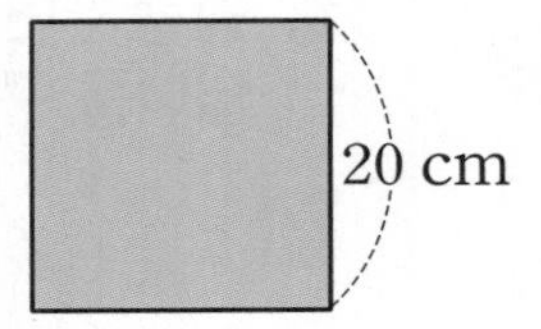

답 ______

32 밑변의 길이가 3 cm이고 높이가 2 cm인 평행사변형 모양의 깨강정이 있습니다. 깨강정의 넓이는 몇 cm^2인지 구해 보세요.

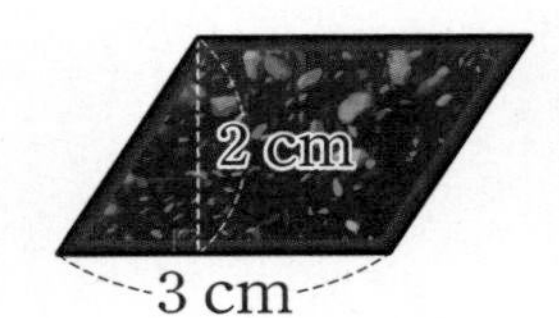

답 ______

33 색종이를 잘라 밑변의 길이가 13 cm이고 높이가 6 cm인 삼각형 모양의 색종이 조각을 만들었습니다. 색종이 모양 조각의 넓이는 몇 cm^2인지 구해 보세요.

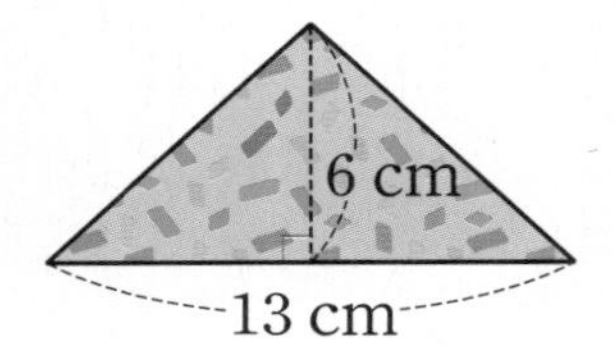

답 ______

34 마을 공원에 한 대각선의 길이가 10 m이고 다른 대각선의 길이가 18 m인 마름모 모양의 꽃밭이 있습니다. 꽃밭의 넓이는 몇 m^2인지 구해 보세요.

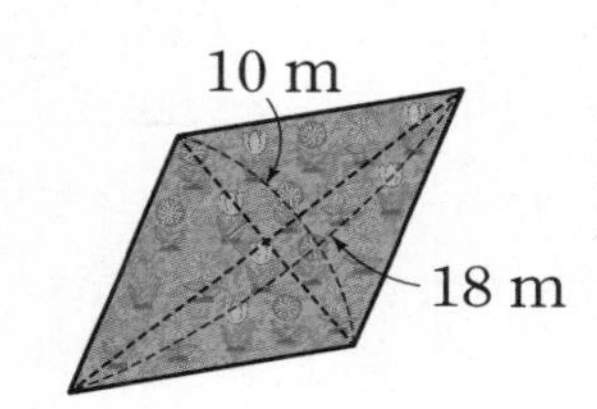

답 ______

35 윗변의 길이가 3 cm, 아랫변의 길이가 9 cm, 높이가 7 cm인 사다리꼴 모양의 그릇이 있습니다. 이 그릇 바닥의 넓이는 몇 cm^2인지 구해 보세요.

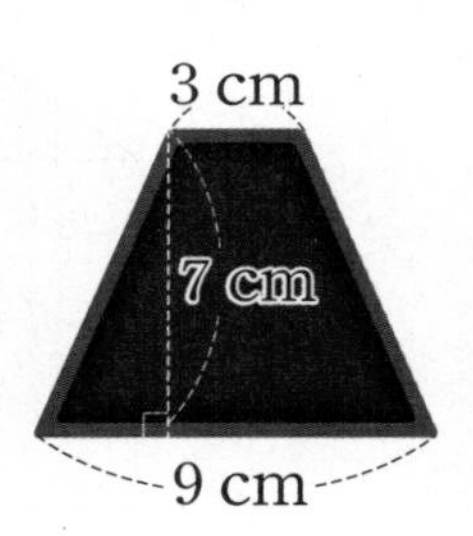

답 ______

연산 노트

맞힌 개수

개 /35개

나의 학습 결과에 ○표 하세요.

맞힌 개수	0~4개	5~18개	19~32개	33~35개
학습 방법	다시 한번 풀어 봐요.	계산 연습이 필요해요.	틀린 문제를 확인해요.	실수하지 않도록 집중해요.

QR 빠른 정답 확인

연산 노트

연산 노트

풍산자 라인업

초등 풍산자로 개념을 적용하고 응용하여 연산, 유형, 서술형을 풀면 실력이 탄탄해집니다

처음 배우는 수학을 쉽게 접근하는 초등 풍산자 로드맵

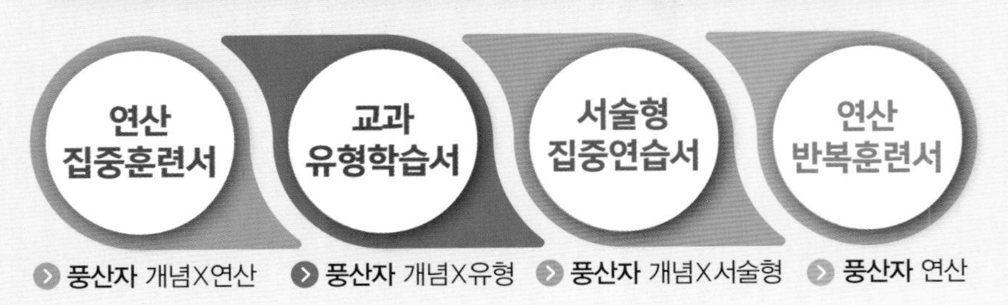

풍산자 개념X연산 · 풍산자 개념X유형 · 풍산자 개념X서술형 · 풍산자 연산

초등 풍산자 교재	하	중하	중	상
연산 집중훈련서 **풍산자 개념X연산**	개념 적용 연산 학습, 기초 실력 완성 (하~중)			
교과 유형학습서 **풍산자 개념X유형**		개념 응용 유형 학습, 기본 실력 완성 (중하~상)		
서술형 집중연습서 **풍산자 개념X서술형**		개념 활용 서술형 연습, 문제 해결력 완성 (중하~상)		
연산 반복훈련서 **풍산자 연산**	연산만 집중적으로 반복 학습 (하~중하)			

지학사

풍산자 연산

정답

풍산자 연산

초등 연산의 모든 것

정답

초등 수학 5-1

정답

1. 자연수의 혼합 계산

01 일차 1. 덧셈, 뺄셈이 섞여 있는 식

8쪽

1 35, 14 / 14
2 44, 16 / 16
3 2, 27 / 27
4 27, 49 / 49
5 8
6 25
7 28
8 13
9 18
10 29
11 52
12 26
13 8
14 33
15 40
16 15
17 40
18 26

9쪽

19 6
20 3
21 39
22 54
23 33
24 51
25 22
26 35
27 28
28 12
29 25
30 9
31 19
32 39
33 49
34 1
35 27
36 62
37 40
38 14
39 38

02 일차 1. 덧셈, 뺄셈이 섞여 있는 식

10쪽

1 138
2 35
3 22
4 5
5 65
6 93
7 100
8 87
9 67
10 15
11 78
12 140
13 104
14 118
15 65
16 91
17 34
18 70
19 124
20 42
21 41
22 53
23 30
24 43

11쪽

25 22명
26 33권
27 29명
28 800원

03 일차 2. 덧셈, 뺄셈, ( )가 섞여 있는 식

12쪽

1 23, 3 / 3
2 20, 7 / 7
3 8, 27 / 27
4 12, 13 / 13
5 61
6 45
7 39
8 15
9 8
10 8
11 16
12 13
13 2
14 18
15 8
16 4
17 19
18 18

13쪽

19 12
20 16
21 3
22 6
23 4
24 1
25 19
26 10
27 16
28 6
29 27
30 13
31 14
32 4
33 3
34 10
35 11
36 9
37 11
38 15
39 9

2. 덧셈, 뺄셈, ( )가 섞여 있는 식

14쪽

1 45
2 98
3 3
4 4
5 19
6 7
7 52
8 31
9 42
10 32
11 22
12 57
13 64
14 28
15 32
16 50
17 92
18 57
19 19
20 44
21 11
22 56
23 29
24 21

15쪽

25 7명
26 500원
27 34살
28 53대

05 일차

3. 곱셈, 나눗셈이 섞여 있는 식

16쪽

1 9, 27 / 27
2 4, 24 / 24
3 70, 10 / 10
4 72, 12 / 12
5 14
6 11
7 25
8 18
9 9
10 10
11 15
12 9
13 9
14 54
15 28
16 88
17 56
18 39

17쪽

19 18
20 30
21 24
22 64
23 12
24 9
25 9
26 2
27 18
28 3
29 28
30 57
31 36
32 18
33 51
34 51
35 26
36 54
37 52
38 34
39 45

3. 곱셈, 나눗셈이 섞여 있는 식

18쪽

1 64
2 54
3 88
4 93
5 45
6 6
7 76
8 6
9 78
10 9
11 84
12 143
13 49
14 60
15 5
16 96
17 234
18 126
19 72
20 10
21 224
22 85
23 99
24 210

19쪽

25 8상자
26 9봉지
27 56장
28 6500원

4. 곱셈, 나눗셈, ( )가 섞여 있는 식

20쪽

1 10, 4 / 4
2 8, 6 / 6
3 4, 21 / 21
4 9, 10 / 10
5 7
6 2
7 7
8 18
9 4
10 6
11 8
12 2
13 8
14 8
15 2
16 20
17 45
18 3

21쪽

19 4
20 4
21 20
22 2
23 2
24 27
25 6
26 21
27 11
28 5
29 21
30 4
31 7
32 12
33 4
34 24
35 20
36 3
37 15
38 5
39 33

08
일차

4. 곱셈, 나눗셈, ( )가 섞여 있는 식

22쪽

1 7
2 2
3 32
4 7
5 2
6 28
7 20
8 16
9 117
10 10
11 8
12 15
13 6
14 36
15 4
16 21
17 5
18 45
19 8
20 12
21 40
22 5
23 11
24 10

23쪽

25 8시간
26 16분
27 5권
28 8상자

5. 덧셈, 곱셈 또는 뺄셈, 곱셈이 섞여 있는 식

24쪽

1 24, 61 / 61
2 6, 28 / 28
3 63, 16 / 16
4 36, 47 / 47
5 45
6 17
7 36
8 71
9 57
10 35
11 36
12 13
13 30
14 31
15 86
16 46
17 40
18 28

25쪽

19 178
20 172
21 15
22 39
23 42
24 201
25 25
26 173
27 42
28 10
29 133
30 115
31 86
32 16
33 162
34 183
35 167
36 56
37 1
38 158
39 35

10일차 5. 덧셈, 곱셈 또는 뺄셈, 곱셈이 섞여 있는 식

26쪽

1 43
2 61
3 20
4 229
5 184
6 107
7 17
8 3
9 180
10 27
11 150
12 151
13 28
14 34
15 217
16 283
17 91
18 14
19 134
20 252
21 17
22 25
23 193
24 54

27쪽

25 34개
26 2400원
27 4명
28 24명

11일차 6. 덧셈, 나눗셈 또는 뺄셈, 나눗셈이 섞여 있는 식

28쪽

1 3, 33 / 33
2 15, 6 / 6
3 7, 61 / 61
4 4, 28 / 28
5 62
6 25
7 64
8 43
9 34
10 68
11 83
12 95
13 56
14 51
15 57
16 8
17 49
18 31

29쪽

19 13
20 83
21 79
22 56
23 37
24 62
25 58
26 41
27 33
28 41
29 81
30 62
31 47
32 62
33 59
34 64
35 60
36 68
37 75
38 59
39 69

12일차 6. 덧셈, 나눗셈 또는 뺄셈, 나눗셈이 섞여 있는 식

30쪽

1 104
2 4
3 91
4 91
5 103
6 98
7 6
8 102
9 94
10 109
11 67
12 58
13 75
14 89
15 118
16 82
17 88
18 109
19 108
20 92
21 113
22 113
23 103
24 102

31쪽

25 240 g
26 129장
27 3살
28 290 g

13 일차 7. 덧셈, 뺄셈, 곱셈이 섞여 있는 식

32쪽

1 12, 39, 24 / 24
2 24, 7, 15 / 15
3 6, 16, 22 / 22
4 20
5 52
6 35
7 76
8 43
9 48
10 27

33쪽

11 10
12 13
13 30
14 36
15 11
16 18
17 39
18 23
19 48
20 56
21 27
22 26
23 8
24 71
25 34
26 13
27 35
28 40
29 26
30 41
31 49

14 일차 7. 덧셈, 뺄셈, 곱셈이 섞여 있는 식

34쪽

1 11
2 43
3 53
4 10
5 20
6 47
7 7
8 35
9 52
10 16
11 50
12 10
13 33
14 30
15 34
16 42
17 60
18 5
19 41
20 19
21 38
22 13
23 80
24 47

35쪽

25 3개
26 33개
27 500 mL
28 12권

15 일차 8. 덧셈, 뺄셈, 나눗셈이 섞여 있는 식

36쪽

1 9, 3, 23 / 23
2 26, 4, 30 / 30
3 7, 54, 50 / 50
4 53
5 17
6 28
7 49
8 26
9 13
10 36

37쪽

11 27
12 33
13 53
14 43
15 30
16 27
17 38
18 40
19 50
20 25
21 23
22 50
23 40
24 36
25 22
26 34
27 33
28 32
29 45
30 49
31 27

16일차 8. 덧셈, 뺄셈, 나눗셈이 섞여 있는 식

38쪽

1 36
2 45
3 38
4 37
5 26
6 22
7 31
8 35
9 25
10 11
11 38
12 44
13 28
14 33
15 30
16 28
17 22
18 51
19 30
20 48
21 20
22 48
23 10
24 35

39쪽

25 29장
26 43상자
27 39권
28 2600원

17일차 9. 덧셈, 뺄셈, 곱셈, ( )가 섞여 있는 식

40쪽

1 5, 45, 13 / 13
2 3, 54, 95 / 95
3 63, 48, 15 / 15
4 57
5 14
6 90
7 74
8 8
9 8
10 74

41쪽

11 33
12 10
13 69
14 71
15 7
16 115
17 57
18 16
19 20
20 75
21 53
22 50
23 68
24 15
25 40
26 62
27 30
28 72
29 1
30 57
31 97

18일차 9. 덧셈, 뺄셈, 곱셈, ( )가 섞여 있는 식

42쪽

1 6
2 32
3 73
4 57
5 85
6 45
7 10
8 66
9 71
10 26
11 42
12 81
13 75
14 26
15 50
16 47
17 1
18 85
19 17
20 88
21 71
22 62
23 20
24 52

43쪽

25 43살
26 104개
27 60권
28 13개

19일차 10. 덧셈, 뺄셈, 나눗셈, ( )가 섞여 있는 식

44쪽

1 8, 7, 29 / 29
2 40, 5, 11 / 11
3 9, 6, 24 / 24
4 1
5 18
6 2
7 5
8 35
9 16
10 1

45쪽

11 32
12 2
13 8
14 8
15 4
16 12
17 1
18 3
19 14
20 19
21 3
22 10
23 8
24 26
25 1
26 1
27 9
28 1
29 38
30 11
31 11

20일차 10. 덧셈, 뺄셈, 나눗셈, ( )가 섞여 있는 식

46쪽

1 3
2 3
3 1
4 9
5 31
6 3
7 7
8 23
9 1
10 10
11 16
12 41
13 1
14 20
15 14
16 2
17 1
18 7
19 12
20 13
21 14
22 25
23 23
24 9

47쪽

25 10개
26 4000원
27 6장
28 195 g

21일차 11. 덧셈, 뺄셈, 곱셈, 나눗셈이 섞여 있는 식 (1)

48쪽

1 12, 18, 29, 11 / 11
2 84, 21, 27, 15 / 15
3 95, 4, 91, 97 / 97
4 15
5 41
6 70
7 45
8 31
9 5
10 1

49쪽

11 6
12 57
13 74
14 12
15 41
16 23
17 7
18 5
19 46
20 34
21 1
22 43
23 21
24 1

22 일차 11. 덧셈, 뺄셈, 곱셈, 나눗셈이 섞여 있는 식 (1)

50쪽

1 7
2 39
3 9
4 5
5 4
6 27
7 41
8 41
9 31
10 22
11 65
12 22
13 8
14 9
15 35
16 54

51쪽

17 20000원
18 102 cm
19 10쪽

23 일차 12. 덧셈, 뺄셈, 곱셈, 나눗셈이 섞여 있는 식 (2)

52쪽

1 51, 3, 33, 18 / 18
2 19, 6, 24, 43 / 43
3 22, 24, 4, 18 / 18
4 50
5 46
6 24
7 15
8 8
9 3
10 1

53쪽

11 26
12 10
13 22
14 23
15 46
16 26
17 24
18 15
19 3
20 29
21 37
22 2
23 3
24 52

24 일차 12. 덧셈, 뺄셈, 곱셈, 나눗셈이 섞여 있는 식 (2)

54쪽

1 3
2 19
3 29
4 44
5 20
6 79
7 29
8 9
9 71
10 41
11 28
12 40
13 18
14 33
15 59
16 33

55쪽

17 8개
18 13장
19 35

25 일차

연산&문장제 마무리

56쪽

1. 26
2. 42
3. 23
4. 10
5. 13
6. 22
7. 8
8. 15
9. 6
10. 3
11. 36
12. 13
13. 28
14. 54
15. 38
16. 67
17. 47
18. 35
19. 23
20. 42
21. 1
22. 14
23. 65
24. 30

57쪽

25. 83
26. 50
27. 90
28. 77
29. 34
30. 9
31. 62
32. 3
33. 31
34. 66
35. 68
36. 21
37. 42
38. 16
39. 52
40. 5

58쪽

41. 28명
42. 6개
43. 8권
44. 39권
45. 3시간
46. 2장

2. 약수와 배수

01 일차

1. 약수 구하기

60쪽

1. 1, 2, 4 / 1, 2, 4
2. 1, 7 / 1, 7
3. 1, 2, 4, 8 / 1, 2, 4, 8
4. 1, 2, 7, 14
5. 1, 3, 5, 15
6. 1, 2, 11, 22
7. 1, 3, 5, 9, 15, 45
8. 1, 2, 3, 4, 6, 9, 12, 18, 36
9. 1, 2, 5, 10, 25, 50

61쪽

10. 1, 2, 5, 10
11. 1, 17
12. 1, 2, 3, 6, 9, 18
13. 1, 2, 4, 5, 10, 20
14. 1, 3, 9, 27
15. 1, 5, 25
16. 1, 2, 17, 34
17. 1, 2, 4, 8, 16, 32
18. 1, 2, 4, 5, 8, 10, 20, 40
19. 1, 2, 3, 6, 7, 14, 21, 42
20. 1, 43
21. 1, 2, 23, 46

02 일차

1. 약수 구하기

62쪽

1. 1, 2, 3, 4, 6, 12
2. 1, 2, 4, 8, 16
3. 1, 19
4. 1, 3, 7, 21
5. 1, 2, 3, 4, 6, 8, 12, 24
6. 1, 2, 13, 26
7. 1, 2, 4, 7, 14, 28
8. 1, 29
9. 1, 3, 11, 33
10. 1, 5, 7, 35
11. 1, 2, 19, 38
12. 1, 37
13. 1, 2, 4, 11, 22, 44
14. 1, 2, 3, 4, 6, 8, 12, 16, 24, 48

63쪽

15. 2가지
16. 3가지
17. 3가지
18. 2가지

03 일차 2. 공약수와 최대공약수

64쪽

1 1, 3 / 3

2 1, 2, 7, 14 / 14

3 1, 2, 5, 10 / 1, 5 / 1, 5 / 5

4 1, 3, 9 / 1, 3, 5, 15 / 1, 3 / 3

5 1, 2, 4, 8, 16 / 1, 2, 3, 4, 6, 8, 12, 24 / 1, 2, 4, 8 / 8

65쪽

6 1, 2, 3, 6, 9, 18 / 1, 2, 4, 5, 10, 20 / 1, 2 / 2

7 1, 2, 3, 6 / 1, 3, 7, 21 / 1, 3 / 3

8 1, 11 / 1, 2, 11, 22 / 1, 11 / 11

9 1, 2, 13, 26 / 1, 13 / 1, 13 / 13

10 1, 2, 3, 4, 6, 8, 12, 24 / 1, 2, 3, 4, 6, 9, 12, 18, 36 / 1, 2, 3, 4, 6, 12 / 12

11 1, 5, 25 / 1, 5, 7, 35 / 1, 5 / 5

04 일차 2. 공약수와 최대공약수

66쪽

1 1, 3, 9, 27 / 1, 3, 13, 39 / 1, 3 / 3

2 1, 2, 4, 7, 14, 28 / 1, 2, 4, 11, 22, 44 / 1, 2, 4 / 4

3 1, 2, 3, 5, 6, 10, 15, 30 / 1, 3, 5, 9, 15, 45 / 1, 3, 5, 15 / 15

4 1, 17 / 1, 2, 17, 34 / 1, 17 / 17

5 1, 2, 4, 8, 16, 32 / 1, 2, 3, 6, 7, 14, 21, 42 / 1, 2 / 2

6 1, 2, 19, 38 / 1, 3, 19, 57 / 1, 19 / 19

67쪽

7 3개

8 4 cm

9 6봉지

10 7 cm

05 일차 3. 곱셈식을 이용하여 최대공약수 구하기

68쪽

1 2 / 2 / 4

2 2 / 3 / 6

3 2 / 2 / 4

4 예 2×3×3 / 예 2×2×2×2×2 / 2

5 예 2×7 / 예 2×3×7 / 14

6 예 2×3×5 / 예 2×2×2×5 / 10

7 예 2×2×11 / 예 2×2×2×2×3 / 4

69쪽

8 예 2×5 / 예 2×5×5 / 10

9 예 3×3×3 / 예 3×3×5 / 9

10 예 2×2×2×2×2 / 예 2×2×13 / 4

11 예 2×3×3×3 / 예 2×2×3×5 / 6

12 예 3×7 / 예 3×3×7 / 21

13 예 2×2×2×7 / 예 2×5×7 / 14

14 예 2×2×2×2×2×2 / 예 2×2×2×3×3 / 8

15 예 2×2×17 / 예 2×2×19 / 4

3. 곱셈식을 이용하여 최대공약수 구하기

70쪽

1 예 3×5×5 / 예 2×3×3×5 / 15
2 예 2×3×13 / 예 2×2×2×2×2×3 / 6
3 예 2×2×2×2×5 / 예 2×2×23 / 4
4 예 2×2×3×7 / 예 3×5×7 / 21
5 예 2×3×11 / 예 2×3×17 / 6
6 예 3×3×3×3 / 예 2×2×3×3×3 / 27
7 예 2×2×2×11 / 예 2×2×2×13 / 8
8 예 2×7×7 / 예 2×2×2×2×7 / 14

71쪽

9 9상자
10 4명
11 4개
12 2개

07 일차

4. 공약수로 나누어 최대공약수 구하기

72쪽

1 2 / 2
2 3 / 1 / 9
3 2 / 2 / 8
4 5
5 2
6 7
7 3
8 13
9 11
10 9
11 4

73쪽

12 6
13 25
14 9
15 4
16 6
17 4
18 9
19 4
20 10
21 18
22 20
23 12

08 일차

4. 공약수로 나누어 최대공약수 구하기

74쪽

1 17
2 13
3 11
4 4
5 15
6 6
7 4
8 14
9 9
10 28
11 8
12 44

75쪽

13 5다발
14 7모둠
15 14 cm
16 9 cm

09 일차

5. 배수 구하기

76쪽

1 2, 4, 6, 8 / 2, 4, 6, 8
2 3, 6, 9, 12 / 3, 6, 9, 12
3 8, 16, 24, 32 / 8, 16, 24, 32
4 5, 10, 15, 20
5 9, 18, 27, 36
6 11, 22, 33, 44
7 14, 28, 42, 56
8 15, 30, 45, 60
9 19, 38, 57, 76

77쪽

10 12, 24, 36, 48
11 13, 26, 39, 52
12 16, 32, 48, 64
13 17, 34, 51, 68
14 18, 36, 54, 72
15 20, 40, 60, 80
16 21, 42, 63, 84
17 22, 44, 66, 88
18 23, 46, 69, 92
19 24, 48, 72, 96
20 26, 52, 78, 104
21 27, 54, 81, 108

10 일차

5. 배수 구하기

78쪽

1 28, 56, 84, 112
2 31, 62, 93, 124
3 32, 64, 96, 128
4 35, 70, 105, 140
5 36, 72, 108, 144
6 37, 74, 111, 148
7 38, 76, 114, 152
8 39, 78, 117, 156
9 41, 82, 123, 164
10 42, 84, 126, 168
11 44, 88, 132, 176
12 48, 96, 144, 192
13 49, 98, 147, 196
14 52, 104, 156, 208

79쪽

15 15쪽
16 33분
17 오후 3시 39분
18 5번

11 일차

6. 공배수와 최소공배수

80쪽

1 12, 24 / 12
2 10, 20 / 10
3 8, 16, 24, 32, 40 / 24, 48, 72, 96, 120 / 24, 48 / 24
4 9, 18, 27, 36, 45 / 15, 30, 45, 60, 75 / 45, 90 / 45
5 14, 28, 42, 56, 70 / 21, 42, 63, 84, 105 / 42, 84 / 42

81쪽

6 18, 36, 54, 72, 90 / 27, 54, 81, 108, 135 / 54, 108 / 54
7 20, 40, 60, 80, 100 / 25, 50, 75, 100, 125 / 100, 200 / 100
8 22, 44, 66, 88, 110 / 33, 66, 99, 132, 165 / 66, 132 / 66
9 30, 60, 90, 120, 150 / 40, 80, 120, 160, 200 / 120, 240 / 120
10 34, 68, 102, 136, 170 / 51, 102, 153, 204, 255 / 102, 204 / 102
11 35, 70, 105, 140, 175 / 70, 140, 210, 280, 350 / 70, 140 / 70

12 일차

6. 공배수와 최소공배수

82쪽

1 16, 32, 48, 64, 80 / 48, 96, 144, 192, 240 / 48, 96 / 48
2 24, 48, 72, 96, 120 / 32, 64, 96, 128, 160 / 96, 192 / 96
3 26, 52, 78, 104, 130 / 39, 78, 117, 156, 195 / 78, 156 / 78
4 28, 56, 84, 112, 140 / 42, 84, 126, 168, 210 / 84, 168 / 84
5 36, 72, 108, 144, 180 / 48, 96, 144, 192, 240 / 144, 288 / 144
6 38, 76, 114, 152, 190 / 57, 114, 171, 228, 285 / 114, 228 / 114

83쪽

7 60일 후
8 80 cm
9 84분 후
10 30분 후

13 일차

7. 곱셈식을 이용하여 최소공배수 구하기

84쪽

1 2 / 3 / 12
2 3 / 7 / 63
3 2 / 5 / 80
4 예 2×7 / 예 5×7 / 70
5 예 3×5 / 예 $2\times2\times5$ / 60
6 예 $2\times3\times3$ / 예 $2\times2\times2\times3$ / 72
7 예 $3\times3\times3$ / 예 $2\times2\times3\times3$ / 108

85쪽

8 예 2×11 / 예 5×11 / 110
9 예 $2\times2\times2\times3$ / 예 $2\times2\times3\times5$ / 120
10 예 $2\times2\times7$ / 예 7×7 / 196
11 예 $2\times3\times5$ / 예 $3\times3\times5$ / 90
12 예 $2\times2\times3\times3$ / 예 $2\times3\times3\times3$ / 108
13 예 3×13 / 예 $2\times2\times13$ / 156
14 예 $2\times2\times2\times5$ / 예 $2\times2\times3\times5$ / 120
15 예 $2\times2\times11$ / 예 $2\times3\times11$ / 132

14 일차

7. 곱셈식을 이용하여 최소공배수 구하기

86쪽

1 예 5×7 / 예 $2\times2\times2\times5$ / 280
2 예 $2\times2\times2\times2\times3$ / 예 $2\times2\times2\times3\times3$ / 144
3 예 $2\times2\times13$ / 예 $2\times3\times13$ / 156
4 예 $2\times2\times3\times7$ / 예 $2\times2\times2\times7$ / 168
5 예 $2\times2\times2\times2\times2\times2$ / 예 $2\times2\times2\times2\times2\times3$ / 192
6 예 $2\times5\times7$ / 예 $3\times5\times7$ / 210
7 예 5×11 / 예 $2\times5\times11$ / 110
8 예 $3\times5\times5$ / 예 $5\times5\times5$ / 375

87쪽

9 6월 13일
10 8월 28일
11 오전 8시 30분

15 일차

8. 공약수로 나누어 최소공배수 구하기

88쪽

1 2 / 20
2 7 / 2 / 28
3 2 / 2 / 2 / 16
4 39
5 189
6 132
7 175
8 228
9 69
10 120
11 45

89쪽

12 150
13 252
14 52
15 126
16 504
17 300
18 228
19 234
20 720
21 162
22 504
23 264

16 일차

8. 공약수로 나누어 최소공배수 구하기

90쪽

1 204
2 385
3 170
4 480
5 350
6 1472
7 1632
8 294
9 1386
10 312
11 540
12 784

91쪽

13 12분 후
14 24분 후
15 189 cm
16 84일 후

17 일차

연산&문장제 마무리

92쪽

1. 1, 3, 9
2. 1, 11
3. 1, 3, 13, 39
4. 1, 7, 49
5. 1, 3, 17, 51
6. 1, 2, 3, 6, 9, 18, 27, 54
7. 1, 3, 7, 9, 21, 63
8. 1, 5 / 5
9. 1, 7 / 7
10. 1, 2, 3, 6 / 6
11. 1, 13 / 13
12. 1, 3, 9 / 9
13. 1, 17 / 17
14. 4, 8, 12, 16
15. 7, 14, 21, 28
16. 25, 50, 75, 100
17. 29, 58, 87, 116
18. 33, 66, 99, 132
19. 43, 86, 129, 172
20. 60, 120, 180, 240

93쪽

21. 6, 12, 18 / 6
22. 15, 30, 45 / 15
23. 36, 72, 108 / 36
24. 30, 60, 90 / 30
25. 22, 44, 66 / 22
26. 48, 96, 144 / 48
27. 4 / 40
28. 3 / 105
29. 6 / 90
30. 9 / 324
31. 7 / 210
32. 7 / 504
33. 3 / 108
34. 8 / 160
35. 7 / 140
36. 5 / 360
37. 16 / 192
38. 10 / 300

94쪽

39. 5가지
40. 8 cm
41. 7번
42. 24 cm
43. 45일 후

3. 약분과 통분

01 일차

1. 곱하여 크기가 같은 분수 만들기

96쪽

1. 8, 9, 12
2. 4, 15, 8
3. 12, 3, 24
4. 2, 3, 6, 4
5. 14, 27, 4, 28
6. $\frac{4}{14}$, $\frac{6}{21}$, $\frac{8}{28}$
7. $\frac{2}{16}$, $\frac{3}{24}$, $\frac{4}{32}$
8. $\frac{10}{18}$, $\frac{15}{27}$, $\frac{20}{36}$
9. $\frac{2}{20}$, $\frac{3}{30}$, $\frac{4}{40}$
10. $\frac{2}{22}$, $\frac{3}{33}$, $\frac{4}{44}$
11. $\frac{2}{24}$, $\frac{3}{36}$, $\frac{4}{48}$
12. $\frac{6}{26}$, $\frac{9}{39}$, $\frac{12}{52}$

97쪽

13. $\frac{2}{28}$, $\frac{3}{42}$, $\frac{4}{56}$
14. $\frac{8}{30}$, $\frac{12}{45}$, $\frac{16}{60}$
15. $\frac{14}{34}$, $\frac{21}{51}$, $\frac{28}{68}$
16. $\frac{8}{38}$, $\frac{12}{57}$, $\frac{16}{76}$
17. $\frac{16}{42}$, $\frac{24}{63}$, $\frac{32}{84}$
18. $\frac{2}{44}$, $\frac{3}{66}$, $\frac{4}{88}$
19. $\frac{2}{46}$, $\frac{3}{69}$, $\frac{4}{92}$
20. $\frac{2}{50}$, $\frac{3}{75}$, $\frac{4}{100}$
21. $\frac{10}{52}$, $\frac{15}{78}$, $\frac{20}{104}$
22. $3\frac{8}{10}$, $3\frac{12}{15}$, $3\frac{16}{20}$
23. $5\frac{6}{16}$, $5\frac{9}{24}$, $5\frac{12}{32}$
24. $3\frac{16}{18}$, $3\frac{24}{27}$, $3\frac{32}{36}$
25. $4\frac{8}{22}$, $4\frac{12}{33}$, $4\frac{16}{44}$
26. $3\frac{14}{24}$, $3\frac{21}{36}$, $3\frac{28}{48}$

02 일차 1. 곱하여 크기가 같은 분수 만들기

98쪽

1 $\frac{8}{54}, \frac{12}{81}, \frac{16}{108}$

2 $\frac{14}{58}, \frac{21}{87}, \frac{28}{116}$

3 $\frac{4}{62}, \frac{6}{93}, \frac{8}{124}$

4 $\frac{14}{64}, \frac{21}{96}, \frac{28}{128}$

5 $\frac{16}{66}, \frac{24}{99}, \frac{32}{132}$

6 $\frac{10}{68}, \frac{15}{102}, \frac{20}{136}$

7 $\frac{22}{70}, \frac{33}{105}, \frac{44}{140}$

8 $\frac{22}{72}, \frac{33}{108}, \frac{44}{144}$

9 $\frac{20}{74}, \frac{30}{111}, \frac{40}{148}$

10 $\frac{10}{78}, \frac{15}{117}, \frac{20}{156}$

11 $\frac{10}{82}, \frac{15}{123}, \frac{20}{164}$

12 $\frac{8}{86}, \frac{12}{129}, \frac{16}{172}$

13 $5\frac{26}{28}, 5\frac{39}{42}, 5\frac{52}{56}$

14 $2\frac{14}{30}, 2\frac{21}{45}, 2\frac{28}{60}$

15 $3\frac{10}{32}, 3\frac{15}{48}, 3\frac{20}{64}$

16 $1\frac{16}{34}, 1\frac{24}{51}, 1\frac{32}{68}$

99쪽

17 연주

18 진명, 경희

19 영호

03 일차 2. 나누어 크기가 같은 분수 만들기

100쪽

1 6, 2, 2

2 5, 2, 2

3 12, 6, 3

4 4, 5, 2, 3

5 14, 7

6 예 $\frac{6}{9}, \frac{4}{6}, \frac{2}{3}$

7 예 $\frac{7}{14}, \frac{2}{4}, \frac{1}{2}$

8 예 $\frac{6}{15}, \frac{4}{10}, \frac{2}{5}$

9 예 $\frac{12}{16}, \frac{6}{8}, \frac{3}{4}$

10 예 $\frac{15}{18}, \frac{10}{12}, \frac{5}{6}$

11 예 $\frac{16}{20}, \frac{8}{10}, \frac{4}{5}$

12 예 $\frac{14}{21}, \frac{4}{6}, \frac{2}{3}$

13 예 $\frac{18}{24}, \frac{12}{16}, \frac{9}{12}$

101쪽

14 예 $\frac{5}{25}, \frac{2}{10}, \frac{1}{5}$

15 예 $\frac{18}{27}, \frac{12}{18}, \frac{6}{9}$

16 예 $\frac{16}{28}, \frac{8}{14}, \frac{4}{7}$

17 예 $\frac{18}{30}, \frac{12}{20}, \frac{9}{15}$

18 예 $\frac{12}{32}, \frac{6}{16}, \frac{3}{8}$

19 예 $\frac{9}{33}, \frac{6}{22}, \frac{3}{11}$

20 예 $\frac{17}{34}, \frac{2}{4}, \frac{1}{2}$

21 예 $\frac{15}{35}, \frac{6}{14}, \frac{3}{7}$

22 예 $\frac{6}{36}, \frac{4}{24}, \frac{3}{18}$

23 예 $5\frac{10}{15}, 5\frac{6}{9}, 5\frac{2}{3}$

24 예 $4\frac{9}{27}, 4\frac{6}{18}, 4\frac{3}{9}$

25 예 $1\frac{12}{30}, 1\frac{8}{20}, 1\frac{6}{15}$

26 예 $3\frac{14}{35}, 3\frac{4}{10}, 3\frac{2}{5}$

27 예 $3\frac{8}{36}, 3\frac{4}{18}, 3\frac{2}{9}$

04 일차

2. 나누어 크기가 같은 분수 만들기

102쪽

1 예) $\frac{14}{21}$, $\frac{6}{9}$, $\frac{2}{3}$

2 예) $\frac{20}{25}$, $\frac{12}{15}$, $\frac{4}{5}$

3 예) $\frac{13}{39}$, $\frac{2}{6}$, $\frac{1}{3}$

4 예) $\frac{25}{40}$, $\frac{10}{16}$, $\frac{5}{8}$

5 예) $\frac{18}{27}$, $\frac{6}{9}$, $\frac{2}{3}$

6 예) $\frac{21}{42}$, $\frac{14}{28}$, $\frac{7}{14}$

7 예) $\frac{33}{44}$, $\frac{6}{8}$, $\frac{3}{4}$

8 예) $\frac{35}{45}$, $\frac{14}{18}$, $\frac{7}{9}$

9 예) $\frac{30}{48}$, $\frac{20}{32}$, $\frac{15}{24}$

10 예) $\frac{21}{49}$, $\frac{6}{14}$, $\frac{3}{7}$

11 예) $\frac{45}{50}$, $\frac{18}{20}$, $\frac{9}{10}$

12 예) $\frac{27}{54}$, $\frac{18}{36}$, $\frac{9}{18}$

13 예) $7\frac{15}{24}$, $7\frac{10}{16}$, $7\frac{5}{8}$

14 예) $2\frac{15}{27}$, $2\frac{10}{18}$, $2\frac{5}{9}$

15 예) $3\frac{7}{21}$, $3\frac{3}{9}$, $3\frac{1}{3}$

16 예) $6\frac{25}{30}$, $6\frac{15}{18}$, $6\frac{5}{6}$

103쪽

17 미술관, 학교

18 현정

19 딸기우유

05 일차

3. 약분

104쪽

1 3

2 2 / 2

3 6 / 2

4 $\frac{1}{2}$

5 $\frac{1}{3}$

6 $\frac{2}{5}$

7 $\frac{2}{7}$

8 $\frac{3}{5}$

9 $\frac{6}{8}$, $\frac{3}{4}$

10 $\frac{8}{12}$, $\frac{4}{6}$, $\frac{2}{3}$

105쪽

11 $\frac{3}{10}$

12 $\frac{3}{7}$

13 $\frac{6}{9}$, $\frac{2}{3}$

14 $\frac{10}{14}$, $\frac{5}{7}$

15 $\frac{9}{15}$, $\frac{6}{10}$, $\frac{3}{5}$

16 $\frac{14}{16}$, $\frac{7}{8}$

17 $\frac{10}{18}$, $\frac{5}{9}$

18 $\frac{5}{20}$, $\frac{2}{8}$, $\frac{1}{4}$

19 $\frac{11}{22}$, $\frac{2}{4}$, $\frac{1}{2}$

20 $\frac{9}{15}$, $\frac{3}{5}$

21 $\frac{10}{24}$, $\frac{5}{12}$

22 $\frac{10}{25}$, $\frac{4}{10}$, $\frac{2}{5}$

23 $\frac{13}{26}$, $\frac{2}{4}$, $\frac{1}{2}$

24 $\frac{9}{18}$, $\frac{3}{6}$, $\frac{1}{2}$

06 일차

3. 약분

106쪽

1 $\frac{4}{7}$

2 $\frac{7}{17}$

3 $\frac{5}{11}$

4 $\frac{26}{28}$, $\frac{13}{14}$

5 $\frac{2}{3}$

6 $\frac{7}{12}$

7 $\frac{6}{21}$, $\frac{2}{7}$

8 $\frac{20}{32}$, $\frac{10}{16}$, $\frac{5}{8}$

9 $\frac{5}{6}$

10 $\frac{3}{4}$

11 $\frac{21}{35}$, $\frac{6}{10}$, $\frac{3}{5}$

12 $\frac{15}{24}$, $\frac{5}{8}$

13 $\frac{10}{15}$, $\frac{2}{3}$

14 $\frac{8}{38}$, $\frac{4}{19}$

107쪽

15 $\frac{7}{11}$

16 $\frac{18}{39}$, $\frac{12}{26}$, $\frac{6}{13}$

17 $\frac{32}{40}$, $\frac{16}{20}$, $\frac{8}{10}$, $\frac{4}{5}$

18 $\frac{21}{27}$, $\frac{7}{9}$

19 $\frac{18}{42}$, $\frac{12}{28}$, $\frac{9}{21}$, $\frac{6}{14}$, $\frac{3}{7}$

20 $\frac{20}{44}$, $\frac{10}{22}$, $\frac{5}{11}$

21 $\frac{27}{30}$, $\frac{9}{10}$

22 $\frac{23}{46}$, $\frac{2}{4}$, $\frac{1}{2}$

23 $\frac{15}{48}$, $\frac{10}{32}$, $\frac{5}{16}$

24 $\frac{14}{49}$, $\frac{4}{14}$, $\frac{2}{7}$

25 $\frac{22}{33}$, $\frac{6}{9}$, $\frac{2}{3}$

26 $\frac{32}{50}$, $\frac{16}{25}$

27 $\frac{27}{51}$, $\frac{18}{34}$, $\frac{9}{17}$

28 $\frac{39}{52}$, $\frac{6}{8}$, $\frac{3}{4}$

07 일차

4. 기약분수

108쪽

1 3

2 2

3 5

4 $\frac{4}{5}$

5 $\frac{1}{2}$

6 $\frac{2}{3}$

7 $\frac{7}{8}$

8 $\frac{5}{9}$

9 $\frac{3}{4}$

10 $\frac{2}{3}$

11 $\frac{5}{8}$

12 $\frac{2}{5}$

13 $\frac{1}{13}$

14 $\frac{8}{9}$

15 $\frac{6}{7}$

16 $\frac{5}{6}$

17 $\frac{5}{8}$

109쪽

18 $\frac{4}{9}$

19 $\frac{9}{19}$

20 $\frac{1}{3}$

21 $\frac{2}{5}$

22 $\frac{2}{7}$

23 $\frac{3}{4}$

24 $\frac{4}{5}$

25 $\frac{12}{23}$

26 $\frac{2}{3}$

27 $\frac{2}{7}$

28 $\frac{7}{10}$

29 $\frac{6}{17}$

30 $\frac{3}{13}$

31 $\frac{2}{9}$

32 $\frac{6}{11}$

33 $\frac{3}{7}$

34 $\frac{8}{19}$

35 $\frac{12}{29}$

36 $\frac{9}{10}$

37 $\frac{16}{31}$

38 $\frac{5}{9}$

08 일차 4. 기약분수

110쪽

1 $\frac{7}{8}$
2 $\frac{6}{13}$
3 $\frac{16}{33}$
4 $\frac{8}{17}$
5 $\frac{1}{5}$
6 $\frac{1}{3}$
7 $\frac{1}{2}$
8 $\frac{8}{15}$
9 $\frac{12}{19}$
10 $\frac{8}{11}$
11 $\frac{4}{13}$
12 $\frac{2}{5}$
13 $\frac{4}{9}$
14 $\frac{27}{41}$
15 $\frac{1}{4}$
16 $\frac{9}{17}$
17 $\frac{3}{8}$
18 $\frac{2}{3}$
19 $\frac{15}{23}$
20 $\frac{5}{6}$
21 $\frac{2}{3}$

111쪽

22 $\frac{5}{8}$
23 $\frac{8}{9}$
24 $\frac{2}{3}$시간
25 $\frac{3}{5}$

09 일차 5. 분모의 곱을 이용한 통분

112쪽

1 3, 2 / $\frac{3}{6}$, $\frac{2}{6}$
2 5, 3 / $\frac{5}{15}$, $\frac{6}{15}$
3 7, 2 / $\frac{7}{14}$, $\frac{4}{14}$
4 6, 10
5 8, 18
6 15, 8
7 14, 12
8 51, 16
9 7, 25
10 13, 12

113쪽

11 $\frac{70}{84}$, $\frac{54}{84}$
12 $\frac{30}{48}$, $\frac{40}{48}$
13 $\frac{15}{35}$, $\frac{21}{35}$
14 $\frac{24}{84}$, $\frac{35}{84}$
15 $\frac{13}{52}$, $\frac{16}{52}$
16 $\frac{33}{88}$, $\frac{16}{88}$
17 $\frac{28}{126}$, $\frac{45}{126}$
18 $\frac{51}{170}$, $\frac{160}{170}$
19 $1\frac{22}{77}$, $1\frac{14}{77}$
20 $2\frac{7}{63}$, $2\frac{18}{63}$
21 $2\frac{24}{80}$, $3\frac{50}{80}$
22 $2\frac{15}{33}$, $2\frac{22}{33}$
23 $1\frac{21}{70}$, $1\frac{20}{70}$
24 $2\frac{25}{55}$, $2\frac{22}{55}$

10일차 5. 분모의 곱을 이용한 통분

114쪽

1 $\frac{9}{99}, \frac{22}{99}$

2 $\frac{12}{44}, \frac{33}{44}$

3 $\frac{11}{88}, \frac{24}{88}$

4 $\frac{80}{176}, \frac{77}{176}$

5 $\frac{24}{108}, \frac{9}{108}$

6 $\frac{14}{168}, \frac{156}{168}$

7 $\frac{85}{204}, \frac{72}{204}$

8 $\frac{70}{120}, \frac{84}{120}$

9 $\frac{209}{228}, \frac{144}{228}$

10 $\frac{2}{26}, \frac{13}{26}$

11 $\frac{26}{39}, \frac{3}{39}$

12 $\frac{90}{234}, \frac{91}{234}$

13 $1\frac{57}{247}, 2\frac{91}{247}$

14 $3\frac{26}{65}, 3\frac{15}{65}$

15 $1\frac{33}{154}, 1\frac{28}{154}$

16 $3\frac{14}{56}, 3\frac{20}{56}$

115쪽

17 주스: $\frac{14}{140}$ L, 우유: $\frac{50}{140}$ L

18 수학 교과서: $\frac{25}{45}$ kg, 수학 익힘책: $\frac{18}{45}$ kg

19 가로: $\frac{14}{35}$ m, 세로: $\frac{20}{35}$ m

11일차 6. 분모의 최소공배수를 이용한 통분

116쪽

1 2, 3 / $\frac{10}{12}, \frac{9}{12}$

2 3 / $\frac{2}{9}, \frac{3}{9}$

3 3, 3 / 2, 2 / $\frac{3}{18}, \frac{4}{18}$

4 2, 3

5 2, 5

6 5, 4

7 12, 13

8 7, 4

9 3, 15, 3, 10

10 2, 7, 2, 18

117쪽

11 $\frac{15}{18}, \frac{5}{18}$

12 $\frac{21}{24}, \frac{20}{24}$

13 $\frac{8}{16}, \frac{9}{16}$

14 $\frac{21}{30}, \frac{25}{30}$

15 $\frac{33}{36}, \frac{16}{36}$

16 $\frac{35}{112}, \frac{24}{112}$

17 $\frac{8}{30}, \frac{21}{30}$

18 $\frac{45}{80}, \frac{12}{80}$

19 $\frac{7}{27}, \frac{15}{27}$

20 $\frac{22}{42}, \frac{35}{42}$

21 $2\frac{12}{16}, 2\frac{7}{16}$

22 $1\frac{6}{20}, 1\frac{5}{20}$

23 $1\frac{33}{48}, 1\frac{20}{48}$

24 $3\frac{21}{60}, 3\frac{26}{60}$

12 일차 6. 분모의 최소공배수를 이용한 통분

118쪽

1. $\frac{5}{12}$, $\frac{9}{12}$
2. $\frac{5}{30}$, $\frac{8}{30}$
3. $\frac{15}{24}$, $\frac{22}{24}$
4. $\frac{35}{56}$, $\frac{36}{56}$
5. $\frac{3}{16}$, $\frac{6}{16}$
6. $\frac{18}{60}$, $\frac{35}{60}$
7. $\frac{49}{70}$, $\frac{45}{70}$
8. $\frac{13}{20}$, $\frac{18}{20}$
9. $\frac{24}{75}$, $\frac{35}{75}$
10. $\frac{42}{50}$, $\frac{17}{50}$
11. $9\frac{25}{40}$, $6\frac{28}{40}$
12. $6\frac{14}{36}$, $6\frac{9}{36}$
13. $4\frac{16}{42}$, $4\frac{27}{42}$
14. $7\frac{27}{96}$, $5\frac{56}{96}$

119쪽

15. 쌀: $\frac{25}{30}$ kg, 보리: $\frac{9}{30}$ kg
16. 수현: $\frac{4}{18}$ m, 수현이 동생: $\frac{3}{18}$ m
17. 편의점: $\frac{25}{40}$ km, 문구점: $\frac{28}{40}$ km

13 일차 7. 두 분수의 크기 비교

120쪽

1. 7, 6 / $>$
2. 8, 9 / $<$
3. 3, 4 / $<$
4. 6, 5 / $>$
5. 18, 20 / $<$
6. 35, 36 / $<$
7. 33, 40 / $<$
8. 49, 36 / $>$
9. 24, 35 / $<$
10. 15, 8 / $>$

121쪽

11. $<$
12. $<$
13. $<$
14. $>$
15. $<$
16. $>$
17. $<$
18. $>$
19. $>$
20. $>$
21. $<$
22. $<$
23. $>$
24. $>$
25. $>$
26. $<$
27. $<$
28. $>$
29. $>$
30. $<$
31. $>$

14 일차 7. 두 분수의 크기 비교

122쪽

1. $<$
2. $>$
3. $>$
4. $<$
5. $>$
6. $>$
7. $>$
8. $<$
9. $<$
10. $>$
11. $>$
12. $<$
13. $>$
14. $<$
15. $>$
16. $>$
17. $<$
18. $>$
19. $>$
20. $<$
21. $>$
22. $>$
23. $<$
24. $<$

123쪽

25. 줄넘기
26. 빨간색 테이프
27. 빵

15 일차 8. 세 분수의 크기 비교

124쪽

1 10, 3, > / 6, 25, < / 4, < / $\frac{1}{5}$, $\frac{2}{3}$, $\frac{5}{6}$

2 27, 35, < / 20, 21, < / 36, 49, < / $\frac{3}{7}$, $\frac{5}{9}$, $\frac{7}{12}$

125쪽

3 $\frac{3}{5}$, $\frac{9}{14}$, $\frac{7}{10}$

4 $\frac{1}{8}$, $\frac{2}{13}$, $\frac{3}{10}$

5 $\frac{4}{15}$, $\frac{7}{18}$, $\frac{9}{10}$

6 $\frac{11}{15}$, $\frac{8}{9}$, $\frac{17}{18}$

7 $\frac{7}{20}$, $\frac{11}{18}$, $\frac{5}{8}$

8 $2\frac{3}{14}$, $2\frac{2}{9}$, $2\frac{4}{7}$

9 $1\frac{3}{8}$, $1\frac{5}{12}$, $1\frac{9}{14}$

10 $3\frac{3}{4}$, $3\frac{9}{11}$, $3\frac{13}{14}$

11 $5\frac{5}{17}$, $5\frac{6}{19}$, $5\frac{4}{9}$

12 $7\frac{10}{21}$, $7\frac{8}{15}$, $7\frac{6}{11}$

16 일차 8. 세 분수의 크기 비교

126쪽

1 $\frac{1}{4}$, $\frac{3}{5}$, $\frac{7}{10}$

2 $\frac{2}{5}$, $\frac{5}{7}$, $\frac{7}{9}$

3 $\frac{3}{10}$, $\frac{5}{14}$, $\frac{8}{17}$

4 $\frac{7}{12}$, $\frac{11}{18}$, $\frac{5}{8}$

5 $\frac{4}{9}$, $\frac{16}{21}$, $\frac{13}{15}$

6 $\frac{9}{25}$, $\frac{11}{30}$, $\frac{13}{20}$

7 $1\frac{1}{2}$, $1\frac{6}{7}$, $1\frac{10}{11}$

8 $4\frac{13}{18}$, $4\frac{11}{14}$, $4\frac{7}{8}$

9 $3\frac{8}{21}$, $3\frac{6}{11}$, $3\frac{4}{7}$

10 $6\frac{7}{16}$, $6\frac{7}{12}$, $6\frac{9}{14}$

11 $2\frac{5}{16}$, $2\frac{3}{8}$, $2\frac{17}{24}$

12 $7\frac{1}{6}$, $7\frac{7}{16}$, $7\frac{9}{20}$

127쪽

13 끈

14 민아, 지수, 솔이

15 민정

17 일차 9. 분수와 소수의 크기 비교

128쪽

1 6, $\frac{7}{10}$ / <

2 $\frac{3}{10}$, 2 / >

3 2.25 / >

4 1.41 / >

5 >

6 <

7 <

8 <

9 <

10 >

11 <

12 <

129쪽

13 >

14 <

15 <

16 >

17 >

18 <

19 >

20 >

21 <

22 <

23 <

24 >

25 <

26 <

27 <

28 >

29 <

30 >

31 <

32 >

33 <

18일차 9. 분수와 소수의 크기 비교

130쪽

1 $<$
2 $<$
3 $<$
4 $>$
5 $>$
6 $<$
7 $<$
8 $>$
9 $<$
10 $<$
11 $<$
12 $>$
13 $>$
14 $>$
15 $>$
16 $>$
17 $>$
18 $>$
19 $<$
20 $>$
21 $>$
22 $<$
23 $>$
24 $<$

131쪽

25 ㉯ 물통
26 소현이네 집
27 가영
28 나영

19일차 연산&문장제 마무리

132쪽

1 예 $\frac{2}{6}, \frac{3}{9}$
2 예 $\frac{8}{18}, \frac{12}{27}$
3 예 $\frac{2}{14}, \frac{3}{21}$
4 예 $\frac{10}{26}, \frac{15}{39}$
5 예 $\frac{12}{15}, \frac{8}{10}$
6 예 $\frac{9}{18}, \frac{6}{12}$
7 예 $\frac{12}{27}, \frac{8}{18}$
8 예 $\frac{21}{28}, \frac{9}{12}$
9 $\frac{3}{5}$
10 $\frac{5}{7}$
11 $\frac{7}{8}$
12 $\frac{21}{33}, \frac{14}{22}, \frac{7}{11}$
13 $\frac{7}{9}$
14 $\frac{3}{5}$
15 $\frac{2}{3}$
16 $\frac{4}{5}$
17 예 $\frac{2}{10}, \frac{5}{10}$
18 예 $\frac{10}{35}, \frac{21}{35}$
19 예 $\frac{10}{16}, \frac{11}{16}$
20 예 $\frac{15}{42}, \frac{26}{42}$
21 예 $1\frac{54}{120}, 1\frac{115}{120}$
22 예 $1\frac{10}{36}, 1\frac{9}{36}$
23 예 $2\frac{33}{48}, 2\frac{28}{48}$

133쪽

24 $>$
25 $>$
26 $>$
27 $<$
28 $<$
29 $<$
30 $>$
31 $>$
32 $\frac{7}{18}, \frac{5}{9}, \frac{2}{3}$
33 $\frac{5}{7}, \frac{3}{4}, \frac{8}{9}$
34 $\frac{3}{8}, \frac{5}{6}, \frac{9}{10}$
35 $\frac{3}{14}, \frac{3}{11}, \frac{2}{7}$
36 $4\frac{11}{12}, 4\frac{14}{15}, 4\frac{15}{16}$
37 $3\frac{5}{12}, 3\frac{7}{16}, 3\frac{9}{20}$
38 $1\frac{13}{24}, 1\frac{9}{14}, 1\frac{19}{28}$
39 $>$
40 $>$
41 $<$
42 $<$
43 $>$
44 $<$
45 $>$
46 $>$

134쪽

47 $\frac{2}{5}$
48 예 성우: $3\frac{21}{60}$ kg, 유경: $3\frac{26}{60}$ kg
49 혜영
50 노란색 테이프, 빨간색 테이프, 파란색 테이프
51 포도주스

4. 분수의 덧셈

01 일차 1. 받아올림이 없는 진분수의 덧셈

136쪽

1 7 / 12
2 2 / 7
3 $\frac{1}{2}$
4 $\frac{9}{20}$
5 $\frac{7}{24}$
6 $\frac{5}{18}$
7 $\frac{11}{28}$
8 $\frac{11}{24}$
9 $\frac{7}{8}$
10 $\frac{7}{9}$
11 $\frac{9}{10}$
12 $\frac{13}{36}$
13 $\frac{17}{20}$
14 $\frac{31}{35}$
15 $\frac{17}{20}$
16 $\frac{23}{24}$
17 $\frac{5}{8}$
18 $\frac{5}{9}$

137쪽

19 $\frac{17}{18}$
20 $\frac{67}{72}$
21 $\frac{45}{56}$
22 $\frac{59}{63}$
23 $\frac{13}{24}$
24 $\frac{13}{15}$
25 $\frac{25}{28}$
26 $\frac{41}{42}$
27 $\frac{43}{72}$
28 $\frac{7}{36}$
29 $\frac{11}{12}$
30 $\frac{14}{15}$
31 $\frac{9}{10}$
32 $\frac{31}{33}$
33 $\frac{37}{40}$
34 $\frac{18}{77}$
35 $\frac{11}{14}$
36 $\frac{19}{24}$
37 $\frac{41}{45}$
38 $\frac{53}{60}$
39 $\frac{23}{35}$

02 일차 1. 받아올림이 없는 진분수의 덧셈

138쪽

1 $\frac{1}{2}$
2 $\frac{29}{30}$
3 $\frac{16}{55}$
4 $\frac{13}{15}$
5 $\frac{2}{3}$
6 $\frac{19}{21}$
7 $\frac{17}{24}$
8 $\frac{29}{36}$
9 $\frac{31}{36}$
10 $\frac{53}{60}$
11 $\frac{71}{84}$
12 $\frac{13}{18}$
13 $\frac{41}{48}$
14 $\frac{47}{56}$
15 $\frac{54}{91}$
16 $\frac{82}{99}$
17 $\frac{37}{45}$
18 $\frac{11}{60}$
19 $\frac{29}{30}$
20 $\frac{35}{48}$
21 $\frac{53}{90}$
22 $\frac{44}{45}$
23 $\frac{41}{60}$
24 $\frac{7}{9}$

139쪽

25 $\frac{7}{36}$ m
26 $\frac{9}{10}$
27 $\frac{17}{20}$ kg

03 일차 2. 받아올림이 있는 진분수의 덧셈

140쪽

1 6, 11 / 1
2 3, 13 / 1
3 $1\frac{5}{12}$
4 $1\frac{1}{28}$
5 $1\frac{13}{30}$
6 $1\frac{1}{18}$
7 $1\frac{4}{21}$
8 $1\frac{13}{24}$
9 $1\frac{7}{24}$
10 $1\frac{2}{9}$
11 $1\frac{3}{35}$
12 $1\frac{5}{36}$
13 $1\frac{11}{42}$
14 $1\frac{11}{45}$
15 $1\frac{11}{40}$
16 $1\frac{22}{63}$
17 $1\frac{5}{18}$
18 $1\frac{1}{4}$

141쪽

19 $1\frac{1}{6}$
20 $1\frac{1}{15}$
21 $1\frac{1}{24}$
22 $1\frac{3}{8}$
23 $1\frac{11}{20}$
24 $1\frac{3}{10}$
25 $1\frac{8}{21}$
26 $1\frac{8}{35}$
27 $1\frac{1}{30}$
28 $1\frac{9}{40}$
29 $1\frac{7}{12}$
30 $1\frac{5}{42}$
31 $1\frac{5}{56}$
32 $1\frac{2}{9}$
33 $1\frac{1}{2}$
34 $1\frac{1}{6}$
35 $1\frac{5}{36}$
36 $1\frac{1}{40}$
37 $1\frac{5}{48}$
38 $1\frac{31}{90}$
39 $1\frac{28}{99}$

04 일차 2. 받아올림이 있는 진분수의 덧셈

142쪽

1 $1\frac{3}{14}$
2 $1\frac{1}{10}$
3 $1\frac{1}{24}$
4 $1\frac{13}{18}$
5 $1\frac{31}{60}$
6 $1\frac{5}{36}$
7 $1\frac{23}{45}$
8 $1\frac{24}{55}$
9 $1\frac{23}{77}$
10 $1\frac{59}{120}$
11 $1\frac{13}{36}$
12 $1\frac{7}{60}$
13 $1\frac{19}{85}$
14 $1\frac{10}{91}$
15 $1\frac{17}{60}$
16 $1\frac{1}{4}$
17 $1\frac{1}{3}$
18 $1\frac{21}{40}$
19 $1\frac{4}{15}$
20 $1\frac{5}{72}$
21 $1\frac{7}{30}$
22 $1\frac{11}{36}$
23 $1\frac{13}{60}$
24 $1\frac{5}{84}$

143쪽

25 $1\frac{11}{45}$ 시간
26 $1\frac{13}{60}$ kg
27 $1\frac{21}{40}$ L

05 일차 3. 받아올림이 없는 (대분수)+(진분수)

144쪽

1 3 / 5

2 11 / 22 / 23, 2, 7

3 $3\frac{1}{2}$

4 $1\frac{7}{10}$

5 $3\frac{17}{20}$

6 $3\frac{9}{10}$

7 $2\frac{9}{20}$

8 $2\frac{13}{15}$

9 $2\frac{31}{35}$

10 $3\frac{11}{28}$

11 $2\frac{11}{24}$

12 $2\frac{25}{28}$

13 $1\frac{13}{24}$

14 $1\frac{23}{24}$

15 $3\frac{7}{24}$

16 $3\frac{19}{28}$

17 $1\frac{7}{9}$

18 $3\frac{5}{8}$

145쪽

19 $2\frac{5}{9}$

20 $2\frac{13}{36}$

21 $1\frac{41}{42}$

22 $1\frac{45}{56}$

23 $3\frac{67}{72}$

24 $1\frac{59}{63}$

25 $2\frac{17}{18}$

26 $1\frac{43}{72}$

27 $1\frac{5}{18}$

28 $1\frac{17}{20}$

29 $2\frac{37}{40}$

30 $1\frac{1}{2}$

31 $3\frac{19}{20}$

32 $3\frac{29}{30}$

33 $3\frac{82}{99}$

34 $2\frac{16}{55}$

35 $2\frac{11}{12}$

36 $1\frac{18}{77}$

37 $3\frac{9}{40}$

38 $2\frac{31}{33}$

39 $1\frac{41}{45}$

06 일차 3. 받아올림이 없는 (대분수)+(진분수)

146쪽

1 $1\frac{7}{36}$

2 $3\frac{14}{15}$

3 $1\frac{7}{12}$

4 $1\frac{54}{91}$

5 $1\frac{71}{84}$

6 $2\frac{9}{10}$

7 $1\frac{19}{24}$

8 $1\frac{11}{14}$

9 $1\frac{13}{18}$

10 $3\frac{29}{36}$

11 $1\frac{31}{36}$

12 $3\frac{37}{45}$

13 $3\frac{41}{48}$

14 $3\frac{53}{60}$

15 $3\frac{47}{56}$

16 $2\frac{17}{24}$

17 $1\frac{19}{21}$

18 $1\frac{11}{60}$

19 $3\frac{29}{30}$

20 $3\frac{35}{48}$

21 $2\frac{53}{60}$

22 $1\frac{23}{35}$

23 $2\frac{97}{110}$

24 $2\frac{53}{90}$

147쪽

25 $2\frac{7}{8}$ km

26 $2\frac{37}{45}$ L

27 $2\frac{37}{40}$ m

07 일차 4. 받아올림이 없는 (대분수)+(대분수)

148쪽

1 3 / 17

2 11 / 22 / 57, 2, 17

3 $3\frac{13}{20}$

4 $2\frac{5}{6}$

5 $2\frac{5}{6}$

6 $2\frac{13}{15}$

7 $4\frac{15}{28}$

8 $2\frac{14}{15}$

9 $2\frac{13}{14}$

10 $4\frac{5}{8}$

149쪽

11 $4\frac{19}{36}$

12 $5\frac{9}{10}$

13 $4\frac{31}{33}$

14 $3\frac{37}{40}$

15 $5\frac{26}{55}$

16 $3\frac{31}{60}$

17 $3\frac{31}{36}$

18 $4\frac{89}{100}$

19 $5\frac{17}{20}$

20 $5\frac{23}{24}$

21 $4\frac{19}{28}$

22 $5\frac{67}{72}$

23 $2\frac{9}{40}$

24 $6\frac{3}{4}$

25 $5\frac{41}{63}$

26 $5\frac{1}{2}$

27 $2\frac{13}{18}$

28 $3\frac{29}{30}$

29 $4\frac{37}{45}$

30 $4\frac{7}{12}$

31 $5\frac{82}{99}$

08 일차 4. 받아올림이 없는 (대분수)+(대분수)

150쪽

1 $4\frac{7}{9}$

2 $5\frac{18}{77}$

3 $6\frac{19}{24}$

4 $3\frac{19}{24}$

5 $4\frac{31}{35}$

6 $3\frac{53}{60}$

7 $6\frac{41}{45}$

8 $3\frac{23}{35}$

9 $4\frac{45}{56}$

10 $5\frac{11}{18}$

11 $3\frac{5}{9}$

12 $5\frac{19}{20}$

13 $3\frac{19}{21}$

14 $4\frac{29}{36}$

15 $5\frac{53}{60}$

16 $5\frac{47}{56}$

17 $4\frac{43}{72}$

18 $3\frac{71}{84}$

19 $4\frac{59}{60}$

20 $3\frac{41}{75}$

21 $3\frac{59}{126}$

22 $4\frac{41}{48}$

23 $4\frac{11}{16}$

24 $4\frac{97}{102}$

151쪽

25 $4\frac{17}{24}$ kg

26 $4\frac{13}{24}$장

27 $2\frac{47}{84}$ km

09 일차

5. 받아올림이 있는 (대분수)+(진분수)

152쪽

1 5 / 13, 1, 3 / 3, 3
2 29 / 58, 73 / 4, 1
3 $3\frac{5}{12}$
4 $3\frac{5}{18}$
5 $4\frac{2}{9}$
6 $3\frac{11}{42}$
7 $4\frac{3}{35}$
8 $3\frac{5}{36}$
9 $4\frac{5}{36}$
10 $3\frac{11}{45}$

153쪽

11 $2\frac{1}{10}$
12 $3\frac{3}{14}$
13 $4\frac{1}{4}$
14 $3\frac{13}{36}$
15 $4\frac{24}{55}$
16 $2\frac{7}{60}$
17 $3\frac{23}{90}$
18 $3\frac{17}{100}$
19 $3\frac{1}{12}$
20 $4\frac{4}{21}$
21 $4\frac{13}{24}$
22 $3\frac{1}{28}$
23 $4\frac{11}{40}$
24 $3\frac{1}{2}$
25 $2\frac{1}{6}$
26 $3\frac{7}{24}$
27 $4\frac{1}{40}$
28 $3\frac{5}{48}$
29 $2\frac{1}{3}$
30 $3\frac{1}{24}$
31 $4\frac{13}{30}$

10 일차

5. 받아올림이 있는 (대분수)+(진분수)

154쪽

1 $2\frac{1}{6}$
2 $4\frac{1}{15}$
3 $4\frac{3}{14}$
4 $2\frac{3}{8}$
5 $3\frac{7}{12}$
6 $3\frac{11}{18}$
7 $4\frac{11}{20}$
8 $2\frac{13}{30}$
9 $2\frac{9}{40}$
10 $4\frac{1}{24}$
11 $4\frac{1}{4}$
12 $4\frac{28}{99}$
13 $3\frac{13}{60}$
14 $4\frac{59}{120}$
15 $3\frac{31}{90}$
16 $3\frac{5}{84}$
17 $3\frac{13}{60}$
18 $4\frac{11}{36}$
19 $4\frac{7}{48}$
20 $2\frac{17}{70}$
21 $3\frac{1}{14}$
22 $2\frac{11}{96}$
23 $3\frac{29}{84}$
24 $2\frac{25}{144}$

155쪽

25 $3\frac{4}{21}$ kg
26 $2\frac{5}{36}$ km
27 $4\frac{3}{40}$ g

11 일차

6. 받아올림이 있는 (대분수)+(대분수)

156쪽

1 6 / 11 / 5, 1

2 7, 21 / 53 / 4, 5

3 $7\frac{1}{12}$

4 $6\frac{4}{21}$

5 $5\frac{2}{9}$

6 $5\frac{13}{30}$

7 $6\frac{3}{35}$

8 $4\frac{5}{36}$

9 $5\frac{11}{40}$

10 $6\frac{5}{48}$

157쪽

11 $4\frac{22}{63}$

12 $5\frac{13}{60}$

13 $4\frac{5}{84}$

14 $5\frac{31}{90}$

15 $7\frac{59}{120}$

16 $6\frac{11}{36}$

17 $6\frac{7}{30}$

18 $6\frac{28}{99}$

19 $4\frac{2}{9}$

20 $5\frac{1}{2}$

21 $7\frac{5}{18}$

22 $4\frac{1}{42}$

23 $7\frac{7}{24}$

24 $4\frac{5}{36}$

25 $7\frac{1}{40}$

26 $7\frac{3}{14}$

27 $5\frac{13}{36}$

28 $6\frac{13}{30}$

29 $4\frac{7}{16}$

30 $3\frac{7}{30}$

31 $4\frac{14}{45}$

12 일차

6. 받아올림이 있는 (대분수)+(대분수)

158쪽

1 $6\frac{1}{4}$

2 $5\frac{1}{20}$

3 $6\frac{2}{21}$

4 $4\frac{1}{12}$

5 $4\frac{1}{14}$

6 $4\frac{9}{40}$

7 $7\frac{1}{8}$

8 $3\frac{1}{12}$

9 $6\frac{7}{15}$

10 $4\frac{5}{14}$

11 $7\frac{2}{45}$

12 $5\frac{3}{20}$

13 $5\frac{28}{55}$

14 $5\frac{9}{56}$

15 $5\frac{1}{30}$

16 $6\frac{11}{36}$

17 $8\frac{11}{48}$

18 $9\frac{1}{6}$

19 $8\frac{20}{63}$

20 $7\frac{2}{15}$

21 $3\frac{4}{75}$

22 $7\frac{1}{88}$

23 $8\frac{8}{45}$

24 $7\frac{7}{108}$

159쪽

25 $5\frac{1}{15}$ kg

26 $4\frac{7}{24}$시간

27 $7\frac{23}{45}$장

13 일차 연산&문장제 마무리

160쪽

1 $\frac{17}{21}$
2 $\frac{13}{14}$
3 $\frac{13}{15}$
4 $\frac{27}{40}$
5 $\frac{7}{9}$
6 $\frac{9}{14}$
7 $\frac{47}{66}$
8 $\frac{50}{81}$
9 $1\frac{7}{18}$
10 $1\frac{17}{24}$
11 $1\frac{1}{4}$
12 $1\frac{4}{15}$
13 $1\frac{10}{99}$
14 $1\frac{11}{30}$
15 $1\frac{25}{144}$
16 $1\frac{17}{100}$
17 $2\frac{7}{9}$
18 $1\frac{27}{28}$
19 $1\frac{13}{30}$
20 $3\frac{17}{24}$
21 $4\frac{31}{36}$
22 $3\frac{7}{9}$
23 $2\frac{71}{84}$
24 $1\frac{73}{110}$

161쪽

25 $3\frac{7}{8}$
26 $4\frac{9}{10}$
27 $4\frac{29}{30}$
28 $2\frac{11}{14}$
29 $3\frac{9}{10}$
30 $6\frac{29}{45}$
31 $6\frac{97}{110}$
32 $5\frac{41}{48}$
33 $2\frac{1}{10}$
34 $4\frac{1}{28}$
35 $3\frac{1}{40}$
36 $4\frac{13}{60}$
37 $4\frac{10}{91}$
38 $3\frac{13}{48}$
39 $3\frac{17}{84}$
40 $3\frac{11}{96}$
41 $4\frac{1}{12}$
42 $6\frac{8}{21}$
43 $4\frac{1}{6}$
44 $8\frac{1}{4}$
45 $6\frac{3}{40}$
46 $6\frac{11}{42}$
47 $9\frac{17}{50}$
48 $7\frac{23}{90}$

162쪽

49 $\frac{8}{9}$
50 $3\frac{19}{20}$ m
51 $3\frac{27}{28}$ L
52 $3\frac{1}{2}$ km
53 $12\frac{1}{10}$ kg

5. 분수의 뺄셈

1. (진분수)-(진분수)

164쪽

1 5 / 2
2 15 / 7
3 $\frac{1}{6}$
4 $\frac{1}{4}$
5 $\frac{1}{10}$
6 $\frac{7}{15}$
7 $\frac{3}{28}$
8 $\frac{8}{21}$
9 $\frac{13}{28}$
10 $\frac{7}{24}$
11 $\frac{2}{45}$
12 $\frac{1}{10}$
13 $\frac{1}{4}$
14 $\frac{9}{20}$
15 $\frac{9}{35}$
16 $\frac{1}{14}$
17 $\frac{1}{8}$
18 $\frac{1}{9}$

165쪽

19 $\frac{1}{12}$
20 $\frac{5}{14}$
21 $\frac{1}{8}$
22 $\frac{1}{10}$
23 $\frac{7}{18}$
24 $\frac{9}{20}$
25 $\frac{3}{20}$
26 $\frac{1}{2}$
27 $\frac{11}{18}$
28 $\frac{1}{12}$
29 $\frac{5}{9}$
30 $\frac{1}{20}$
31 $\frac{11}{60}$
32 $\frac{5}{66}$
33 $\frac{11}{24}$
34 $\frac{1}{9}$
35 $\frac{11}{35}$
36 $\frac{1}{40}$
37 $\frac{11}{30}$
38 $\frac{1}{60}$
39 $\frac{4}{21}$

02 일차 1. (진분수)-(진분수)

166쪽

1 $\frac{5}{12}$
2 $\frac{5}{12}$
3 $\frac{1}{14}$
4 $\frac{1}{8}$
5 $\frac{11}{36}$
6 $\frac{2}{15}$
7 $\frac{5}{24}$
8 $\frac{7}{36}$
9 $\frac{7}{12}$
10 $\frac{19}{75}$
11 $\frac{2}{63}$
12 $\frac{1}{18}$
13 $\frac{7}{12}$
14 $\frac{1}{24}$
15 $\frac{14}{39}$
16 $\frac{7}{22}$
17 $\frac{17}{60}$
18 $\frac{7}{24}$
19 $\frac{1}{30}$
20 $\frac{3}{16}$
21 $\frac{1}{15}$
22 $\frac{11}{36}$
23 $\frac{31}{80}$
24 $\frac{7}{96}$

167쪽

25 $\frac{7}{30}$ m
26 $\frac{4}{15}$
27 $\frac{17}{24}$ L

03 일차 2. 받아내림이 없는 (대분수)-(진분수)

168쪽

1 2 / 3
2 7 / 21 / 19, 1, 7
3 $2\frac{1}{6}$
4 $4\frac{1}{4}$
5 $3\frac{1}{30}$
6 $3\frac{1}{2}$
7 $3\frac{3}{14}$
8 $3\frac{1}{10}$
9 $2\frac{1}{18}$
10 $5\frac{11}{18}$
11 $4\frac{9}{20}$
12 $2\frac{5}{9}$
13 $2\frac{1}{14}$
14 $2\frac{7}{40}$
15 $4\frac{8}{35}$
16 $2\frac{11}{36}$
17 $3\frac{13}{63}$
18 $4\frac{7}{12}$

169쪽

19 $3\frac{1}{12}$
20 $5\frac{2}{35}$
21 $5\frac{1}{18}$
22 $3\frac{1}{10}$
23 $6\frac{5}{12}$
24 $5\frac{5}{14}$
25 $1\frac{8}{21}$
26 $2\frac{1}{2}$
27 $3\frac{4}{21}$
28 $4\frac{1}{40}$
29 $4\frac{13}{28}$
30 $5\frac{1}{12}$
31 $6\frac{1}{16}$
32 $7\frac{7}{30}$
33 $3\frac{1}{15}$
34 $5\frac{19}{36}$
35 $1\frac{3}{16}$
36 $4\frac{7}{30}$
37 $3\frac{29}{48}$
38 $3\frac{7}{30}$
39 $4\frac{25}{54}$

04 일차

2. 받아내림이 없는 (대분수)-(진분수)

170쪽

1 $5\frac{1}{6}$

2 $3\frac{1}{4}$

3 $4\frac{7}{15}$

4 $1\frac{13}{18}$

5 $5\frac{1}{8}$

6 $2\frac{3}{20}$

7 $5\frac{1}{30}$

8 $5\frac{7}{18}$

9 $6\frac{9}{20}$

10 $8\frac{15}{28}$

11 $6\frac{7}{36}$

12 $6\frac{11}{35}$

13 $3\frac{11}{40}$

14 $6\frac{14}{39}$

15 $8\frac{1}{20}$

16 $4\frac{11}{35}$

17 $1\frac{13}{28}$

18 $5\frac{1}{56}$

19 $5\frac{40}{63}$

20 $3\frac{1}{40}$

21 $7\frac{1}{30}$

22 $7\frac{5}{24}$

23 $7\frac{11}{48}$

24 $8\frac{11}{42}$

171쪽

25 $3\frac{17}{24}$ kg

26 $1\frac{7}{24}$ L

27 $5\frac{14}{45}$ km

05 일차

3. 받아내림이 없는 (대분수)-(대분수)

172쪽

1 5 / 5 / 3

2 19, 7, 76, 35 / 41, 2, 1

3 $4\frac{1}{6}$

4 $2\frac{1}{4}$

5 $6\frac{1}{12}$

6 $2\frac{7}{20}$

7 $3\frac{1}{9}$

8 $3\frac{1}{14}$

9 $3\frac{1}{18}$

10 $3\frac{9}{20}$

173쪽

11 $3\frac{7}{24}$

12 $2\frac{11}{30}$

13 $2\frac{3}{20}$

14 $5\frac{17}{24}$

15 $1\frac{15}{28}$

16 $6\frac{7}{30}$

17 $1\frac{1}{40}$

18 $2\frac{17}{84}$

19 $2\frac{1}{10}$

20 $2\frac{1}{18}$

21 $6\frac{2}{35}$

22 $1\frac{5}{12}$

23 $7\frac{1}{10}$

24 $2\frac{1}{4}$

25 $4\frac{5}{24}$

26 $1\frac{1}{14}$

27 $3\frac{1}{40}$

28 $3\frac{9}{20}$

29 $5\frac{11}{24}$

30 $4\frac{7}{36}$

31 $4\frac{23}{42}$

06 일차 3. 받아내림이 없는 (대분수)-(대분수)

174쪽

1 $1\frac{1}{10}$
2 $6\frac{2}{15}$
3 $1\frac{5}{14}$
4 $2\frac{1}{8}$
5 $2\frac{2}{63}$
6 $3\frac{7}{18}$
7 $3\frac{1}{10}$
8 $1\frac{5}{12}$
9 $3\frac{1}{12}$
10 $2\frac{4}{15}$
11 $1\frac{1}{16}$
12 $6\frac{11}{18}$
13 $5\frac{9}{20}$
14 $4\frac{1}{24}$
15 $4\frac{11}{35}$
16 $2\frac{1}{30}$
17 $4\frac{10}{33}$
18 $1\frac{19}{36}$
19 $5\frac{13}{40}$
20 $3\frac{11}{42}$
21 $5\frac{34}{55}$
22 $1\frac{11}{65}$
23 $3\frac{39}{70}$
24 $3\frac{37}{84}$

175쪽

25 $4\frac{1}{24}$ kg
26 $1\frac{12}{35}$ kg
27 $5\frac{1}{15}$ km

07 일차 4. 받아내림이 있는 (대분수)-(진분수)

176쪽

1 2, 9, 2 / 9, 2 / 7, 7
2 7, 20, 63, 20 / 43, 1, 15
3 $3\frac{19}{24}$
4 $\frac{3}{4}$
5 $4\frac{19}{22}$
6 $4\frac{14}{15}$
7 $1\frac{2}{3}$
8 $1\frac{19}{20}$
9 $2\frac{19}{24}$
10 $4\frac{25}{36}$

177쪽

11 $3\frac{13}{30}$
12 $5\frac{32}{35}$
13 $4\frac{8}{9}$
14 $4\frac{19}{28}$
15 $2\frac{17}{24}$
16 $\frac{24}{35}$
17 $\frac{33}{40}$
18 $3\frac{23}{33}$
19 $2\frac{1}{2}$
20 $2\frac{1}{3}$
21 $3\frac{3}{4}$
22 $2\frac{43}{45}$
23 $\frac{27}{40}$
24 $2\frac{59}{70}$
25 $\frac{3}{4}$
26 $4\frac{17}{36}$
27 $5\frac{17}{30}$
28 $6\frac{37}{42}$
29 $\frac{41}{48}$
30 $2\frac{23}{30}$
31 $4\frac{37}{45}$

08 일차 4. 받아내림이 있는 (대분수)-(진분수)

178쪽

1 $4\frac{14}{15}$
2 $5\frac{13}{15}$
3 $6\frac{11}{30}$
4 $2\frac{10}{21}$
5 $3\frac{5}{8}$
6 $2\frac{5}{12}$
7 $\frac{19}{24}$
8 $2\frac{25}{28}$
9 $5\frac{19}{20}$
10 $3\frac{51}{70}$
11 $3\frac{23}{24}$
12 $2\frac{47}{60}$
13 $5\frac{39}{40}$
14 $5\frac{7}{30}$
15 $\frac{77}{90}$
16 $1\frac{7}{15}$
17 $3\frac{17}{20}$
18 $1\frac{17}{30}$
19 $2\frac{25}{36}$
20 $6\frac{67}{80}$
21 $3\frac{49}{54}$
22 $6\frac{29}{50}$
23 $\frac{49}{60}$
24 $2\frac{77}{120}$

179쪽

25 $3\frac{7}{8}$ m
26 $2\frac{13}{15}$ L
27 $\frac{7}{8}$ L

09 일차 5. 받아내림이 있는 (대분수)-(대분수)

180쪽

1 4, 7, 4 / 7, 4 / 1, 3, 1, 1, 1, 1
2 2, 5, 42, 25 / 17, 1, 7
3 $1\frac{3}{4}$
4 $3\frac{14}{15}$
5 $1\frac{5}{6}$
6 $3\frac{7}{12}$
7 $2\frac{24}{35}$
8 $2\frac{17}{18}$
9 $2\frac{3}{8}$
10 $1\frac{29}{40}$

181쪽

11 $\frac{23}{24}$
12 $\frac{7}{30}$
13 $1\frac{37}{70}$
14 $2\frac{47}{60}$
15 $3\frac{43}{48}$
16 $\frac{83}{84}$
17 $1\frac{20}{99}$
18 $2\frac{39}{50}$
19 $\frac{1}{2}$
20 $1\frac{3}{4}$
21 $1\frac{7}{24}$
22 $3\frac{7}{9}$
23 $1\frac{8}{15}$
24 $\frac{13}{18}$
25 $1\frac{15}{28}$
26 $1\frac{41}{70}$
27 $\frac{11}{15}$
28 $\frac{19}{20}$
29 $3\frac{19}{22}$
30 $4\frac{7}{16}$
31 $\frac{5}{6}$

10일차 5. 받아내림이 있는 (대분수)-(대분수)

182쪽

1 $2\frac{8}{15}$
2 $2\frac{11}{30}$
3 $2\frac{15}{28}$
4 $\frac{5}{8}$
5 $3\frac{19}{24}$
6 $2\frac{5}{12}$
7 $2\frac{7}{9}$
8 $\frac{11}{12}$
9 $1\frac{67}{90}$
10 $2\frac{7}{18}$
11 $\frac{10}{21}$
12 $3\frac{19}{20}$
13 $4\frac{19}{36}$
14 $\frac{51}{56}$
15 $\frac{17}{20}$
16 $2\frac{39}{56}$
17 $1\frac{17}{30}$
18 $3\frac{25}{36}$
19 $2\frac{49}{60}$
20 $3\frac{68}{75}$
21 $1\frac{67}{80}$
22 $\frac{26}{45}$
23 $2\frac{59}{72}$
24 $\frac{97}{108}$

183쪽

25 $1\frac{1}{2}$ kg
26 $\frac{17}{18}$시간
27 $5\frac{17}{40}$ km

11일차 6. 분수의 덧셈과 뺄셈

184쪽

1 $\frac{1}{3}$
2 $\frac{9}{10}$
3 $\frac{1}{10}$
4 $\frac{2}{9}$
5 $\frac{13}{21}$
6 $\frac{1}{21}$
7 $2\frac{5}{12}$
8 $\frac{5}{9}$
9 $1\frac{11}{12}$
10 $2\frac{11}{15}$
11 $\frac{1}{8}$
12 $\frac{1}{4}$
13 $3\frac{1}{9}$
14 $7\frac{9}{16}$
15 $\frac{5}{6}$
16 $\frac{7}{8}$
17 $2\frac{7}{9}$
18 $5\frac{5}{6}$

185쪽

19 $\frac{3}{8}$
20 $\frac{11}{12}$
21 $\frac{17}{20}$
22 $\frac{1}{2}$
23 $3\frac{2}{15}$
24 $3\frac{11}{15}$
25 $3\frac{1}{3}$
26 $\frac{2}{3}$
27 $\frac{6}{7}$
28 $3\frac{1}{4}$
29 $3\frac{2}{5}$
30 $\frac{8}{9}$
31 $\frac{5}{6}$
32 $2\frac{1}{4}$
33 $\frac{1}{12}$
34 $2\frac{3}{16}$
35 $2\frac{3}{5}$
36 $\frac{1}{3}$
37 $\frac{3}{4}$
38 $8\frac{1}{4}$
39 $3\frac{9}{14}$

12 일차 6. 분수의 덧셈과 뺄셈

186쪽

1 $\frac{1}{4}$
2 $\frac{3}{11}$
3 $\frac{4}{5}$
4 $\frac{1}{2}$
5 $\frac{1}{6}$
6 $1\frac{5}{8}$
7 $3\frac{4}{9}$
8 $2\frac{1}{3}$
9 $2\frac{1}{4}$
10 $3\frac{4}{9}$
11 $2\frac{3}{5}$
12 $3\frac{3}{5}$
13 $\frac{1}{9}$
14 $\frac{1}{12}$
15 $\frac{5}{8}$
16 $2\frac{1}{4}$
17 $2\frac{5}{12}$
18 $1\frac{3}{5}$
19 $5\frac{5}{7}$
20 $\frac{5}{9}$
21 $\frac{9}{10}$
22 $3\frac{2}{9}$
23 $9\frac{3}{5}$
24 $4\frac{3}{10}$

187쪽

25 $\frac{7}{10}$ m
26 $2\frac{1}{4}$ g
27 $3\frac{5}{8}$장
28 $2\frac{5}{8}$ L

13 일차 연산&문장제 마무리

188쪽

1 $\frac{1}{12}$
2 $\frac{3}{56}$
3 $\frac{5}{36}$
4 $\frac{7}{15}$
5 $\frac{11}{40}$
6 $\frac{27}{56}$
7 $\frac{16}{77}$
8 $\frac{7}{96}$
9 $4\frac{4}{21}$
10 $2\frac{1}{10}$
11 $4\frac{1}{2}$
12 $4\frac{3}{14}$
13 $3\frac{1}{9}$
14 $5\frac{5}{18}$
15 $2\frac{5}{24}$
16 $1\frac{14}{39}$
17 $1\frac{1}{56}$
18 $3\frac{1}{8}$
19 $2\frac{1}{15}$
20 $2\frac{7}{20}$
21 $2\frac{8}{21}$
22 $1\frac{37}{84}$
23 $1\frac{11}{45}$
24 $2\frac{34}{55}$

189쪽

25 $1\frac{11}{12}$
26 $3\frac{2}{3}$
27 $2\frac{14}{15}$
28 $1\frac{7}{10}$
29 $2\frac{5}{8}$
30 $2\frac{13}{14}$
31 $3\frac{5}{6}$
32 $1\frac{17}{26}$
33 $2\frac{19}{20}$
34 $\frac{1}{2}$
35 $1\frac{8}{9}$
36 $4\frac{5}{6}$
37 $\frac{13}{18}$
38 $2\frac{19}{20}$
39 $\frac{17}{24}$
40 $2\frac{37}{45}$
41 $\frac{4}{5}$
42 $2\frac{2}{3}$
43 $3\frac{7}{10}$
44 $2\frac{5}{8}$
45 $\frac{7}{9}$
46 $6\frac{5}{6}$
47 $\frac{1}{5}$
48 $4\frac{3}{8}$

190쪽

49 $\frac{7}{20}$ L
50 $1\frac{1}{3}$ m
51 $5\frac{37}{40}$ kg
52 $\frac{7}{10}$ kg
53 $\frac{1}{5}$ m

6. 다각형의 둘레와 넓이

01 일차 1. 정다각형의 둘레

192쪽

1 4, 16
2 3, 18
3 6, 60
4 7, 77
5 40 cm
6 24 cm
7 28 cm
8 75 cm
9 28 cm

193쪽

10 35 cm
11 12 cm
12 35 cm
13 54 cm
14 100 cm
15 45 cm
16 55 cm
17 48 cm
18 50 cm
19 48 cm

02 일차 1. 정다각형의 둘레

194쪽

1 17
2 13
3 17
4 6
5 10
6 12
7 14
8 24
9 9
10 17

195쪽

11 150 cm
12 96 cm
13 39 cm

03 일차 2. 사각형의 둘레

196쪽

1 4, 14
2 9, 28
3 4, 16
4 50 cm
5 20 cm
6 44 cm
7 26 cm

197쪽

8 40 cm
9 32 cm
10 16 cm
11 38 cm
12 24 cm
13 16 cm
14 38 cm
15 28 cm
16 34 cm
17 44 cm

04 일차 2. 사각형의 둘레

198쪽

1 48 cm
2 46 cm
3 28 cm
4 26 cm
5 24 cm
6 50 cm
7 20 cm
8 22 cm
9 52 cm
10 60 cm
11 32 cm
12 18 cm

199쪽

13 40 cm
14 26 cm
15 24 cm

05 일차 3. 직사각형의 넓이

200쪽

1 27
2 3, 45
3 25
4 7, 49
5 64 cm^2
6 98 m^2
7 30 cm^2
8 42 cm^2

201쪽

9 40 cm^2
10 100 cm^2
11 30 m^2
12 169 m^2
13 66 cm^2
14 50 m^2
15 72 cm^2
16 144 cm^2
17 90 cm^2
18 132 cm^2

06 일차 3. 직사각형의 넓이

202쪽

1 91 cm^2
2 210 cm^2
3 36 m^2
4 196 m^2
5 18 cm^2
6 80 m^2
7 256 cm^2
8 195 cm^2
9 324 m^2
10 96 cm^2
11 110 m^2
12 108 cm^2

203쪽

13 100 cm^2
14 56 cm^2
15 135 cm^2

07 일차 4. 평행사변형의 넓이

204쪽

1 20
2 24
3 3, 12
4 8, 32
5 30 m^2
6 72 m^2
7 66 cm^2
8 35 m^2

205쪽

9 28 m^2
10 63 m^2
11 96 cm^2
12 112 cm^2
13 40 m^2
14 120 cm^2
15 64 m^2
16 117 cm^2
17 110 m^2
18 50 cm^2

08 일차 4. 평행사변형의 넓이

206쪽

1 80 cm^2
2 60 cm^2
3 150 cm^2
4 120 cm^2
5 77 cm^2
6 88 m^2
7 190 cm^2
8 242 cm^2
9 264 m^2
10 144 m^2
11 156 m^2
12 169 cm^2

207쪽

13 56 m^2
14 45 cm^2
15 150 cm^2

09 일차 5. 삼각형의 넓이

208쪽

1 9
2 6
3 7, 14
4 5, 10
5 20 cm^2
6 24 cm^2
7 21 m^2
8 18 m^2
9 27 cm^2

209쪽

10 36 cm^2
11 48 m^2
12 32 cm^2
13 28 cm^2
14 54 cm^2
15 36 cm^2
16 81 cm^2
17 95 cm^2
18 100 m^2
19 45 m^2

10 일차 5. 삼각형의 넓이

210쪽

1 33 cm^2
2 121 cm^2
3 99 m^2
4 72 cm^2
5 132 m^2
6 90 cm^2
7 42 cm^2
8 117 cm^2
9 52 m^2
10 84 cm^2
11 77 m^2
12 154 cm^2

211쪽

13 52 m^2
14 35 cm^2
15 108 m^2

11 일차 6. 마름모의 넓이

212쪽

1 9
2 14
3 4, 8
4 5, 10
5 33 cm^2
6 36 m^2
7 25 m^2
8 24 cm^2

213쪽

9 35 m^2
10 42 m^2
11 40 m^2
12 36 cm^2
13 48 m^2
14 54 cm^2
15 45 cm^2
16 63 cm^2
17 50 cm^2
18 55 cm^2

12 일차 6. 마름모의 넓이

214쪽

1 60 m^2
2 99 cm^2
3 126 m^2
4 66 cm^2
5 84 cm^2
6 78 cm^2
7 133 cm^2
8 91 cm^2
9 140 cm^2
10 165 m^2
11 180 cm^2
12 135 m^2

215쪽

13 36 m^2
14 40 cm^2
15 840 cm^2

13 일차 7. 사다리꼴의 넓이

216쪽

1 9
2 16
3 6, 36
4 4, 25
5 $49 cm^2$
6 $18 m^2$
7 $39 m^2$
8 $60 cm^2$
9 $72 m^2$

217쪽

10 $51 cm^2$
11 $76 m^2$
12 $51 cm^2$
13 $30 cm^2$
14 $90 cm^2$
15 $115 cm^2$
16 $81 cm^2$
17 $100 m^2$
18 $108 cm^2$
19 $64 m^2$

14 일차 7. 사다리꼴의 넓이

218쪽

1 $45 cm^2$
2 $180 cm^2$
3 $95 cm^2$
4 $168 cm^2$
5 $100 cm^2$
6 $125 m^2$
7 $121 cm^2$
8 $69 m^2$
9 $45 m^2$
10 $198 m^2$
11 $169 m^2$
12 $203 cm^2$

219쪽

13 $22 m^2$
14 $25 cm^2$
15 $80 cm^2$

15 일차 연산&문장제 마무리

220쪽

1 54 cm
2 56 cm
3 25 cm
4 60 cm
5 63 cm
6 64 cm
7 18 cm
8 76 cm
9 42 cm
10 34 cm
11 $196 cm^2$
12 $70 cm^2$
13 $88 m^2$
14 $289 m^2$
15 $117 cm^2$

221쪽

16 $256 m^2$
17 $361 cm^2$
18 $221 cm^2$
19 $144 cm^2$
20 $120 m^2$
21 $48 cm^2$
22 $99 cm^2$
23 $33 m^2$
24 $88 cm^2$
25 $190 cm^2$
26 $30 m^2$
27 $48 cm^2$
28 $160 m^2$
29 $54 m^2$
30 $76 cm^2$

222쪽

31 $400 cm^2$
32 $6 cm^2$
33 $39 cm^2$
34 $90 m^2$
35 $42 cm^2$